AMOUR ET VÉRITÉ

SEBON, VIVÈS
ET
Michel de MONTAIGNE

ANDRÉE COMPAROT

Docteur ès-Lettres et Sciences Humaines

AMOUR ET VÉRITÉ

SEBON, VIVÈS
ET
Michel de MONTAIGNE

Ouvrage publié avec le concours
du Centre National des Lettres

1983
KLINCKSIECK
PARIS

ISBN 2-86563-030-7

A Bernard,
ce livre écrit auprès de lui,
en souvenir de notre première lecture d'Augustin

Tiré d'une étude sur les sources des *Essais,* ce livre s'est attaché à la recherche des idées. S'il s'est efforcé toujours d'en mesurer la beauté, il reflète aussi une adhésion profonde à celles qui animèrent Montaigne.

En le soumettant au jugement du public je dois remercier celui qui fut mon guide dans cette aventure intellectuelle, Monsieur le Professeur Robert Aulotte. Qu'il partage ma reconnaissance avec celui qui présida au choix de mon travail, Verdun-L. Saulnier.

INTRODUCTION

LA TRADITION PLATONICIENNE DANS LE CHRISTIANISME, SES AFFRONTEMENTS, SES DIVERGENCES

Il n'est point d'analyse de la pensée chrétienne qui ne puisse être ramenée au dialogue du *Phèdre*. C'est d'amour qu'il s'agit, de la nature de l'amour, et de la manière de le vivre dans la création. Fable et vérité, le sujet nous conduit aux sources des légendes, à cette interrogation sur l'histoire des grands mythes, au refus de l'homme d'Athènes de les mesurer par la raison. Gardant à Borée sa légende poétique, par respect de la tradition, Socrate se contente de la science que l'on peut trouver dans la ville, de la science de l'homme, et surtout de celle de soi.

L'inquiétude du disciple devant le panthéisme, comme la réponse du maître posant la priorité de l'homme sur la nature, parce qu'elles traduisent les deux aspirations contradictoires de l'humanité, devaient opposer toutes les philosophies. Troublant, ou fécondant la théologie chrétienne, la tentation offerte par la vie du monde mettait en cause la valeur de l'individu. La religion de l'amour, élevée sur le principe même du respect du divin en lui, se trouvait battue en brèche par le retour de l'aristotélisme. Miroir brisé[1], si l'on veut, le plus grand siècle de la philosophie médiévale, marque l'emprise de la tentation ancestrale. Le retour à la nature et aux sources du monde, ne conduit ceux qui ont perdu le sens du divin, qu'à contempler leur propre image, et mesurer leurs limites. Aux autres, multiples et convergents, les reflets du monde renvoient plus puissamment celle du Créateur; ou bien encore, dans la vision même et l'expérience des choses, par une illumination supérieure, s'opère pour eux une transparence mystique au divin. Jouet ballotté par les forces du monde qu'il croit pénétrer, prétendant transposer en Dieu sa connaissance des choses, ou se sentant par elle élevé jusqu'à lui, l'homme choisissait ainsi, avec l'un ou l'autre système philosophique, entre un pessimisme et un optimisme profond, entre la résignation à son sort, et l'espoir d'une transcendance en Dieu, ou la joie de ramener au monde une sagesse acquise en lui. C'est dans ce triple choix que s'insèrent, dans la tradition bonaventurienne, les maîtres à penser de Montaigne, Sebon et Vivès. Si l'on a trop dit qu'il avait corrigé l'un, on n'a pas assez montré, sans doute, combien il avait suivi l'autre.

Les exigences de la pensée grecque

Prêtant aux grands philosophes païens une prescience de la Révélation, ou, comme le prétendra Roger Bacon, par une illumination divine, sa connaissance, au moins fragmentaire, les théologiens ont, par là, rattaché la pensée chrétienne à l'idéal démocratique athénien. Si l'on n'ose dire qu'il y eut filiation, du moins, l'estime accordée à l'individu, le principe que toute connaissance tient dans le précepte du γνῶθι σεαυτόν inscrit au fronton du temple de Delphes, ou enseigné par Socrate, et la saisie par la réminiscence de vérités éternelles, ont amené les esprits aux aspirations du christianisme.

Quelle civilisation enfuie déjà, reflète le discours de Périclès en l'honneur des Athéniens, morts pendant la guerre du Péloponnèse[2] ? Une vision idéalisée d'un passé, que Thucydide prétend rétablir dans sa cité qui s'en écarte dangereusement. Le respect du citoyen, assuré par la constitution, permet de développer tous les aspects de la personne, du corps, autant que de l'esprit. Si l'homme est doué d'une heureuse souplesse de mouvement qui assure grâce et élégance, la cité aussi se vante d'utiliser ses richesses dans ce goût du beau, où elle se réalise, pour l'admiration de tous. Surtout le citoyen s'accomplit dans la participation politique. Instruit déjà des affaires publiques, il se livre aux discours avant d'assumer sa décision. Dans cet équilibre entre une libre volonté et son accomplissement, tient une morale supérieure que n'oublieront pas les civilisations chrétiennes. Le courage ainsi conçu est expression de toute la personne. Par là, dit Périclès, l'athénien l'emporte sur ses adversaires, par là aussi, il se trouve comme détaché de l'issue de la guerre ; la lutte reste tout humaine, affaire de volonté et d'affirmation de soi. Son résultat pratique n'en fait point la valeur. « Aussi y a il, dira Montaigne[3], des pertes triomphantes à l'envi des victoires. Ny ces quatre victoires sœurs, les plus belles que le soleil aye onques veu de ses yeux, de Salamine, de Platées, de Mycale, de Sicile, oserent onques opposer toute leur gloire ensemble à la gloire de la desconfiture du roy Leonidas et des siens, au pas des Thermopyles ». Une telle politique, fondée sur le respect de l'individu et l'amour, cette douceur de l'éducation que célèbre Thucydide, parce qu'elle est détachée de tout ce qui n'est pas la valeur humaine, refuse les compromissions. Ce n'est point en des apprêts mystérieux, en des ruses préparées, que le guerrier met sa confiance, mais en soi seul, en cette supériorité qu'il s'est reconnue sur le monde. Le courage consiste en sa seule affirmation.

Cette supériorité de la volonté humaine, cet art du détachement devant l'inévitable, commandent l'attitude socratique d'humilité d'esprit. Morale de mesure, elle n'était point un pessimisme.

L'invitation à se connaître soi-même apportait à l'homme, loin de toute résignation, ou de tout désespoir, le devoir d'assumer son destin par la connaissance et la volonté. Tel est le sens donné par Platon à la mort de Socrate : l'intelligence de sa dette envers la constitution athénienne impose l'ultime soumission, dans l'injustice même. L'acceptation de sa condamnation n'est point négation de sa personne, mais sa réalisation même. Dans ce choix délibéré entre les valeurs, dans la fidélité de toute la personne à sa vie passée et à la décision de l'esprit, tient toute la plénitude de l'humanité. Au temps de Platon, à travers les tribulations de la démagogie, l'idéal démocratique se conservait ainsi dans le précepte du γνῶθι σεαυτὸν, et à travers le cas extrême de Socrate, il prenait une dignité nouvelle.

Mais inscrit au fronton du temple d'Apollon, le précepte socratique devait avoir aussi un sens métaphysique. Se connaître soi, c'est aussi reconnaître sa place dans la nature, et face au Créateur. Platon, dans le *Timée,* donne bien à l'homme, par l'intelligence et la liberté, cette situation centrale dans le monde. L'univers, affirme-t-il[4], est vivant. Le démiurge l'a façonné de quatre éléments, l'air, l'eau, le feu, et la terre. Il lui a imprimé une révolution uniforme, et l'a doté d'une âme en son centre. A l'intérieur de lui sont enfermés tous les vivants, qui sont par nature de même sorte que lui. Mais à l'homme, pourtant, il a insufflé une âme individuelle et immortelle, créée en nombre fini. Ainsi l'a-t-il rendu capable de suivre la justice, et de mériter récompense ou châtiment après la vie du corps[5]. En cette âme éternelle consiste aussi l'achèvement de l'univers. C'est en elle que doit s'accomplir la reconnaissance du divin, l'aspiration vers ses perfections, à quoi tendait, dans son exigence profonde, l'œuvre de la création. Seule l'adhésion d'un être libre pouvait apporter quelque chose à un Dieu déjà parfait par lui-même. Ce don, c'était le respect et l'obéissance qui assuraient sa gloire. Vision grandiose, et bien proche de la Révélation chrétienne, cette conception assurait à l'homme la connaissance du divin. Ce Dieu qui, dans la parfaitement belle ordonnance du monde, a voulu que toutes choses fussent, comme lui, parfaitement bonnes, montrant une intelligence parfaite, a laissé au cœur de l'homme, après la naissance, comme une lointaine réminiscence, le désir de ces trois absolus qu'il ne peut trouver qu'en lui : le beau, le bon, le vrai. La connaissance de soi révèle à l'homme combien il en est éloigné, et l'anime du désir d'y accéder. Dans ces trois aspirations reconnues en lui, il trouve aussi la certitude de son immortalité. La métaphysique platonicienne, dans un juste équilibre entre la jouissance de sa grandeur et la dépossession du divin, donne à l'homme plus que la maîtrise de soi, la liberté suprême, en quoi s'accomplit le destin de la création. Par une volonté libre, il use d'un monde fini pour la poursuite de l'infini.

Cette pensée grecque, animée du respect de l'homme, dans une morale de mesure, lui assure la possession de toutes ses facultés, et lui ouvre l'accès à l'éternel. Devant les nécessités historiques, la dégénérescence de l'état démocratique, et l'arrivée de l'impérialisme macédonien, elle devait faire place à une autre idéologie. Ami de Platon, mais plus encore de la vérité, Aristote affirmait la divergence irréductible de son système.

La pensée aristotélicienne

Macédonien par sa naissance, fils du médecin de Philippe, puis maître d'Alexandre, Aristote ne connaît la douceur athénienne que pour la refuser. Sa conception de l'homme reste celle de son pays. Elle gouvernera aussi tout son système. Dieu et la nature, pour lui, ne font rien en vain[6]. Cette loi commande d'abord les rapports humains. Avec une économie calquée sur celle du tyran, la nature, ordonnée vers ses fins, subordonne l'individu aux exigences du groupe et, par un principe scientifique, devenant nécessité politique, immole le particulier au profit du général[7]. De son élan même, poussant tous les hommes à vivre en communauté, elle les a conditionnés, gratifiant les uns de l'intelligence, les autres de la force. Une loi d'utilité générale veut alors que les forts servent les mieux doués du côté de l'esprit. L'esclavage se trouve ainsi inscrit dans la nécessité du monde ; le serviteur est un instrument ; et l'esclave, un objet de propriété animé[8], entre les mains de celui qui, comme un pilote, a la barre du gouvernail. Ainsi s'éclaire le préambule de la *Politique* : le caractère distinctif de l'homme, face à tous les animaux, est de percevoir le bien, le mal, le juste et l'injuste, valeurs qui font la famille et la cité[9] ; or, précise Aristote, c'est l'exercice de la justice qui détermine ce qui est juste[10]. Par là s'impose l'idée que l'homme intelligent reçoit aussi de la nature, avec son pouvoir sur autrui, les principes imposés par ce pouvoir, une notion de la justice dont les origines remontent à cette force naturelle qui a présidé à l'union du groupe. La volonté du Prince se trouve ainsi dominée par les forces du monde. Même dans le meilleur des cas, asservi à l'univers, l'homme a perdu toute liberté.

Loin de gouverner les événements par un sage conseil, le tyran, comme l'esclave, inscrit dans les lois de la nature, ne se connaît pas lui-même. Il ne reste à un homme qui a perdu la liberté qu'une morale de la médiocrité, qu'il ne faudrait pas confondre avec cette juste mesure, gouvernée par l'intelligence, chez un être libre, tel que Platon concevait l'homme. Se demandant comment la vertu pourrait être plus véritable que le vice dans son système où nul n'est plus responsable, Aristote ne connaît qu'une loi d'expérience : tout extrême est nuisible ; par suite, la sagesse se place dans un moyen terme. Pour lui, l'intelligence, accordée à l'espèce humaine, c'est la parole, λόγος, par laquelle elle exprime l'utile et le nuisible, cette rationalité que le grec désigne d'un terme dérivé[11] : la logique, destinée à calculer des rapports de force présidant à l'organisation du monde. L'outil est adapté à l'objet qui dépasse l'artisan, et l'a conditionné. Privé de la liberté de ses actes et de l'intelligence de soi, si l'homme participe d'une puissance universelle, c'est emporté par elle, et privé du retour sur soi-même qui lui en donnerait l'intelligence.

L'homme d'Aristote est écrasé dans sa condition, parce qu'il est enserré dans un système, une vaste conception du monde où les lois de la nature se substituent à un démiurge libre. Formés, non plus seulement à partir des mêmes éléments, mais selon un même principe d'analogie[12], les êtres sont aussi animés des mêmes mouvements qui les unissent aux vastes cycles du cosmos. Le privilège de la parole ne donne point à l'homme une âme individuelle et éternelle. Avec la responsabilité, il perd aussi le rôle supérieur dans la création que lui avait prêté le système platonicien. Il n'est nullement l'achèvement d'un monde qui se suffit à lui-même dans son cycle éternel.

Fils de médecin, Aristote avait ainsi donné le pas au monde sur l'homme ; c'est aussi par l'étude du monde qu'il devait apporter le plus grand renouveau à la philosophie médiévale, en même temps qu'il restait pour elle un adversaire irréductible.

Augustin et le platonisme chrétien

Déjà médiéval, puisqu'il assiste à la chute de l'empire romain qui marque la fin du monde antique, Augustin a bien senti sans cesse la nécessité de s'opposer à l'aristotélisme. Longtemps inquiété lui-même par les philosophies humaines, avant d'accéder à la foi, il a fait entrer dans la pensée chrétienne les exigences du platonisme. Si, après Aristote, il ne peut plus oublier l'importance de la nature, œuvre de Dieu, elle lui révèle le Créateur. Rendant à l'homme sa place dans le monde, avec le libre arbitre, il le détourne pourtant de l'action à laquelle le platonisme prétendait ramener le philosophe. La cité vers laquelle l'homme chemine en ce monde, est éternelle. Son rôle politique se perd aussi dans cette dimension métaphysique retrouvée, qui, jusque dans ses passions, donne à toute sa personne une valeur neuve.

De tous les ouvrages d'Augustin, le *De Trinitate* a été le plus lu au moyen-âge. Il plaisait à ce temps épris de réalité, parce qu'il chante la beauté de la création, avant même de célébrer la grandeur toute divine de l'âme humaine. Profondeur où nous sommes, brumes obscures des images corporelles, dit l'ouvrage[13], le monde est le lieu de pèlerinage qui doit nous faire saisir, de la lumière éternelle, assez pour nous y attirer : « Bonne est la terre avec ses hautes montagnes, ses collines mesurées, ses planes campagnes ; bon, le domaine agréable et fertile ; bonne la maison vaste et claire, aux proportions harmonieuses ; bon, le corps animal doué de vie ; bon,

l'air tempéréré et salubre ; bonne la nourriture savoureuse et saine ;
bonne la santé sans souffrances ni fatigues ; bon le visage de
l'homme, harmonieux, éclatant de fraîcheur ; bon, le cœur de l'ami,
la douceur de partager les mêmes sentiments, la foi de l'amitié ».
Cette bonté, partout présente, c'est aussi celle de Dieu, que doit
nous révéler le monde. Augustin, avant de puiser dans la nature, et
l'âme humaine, ces trinités destinées à nous faire pressentir la trinité
divine, sait célébrer ce livre de la création où Dieu avait inscrit,
directement lisibles à l'homme avant le péché, toute vérité et la
somme des connaissances naturelles. Parce que nous en avons perdu
l'intelligence, nous avons reçu la Révélation, et cette tradition qui,
depuis les Patriarches, conserve les découvertes de l'humanité.
C'était imposer, pour les théologiens postérieurs, ce reflet du
Créateur dans la création que poursuivra Bonaventure, cette nécessité d'œuvrer à la redécouverte d'un patrimoine de l'humanité,
d'une science parfaite, puisqu'elle est divine en sa nature. Augustin
avait ainsi ramené l'homme au centre du monde, non pour y agir,
mais pour y contempler Dieu.

Parce que la cité vers laquelle chemine le chrétien n'est point
terrestre, mais éternelle, il ne lui a pas rendu cette réalisation de
sa personne dans l'acte politique que Platon lui avait conférée.
Comme l'indique le titre même de la *Cité de Dieu*, il accorde
beaucoup à la peinture des collectivités humaines, et au sens de
l'histoire. Cependant, s'il étudie naissance, grandeur et vieillissement des civilisations, la cité terrestre en général, il marque son
opposition à toute pensée panthéiste, en ce que le collectif est
désormais réprouvé. Loin de lui immoler jamais l'individu, Dieu
tire de lui cette Jérusalem en marche vers la cité céleste, qui
seule compte dans le temps, et s'avance vers l'éternité. Parce que
désormais la vision de l'histoire dépasse la création, et la dimension
d'un monde que des retours cycliques ne sauraient plus perpétuer,
l'individu reprend tous ses droits. Par le libre arbitre, il appartient
à l'éternel, tandis que tout collectif est périssable en sa durée,
condamnable par son appartenance au passionnel, qui fonde seul
toutes les civilisations. Dès les premiers livres, Augustin s'interroge
sur la définition que donne Cicéron de la cité[14], il lui dénie tout
absolu, et montre que l'agrandissement de l'Etat romain a répondu
à des exigences naturelles. Le dévouement des simples citoyens
à la cause publique, et leur austérité personnelle, ont fait la
grandeur de Rome ; leur amour de la gloire y a encore contribué,
alors que la prospérité et l'enrichissement, avec le progrès de
l'égoïsme, ont entraîné sa décadence. La cité n'est plus que puissance passionnelle, grandeur illusoire, parce qu'elle porte en soi-
même son terme. Les derniers livres de l'ouvrage, répudiant
désormais la pensée de Cicéron, refusent la pérennité aux peuples.
Tandis que dans *la République*, l'orateur enseigne que le destin
des cités, à l'inverse de celui des individus mortels, doit être éternel,

Augustin s'interrogeant sur la ruine de Sagonte, montre les citoyens survivant à l'Etat, et préférant leur vie à celle de la collectivité[15]. Parce qu'une cité ne représente ni la vraie justice, ni aucun absolu, parce qu'elle s'inscrit dans le temps, et non dans l'éternel, elle est purement matérielle, et, comme telle, destinée à mourir; le calcul des rapports de force auquel répond l'établissement de toute hégémonie, parce qu'il trahit l'ambition humaine, est perverti en son essence. Que Dieu, dans sa providence, accorde ou refuse la suprématie n'importe plus, puisque, désormais, limitée en sa nature, et faussée par les passions humaines, elle est inférieure en dignité au particulier qui la subit. Etablissement de fait, la cité terrestre n'a plus aucune valeur en droit. Dans l'accès seul qu'elle assure à la cité céleste, elle rend aux justes toute leur dignité. L'éthique augustinienne se présente alors, fortement opposée à tout aristotélisme, comme une morale de mesure où la pensée humaine, du moins la libre volonté, l'emporte à jamais sur un collectif dégradé. Le platonisme, entré dans la civilisation chrétienne, a reporté sur le monde céleste toute recherche d'absolu, pour faire triompher en celui-ci la vertu de patience, et une véritable morale de la mesure.

Ce que la *Cité de Dieu* peut ainsi conserver de la peinture des forces en évolution dans l'histoire du monde, paraît incompatible avec l'aristotélisme. Dès leur fondation, par le désir passionnel qui réunit les peuples, les cités portent en elles le germe de leur destruction, la raison de leur infériorité future. La pensée augustinienne affirme la mort des civilisations, parce qu'elle refuse le retour cyclique[16]. Créé fini, le monde marche vers son terme, et les temps ne se recommencent point. Leur achèvement dans le jugement dernier, leur donne leur signification véritable. Une seule fois, dit Augustin, pour s'opposer à toute idée d'une éternité de la matière, le Christ est mort pour nos péchés[17]. En conséquence, le nombre des êtres sauvés par sa mort, dans son caractère immense, reste limité. Les êtres ne se renouvellent point, qui, pour la Providence divine, ont tous été créés individuellement, différenciés à l'infini, et libres aussi en leur nature. Face au collectif, et à la cité ainsi déshonorée en sa nature, l'individu accède à une dimension, et à un caractère divins. Prévu de toute éternité, il a été voulu dans sa différenciation même.

Non seulement dans cette volonté de la Providence divine qui a présidé à son existence, l'individu, pour Augustin, trouve une valeur nouvelle, mais davantage encore dans la nature qui lui a été donnée par Dieu. Le peuple n'est plus animé de la raison du monde, et dépouillé de toute volonté propre. Il ne peut non plus, par une raison juste, revendiquer la libre disposition de soi-même, l'hégémonie ou la conquête du monde. Bien proche au contraire de ces âmes des mythes platoniciens qui, au sortir du Léthé, n'ont plus qu'une très vague réminiscence des vérités éternelles, auparavant entrevues, l'homme d'Augustin, déchu depuis le péché originel, a perdu cette raison droite que Dieu lui avait donnée, à l'image de la sienne. Obscurcie par la puissance de la coutume, elle peut en être libérée aussi par tout effet de surprise, et l'exercice de l'esprit. L'amour propre, ou la passion, faussent sans cela le jugement humain. Il n'y a plus alors aucune certitude. La raison discursive en outre, est impuissante en son progrès, et vaine, qui, limitée à l'usage du monde, ne peut accéder aux vérités éternelles. En revanche, l'homme participe de la vérité divine par des intuitions supérieures, saisies irrésistibles, illuminations de l'esprit, mais relatives à chacun. Si, par cette raison, il accède encore à l'absolu, il ne l'atteint jamais que partiellement, et, vérité pour lui, cette certitude reste incommunicable à autrui. Une nouvelle dignité lui est ainsi donnée par cette participation de sa pensée au divin ; mais une éternelle limite aussi lui est imposée, puisque, dans sa gratuité, elle échappe à autrui. L'homme, dans l'acte de compréhension du monde, reste solitaire, et ne peut plus imposer une volonté, toute limitée à soi-même. Sans droit à l'action, il est désormais converti à une connaissance de soi par laquelle il aspire à l'éternel.

Très sensible dans l'œuvre d'Augustin, sur le problème de la connaissance, la marque du platonisme à l'intérieur de la pensée chrétienne l'est davantage encore sur le plan de la morale. Le stoïcien dominait ses passions, et volontiers par l'exercice du corps ; la liberté de la volonté pouvait s'affirmer par le suicide. L'idéal était tout entier placé dans une impossibilité sans cesse poursuivie. Par cette recherche, l'homme prétendait montrer qu'il était supérieur à son destin. Par la négation de soi-même, il tendait à l' ἀπάθεια . Augustin devait montrer la faute de raisonnement de qui détruit ainsi la vie même, pour en assurer le bonheur[18]. Le platonisme, au contraire, alléguait cet attelage de *la République*, où les passions du cheval rétif étaient dominées et utilisées, loin d'être étouffées. Aussi se gardait-il de les extirper. Nerfs de l'homme, elles valaient ce que valait la volonté qui les régissait. Dans une psychologie essentiellemnt dynamique, *La Cité de Dieu*[19] montre à son tour, comment elles peuvent, par un don du Créateur, s'équilibrer mutuellement, comment aussi elles constituent la force de l'homme, tandis que la véritable ἀπάθεια, sans cesse par nous désirée en ce monde, n'appartient qu'à Dieu. Changeant par sa nature, l'homme aspire à la stabilité, mais il ne saurait la connaître avant la résurrection qui le fera participer à l'éternel.

Ainsi, dans une nature qui reflète les perfections de celui qui l'a créée, plaçant un homme, désintéressé des cités humaines, mais se réalisant dans son libre arbitre, Augustin avait donné une vision originale au platonisme. Non seulement l'homme constituait bien l'achèvement du monde par son intelligence du divin, mais, créature de Dieu, il était bon en sa personne, en son corps même, et en ses passions, qui lui donnaient la force d'accomplir son pèlerinage terrestre. Prodigieusement riche, cette vision du Père de l'Eglise, devait influencer les théologiens postérieurs, chacun privilégiant l'aspect de la doctrine qui répondait aux inquiétudes de son époque. Elle devait permettre, au xIII e siècle, de lutter contre la redécouverte de l'aristotélisme qui remettait en cause toute la pensée chrétienne, qu'elle la renouvelât, ou lui opposât l'enseignement de la raison. A la Renaissance encore, par son platonisme propre, seule, elle pouvait répondre à ces humanités païennes qui opposaient l'enseignement de l'Académie aux vérités de la foi, détournant les esprits chrétiens vers le fidéisme, et bientôt le scepticisme.

Sebon et la tradition augustinienne

A travers les œuvres de Sebon, et de Vivès, se marque l'infléchissement du platonisme chrétien dans son affrontement à l'une ou l'autre doctrine. Auteur mêlé, Sebon sacrifie à la scolastique, et parfois à la doctrine aristotélicienne, en même temps qu'il reste très proche de la lettre et de l'esprit du *De Trinitate*. Compilateur, il a fondé les premiers chapitres de son ouvrage sur les raisons nécessaires de l'existence de Dieu, qu'Anselme a tirées de l'introspection platonicienne. La suite de son livre contamine les œuvres de Bonaventure; l'ordonnance générale suit celle du *Breviloquium*. Cependant, toute la puissance de l'ouvrage tient dans l'expression, sans cesse reprise, de l'amour chrétien dont Lulle, déjà, avait montré la grandeur.

La Théologie naturelle révèle une connaissance que l'on ne peut affirmer directe, mais très sûre de l'ouvrage où Augustin utilise la création pour accéder à Dieu. Le livre des créatures, qui est proposé par le titre de l'ouvrage, est celui qui nous était offert avant le péché, et dans lequel nul ne peut plus lire aujourd'hui, dit la préface, s'il n'est clerc. L'auteur, sans impiété, riche de la Révélation, et théologien, peut se proposer de le rouvrir, et d'en dévoiler le contenu au lecteur. Son accord avec l'enseignement des Saints Livres constitue une preuve de la Religion. Comme Augustin aussi, Sebon puise dans le monde les comparaisons destinées à éclairer et imposer le texte saint, quand il n'en tire pas, cédant aux exigences d'un esprit scolastique, l'élément du syllogisme, destiné à apporter une preuve logique. Infidèle en cela, le lointain disciple suit des modèles plus proches.

Anselme de Cantorbéry, poursuivant la connaissance du divin à travers l'âme humaine, lui a offert la notion de perfection dans laquelle il trouve Dieu, et toutes les raisons nécessaires qui en prouvent l'existence. La diversité des choses atteste un principe un[20]; et l'être qui a créé le monde est par nécessité plus grand que ce qu'il a créé[21]. Tous ces raisonnements développés au début de l'ouvrage de Sebon, trahissent un souvenir précis, mais non peut-être une connaissance directe du *Monologion* et du *Proslogion*. L'abbé du Bec, négligeant l'ouverture sur les choses, offerte par le *De Trinitate*, s'est fermé sur le monde des idées. Mais le principe

du théologien, cette recherche de la compréhension d'une foi préalablement acquise, la plus fidèle à l'œuvre d'Augustin, devait se
transmettre aux siècles suivants.

Puisant plus souvent au *De Trinitate* que dans les autres œuvres
d'Augustin [22], accordant à Anselme une autorité que ses devanciers
lui avaient refusée, Bonaventure porte aussi la marque de cette
transformation de la pensée médiévale, opérée au XIIIᵉ siècle, par le
retour de la connaissance d'Aristote. Thomas d'Aquin rompit alors
avec la tradition augustinienne qui, dans la foi, réunit amour et
connaissance par un acte supérieur de la pensée, une illumination
directe du νοῦς platonicien ; il accordait toute sa confiance à la
logique humaine pour prouver le dogme chrétien. Bonaventure,
au contraire, fidèle à la formule dans laquelle il résume l'effort
d'Anselme : « Fides quaerens intellectum », prétend confirmer l'acte
de foi, antérieur et gratuit, par un effort de l'intelligence. Raisonnements, mais aussi images, reprise et orchestration des thèmes,
tous les procédés servent au théologien. Particulièrement, cédant en
cela à la nouvelle ouverture au monde apportée par l'aristotélisme, à côté des idées et de l'introspection qui révèlent en l'homme
l'image du Créateur, il cherche dans les choses ce reflet plus faible
qui, en se multipliant, et se répercutant en chaque objet, rend
obsédante sa présence dans son œuvre. Tous les objets convergent
dans un même effet. Les trinités du monde, l'échelle de la création,
« sont les vestiges dans lesquels Dieu se manifeste à nous » [23]. Avec
les mêmes images, sans cesse reprises, Sebon prétend aussi nous
imposer l'enseignement de la nature. Toute l'ordonnance qu'il prête
à la création, est peut-être d'inspiration aristotélicienne quand il
affirme que « le monde et tout ce qui est en luy est fait pour
l'homme, qu'au dessous de l'homme nulle chose n'est faite pour
elle-mesme, ni pour son bien, mais pour le nostre, pour servir à
nostre corps ou à nostre ame, pour nostre nécessité ou utilité ou
secours, ou consolation, ou doctrine » [24]. Mais l'argument d'utilité,
ainsi placé, n'appuie point une théologie de l'action. Il est oublié
devant la doctrine, soit la contemplation. En effet, la fin du chapitre rend à l'homme l'importance dans la création que lui avait
conférée Augustin, après Platon. Seule une volonté libre pouvait en
assurer l'accomplissement en rendant gloire au Créateur. « D'où il
s'ensuit , enchaînait Sebon, que nous sommes tenus à Dieu pour
tout son ouvrage, d'une tres ferme obligation ». Montrant que nous
ne pouvons payer notre dette à Dieu, « garny de tout bien », par
les œuvres de sa création, mais par ce qui est nôtre, le libre arbitre,
Sebon devenait pressant : « Guerdonnon-le par la gloire... couron-
nant ses sainctes œuvres de gloire, benediction et louange... Puis
que l'honneur est la couronne exterieure de Dieu, il ne faut pas
douter qu'il ne soit plus que tout le monde : et que quiconque
desrobe l'honneur de son créateur ne face pis que s'il desroboit tout
l'univers ensemble » [25]. L'exigence de la création devenait ainsi

accomplie en l'homme. Par leur soumission, tous les êtres se trouvaient aussi unis dans la gloire qu'ils rendaient à Dieu. La création prenait son sens dans cette attitude augustinienne, où la contemplation s'unissait à l'amour.

Ainsi repris par Sebon, le thème bonaventurien de l'échelle des êtres n'accusait la tentation thomiste d'action au monde que pour imposer cette illumination du cœur dont la préface avait fait le but de l'ouvrage. Cependant, en ce temps de rareté des manuscrits qui impose à la pensée médiévale la fidélité littéraire dans l'enrichissement même, c'est sans doute à Lulle que Sebon doit la connaissance de Bonaventure. C'est Lulle[26] aussi qui lui transmettra l'idée la plus profonde de son livre, celle dans laquelle la pensée chrétienne place le devoir et l'accomplissement de la condition humaine, la profondeur de l'amour.

Célébrée depuis le début du christianisme, la grandeur de l'amour divin, avait été prêtée par Lulle, dans son *Blaquerne*, à la grâce propre au *Roman de la Rose*. A travers les symboles apparaissait cette conception puissante d'un sentiment qui transforme celui qui aime en l'objet de son amour. L'amant « se voyoit seul parmi le peuple, sans avoir neanmois aucune solitude »[27]. Et la constatation était suivie des images qui l'imposaient : « Il y a une egale proximité entre l'Aymé et l'Amant : car leurs amours se mêlent ensemble, comme l'eau et le vin; et tout ainsi que la splendeur et la chaleur sont enlacées, ou comme l'être et l'essence, l'acte et la puissance conviennent en un »[28]. Il appartient à Sebon d'avoir approfondi l'analyse du sentiment : « L'amour a vertu et puissance d'unir, de changer, de convertir et de transformer : telles sont ses proprietez naturelles et inseparables. Il unit l'amant à la chose aymée, et puis il le transforme et convertist en elle »[29]. Pour n'employer plus les termes théologiques, mais ceux de l'expérience physique, Sebon rendait plus bouleversante pour l'esprit l'opération mystique où s'accomplit la réunion du croyant à son Dieu. Non plus par la comparaison sentie comme possible, mais par une assimilation voulue scandaleuse et contre nature, l'analyse prétendait, en dépassant la raison soulever la conversion.

C'est dans cet effort tenté sur le lecteur qu'apparaît l'originalité de Sebon face à ses devanciers. Les termes attestent qu'il est aussi héritier de Roger Bacon. Médecin lui-même, commençant son ouvrage par une critique des preuves et des témoignages, célébrant la valeur de la connaissance des sens et de l'expérience, il n'ignorait pas les sciences. Mais, avant tout moraliste, il avait refusé l'optimisme du franciscain d'Oxford, pour une considération du monde très désabusée. Le bon vin de la création est devenu vinaigre, déplore-t-il dans son style imagé. A la grandeur de l'amour divin, il oppose un amour de soi, en quoi consiste le péché. Les deux amours se disputent le monde; et il est du rôle du convertisseur de rendre poignante la déchéance : « Voila comme l'amour de soy produit tous les vices du monde »[30], conclut un chapitre ; et l'autre développe : « Autant qu'il y aura d'amans de cette condition, autant y aura-il de dieux au monde, differens, divers et des-unis, par ce que la chose premierement aimée d'eux n'est pas une en nombre, d'où s'engendre la vraye unité et société entre les hommes : tout y sera plain de querelles, d'inimitiez, de courroux, d'envie et de guerre »[31]. Dans cette société ainsi déchirée par sa faute, l'homme se trouve désormais dans une situation pathétique. Sauvé en droit par la rédemption, il est sorti de l'ordre de la nature, en préférant l'amour de soi à l'amour de Dieu. Par suite, désaccordé déjà en soi-même, il se trouve aussi écartelé entre les luttes intestines du monde. Si l'énergie de la phrase, dans ses rebondissements successifs, cherchait à redresser la volonté du lecteur, et à assurer son salut, elle était l'œuvre de Montaigne. Sebon, au contraire, s'avouait l'homme d'une fin du monde[32].

Ainsi, Sebon, qui par le titre de son *Livre des créatures*, s'inscrivait dans la tradition augustinienne, continuateur d'Anselme, de Bonaventure et de Lulle, avait affirmé son originalité en imposant la grandeur de l'amour chrétien, par lequel l'homme se trouve élevé jusqu'à son créateur. Mais il semblait désespérer de son époque, lorsqu'il déplorait le désordre du monde. Heureusement pour la vigueur morale de notre littérature, son traducteur, à un autre courant de la pensée bonaventurienne, avait puisé le plus bel optimisme.

Vivès et l'influence de Roger Bacon

Espagnol, et lecteur de Sebon, Vivès avait accordé sa prédilection au docteur franciscain que Bonaventure préféra laisser dans l'ombre, sinon, comme le voudrait la tradition, quatorze ans au cachot. A Roger Bacon, il doit les raisons profondes qui l'opposent à la scolastique, comme sa confiance dans le développement des lettres et des arts. Fondé sur l'union de l'âme et du corps, son platonisme chrétien apporte une certitude.

Ce moine fut à peine connu, jusqu'à l'impression de ses œuvres en 1733, dit l'histoire de la philosophie[33], qui n'accorde pas non plus à l'influence de Vivès toute la place qu'elle mérite au XVIᵉ siècle. En fait, la pensée européenne leur doit son ouverture à l'enseignement des franciscains d'Oxford, tournés vers les sciences, la mathématique, et ses applications à l'optique. Disciple de Pierre de Maricourt[34], Roger Bacon précède à l'Université de Paris Dietrich de Freiberg[35], dominicain, mais, comme lui déjà, conciliant à l'illumination augustinienne le principe aristotélicien de l'intellect agent. Roger Bacon fut le premier à s'élever contre l'esprit de la scolastique, ce principe d'autorité, et ces déductions syllogistiques qui enferment les esprits dans de vaines discussions théologiques. Par là, il est la source du puissant courant antiaristotélicien qui, à l'instigation de Vivès, soulève le XVIᵉ siècle, bien opposé à tout scepticisme, avec le désir, tout contraire, de confirmer la foi par un libre jugement. Isolant Aristote lui-même de sa réprobation, et le célébrant comme le plus pénétrant observateur de la nature, louant en lui l'ouverture du jugement et le recours à l'expérience, Roger Bacon attaque, au contraire, les maîtres de la scolastique parisienne, Alexandre de Halès, mais surtout Albert le Grand, et son disciple Thomas d'Aquin. Ce sont ses contemporains; il a côtoyé deux d'entre eux à l'Université de Paris. C'est peut-être ce qui explique sa violence. L'historien de la philosophie lui prête un caractère difficile. Mais les textes révèlent une opposition de pensée fondamentale[36]. C'est Albert le Grand qui est son adversaire privilégié. « C'est pour l'amour de la vérité, écrit-il, pour l'utilité commune, que je dirai ce qui est vrai sur ses écrits et sur sa personne »[37]. Il s'indigne d'abord de sa célébrité pernicieuse. On l'invoque dans les écoles, comme le maître d'une science parfaitement accomplie : « Sicut Aristoteles, Avicenna, et Averroes allegantur in scolis, sic et ipse ». Bacon, par sa conception de la science, tout augustinienne, et fondée sur la Bible, se refusait à l'idée d'une connaissance achevée. Il dénonce encore l'attitude d'esprit d'un homme qui sans avoir lui-même rien appris, par la construction seule de ses syllogismes, prétend avoir édifié un système complet. Cet orgueil d'une science si totalement humaine, imbue de l'amour de soi, s'écarte de la vertu chrétienne que Dieu récompense de l'illumination. L'humilité qui est amour de Dieu, l'étude du monde et des travaux des devanciers, assurent, à l'inverse, cette réceptivité qui permet d'accéder à la vérité. Fondant tout leur enseignement sur le principe de leur autorité, les docteurs ainsi accusés écartent leurs disciples de tout effort d'investigation ou de libre jugement. Par leur faute, le monde de la scolastique s'est fermé sur sa propre vanité. Le jugement sans doute était lucide, et profond, au siècle le plus brillant de la théologie médiévale.

Il prend une autre signification sous la plume de Vivès qui, en 1519, avec la lettre écrite à son ami Juan Fort, publiée l'année suivante à Sélestat, sous le titre d'*Adversus Pseudodialecticos*, ouvre le scandale de l'antiaristotélisme à la Renaissance. Si Jean François Pic de la Mirandole lui fait rapidement écho, Charles B. Schmitt a bien montré combien sa pensée était différente[38]. Un doute très général en la raison humaine amène le prince italien au fidéisme, et ses disciples à l'opposition des deux vérités, déjà traditionnelle en Italie, et au scepticisme[39]. La critique exercée sur Albert le Grand au XIIIe siècle, permet de comprendre comment, à la Renaissance, les disciples de Roger Bacon, pour refuser le cadre logique de la pensée scolastique, n'en sont pas moins animés d'une confiance profonde dans le jugement. Vivès commence son *De tradendis disciplinis* par un acte de foi en l'intelligence humaine. Le développement des sciences a été arrêté par l'aristotélisme, dans sa marche normale. Mais le *De causis corruptarum artium*, l'affirme, avant de poser aucune méthode d'investigation, elles constituent un patrimoine de l'humanité. Bientôt restaurées, quand cette cause tout accidentelle d'obscurcissement aura disparu, elles iront progressant sans cesse, jusqu'à la fin du monde. Jamais pourtant elles ne sauraient atteindre une perfection qui n'appartient qu'à l'éternel. Seul assure le progrès le détachement de l'homme de science qu'attire la connaissance, divine en sa nature, et qui ne revient à son application terrestre que par un devoir de charité. Précédant Vivès, et interprétant Augustin, Bacon avait placé dans le livre de la création, une première connaissance directe de toutes les sciences de la nature, avant l'état de péché. La longévité des Patriarches lui avait paru ensuite un moyen utilisé par Dieu pour en assurer la redécouverte, et la fixer dans les Livres Saints. Toujours depuis, l'observation des faits, et les livres, dans lesquels elle est consignée, assurent le progrès de l'humanité. Un optimisme profond se dégageait de la doctrine, une confiance neuve en l'esprit humain.

Vivès devait enrichir cette théorie à l'aide du renouveau des connaissances opéré en son temps. Comme la science de la nature se reconstituait par bribes, les philosophes anciens qui avaient pressenti une part de la Révélation, et avaient préparé le monde à l'arrivée du christianisme, avaient bien atteint, selon le processus de la pensée, des saisies discontinues de l'éternel; et Roger Bacon leur accordait une place dans la tradition chrétienne qui ne concordait point avec le refus d'Augustin, pour qui la Révélation, seule, donnait accès au divin.

Scientifique, la pensée de Roger Bacon se rapproche de celle de Lactance, qui ne refuse point absolument la vérité chrétienne aux philosophes païens[40]. Lui aussi célèbre la valeur de la pensée humaine. A Lactance, Vivès à son tour, reprendra les thèmes qui serviront d'affrontement à son époque, celui de la variabilité des mœurs, par exemple, que l'auteur chrétien avait emprunté à *la République* de Cicéron, celui de la faiblesse de la raison humaine que l'on en peut dégager, et qui nourrit le courant augustinien. Par la lecture de Lactance se transmet aussi la connaissance des *Académiques* de Cicéron et de tout le scepticisme de l'Académie. Particulièrement, Lactance renouvelant en son troisième livre des *Divines institutions*, l'entreprise que s'était proposée Sextus Empiricus de confronter toutes les philosophies et toutes les sciences humaines, utilise à d'autres fins cette tradition antique. Par l'aveu d'impuissance du jugement humain, auquel elle aboutissait primitivement, par sa constatation même, il prétend prouver la religion chrétienne. De sceptique qu'était l'argumentation, elle s'élève à une affirmation dogmatique. L'insuffisance de la raison appelle la révélation divine, et la vérifie. Ainsi s'explique, à l'intérieur du courant chrétien représenté par Vivès et ses amis, l'intérêt accordé à la tradition sceptique. Le *De tra-*

dendis disciplinis célèbre la traduction de Galien par Thomas Linacer. Traducteur du *Commentaire de la Cité de Dieu*, Gentian Hervet donnera aussi l'*Adversus mathematicos* de Sextus Empiricus. Il y mettra une préface destinée à élever l'ouvrage en une confirmation de la foi[41]. Il le détourne absolument de l'usage qu'en font les Italiens, le trouvant justement le plus propre à leur répondre. C'est que ceux-ci recourent aux textes de Cicéron et des auteurs sceptiques, par une lecture directe, et ne les intègrent pas dans la pensée chrétienne. Ainsi s'affirme doublement l'optimisme que Vivès a hérité de Roger Bacon. Non seulement la science humaine progressera sans fin, mais l'homme est armé pour cette découverte d'un esprit parfait en sa nature.

Par le recours à l'illumination divine, Roger Bacon avait affirmé la valeur du jugement humain. Vivès devait renouveler, et féconder le principe, dans un plus profond platonisme. Sur la pensée d'Augustin, il fonde cette méthode d'enseignement neuve à laquelle prétend le *De tradendis disciplinis,* et qu'il avait déja exposée dans le traité qui lui mérita d'être choisi par Catherine d'Aragon, comme précepteur de Marie Tudor : *L'Institution de la femme chrétienne.* L'union de l'âme et du corps en quoi consiste toute l'originalité du platonisme chrétien, permet de ramener au monde les vérités éternelles entrevues par la pensée. Tandis que Pic en désespère, déchiré entre le divin et l'humain, l'augustinisme, fondé sur la bonté du corps à sa création, lui fait aussi sa place dans la saisie de la vérité. Par le corps nous viennent les connaissances des sens qui nous permettent seules d'atteindre ce monde dont Augustin célèbre la beauté. Après Roger Bacon, Vivès et Sanchez, répondront aux traditionnelles erreurs des sens objectées depuis l'antiquité par tous les sceptiques : si les sens se trompent, dans la majorité des cas, l'esprit corrige et transmet une sensation rectifiée. Ainsi rétablit-il l'image inversée par la pupille. Ainsi le marin frappe courageusement dans l'eau la rame qu'il voit brisée.

Dans une double fidélité à Augustin, et à l'école d'Oxford, Vivès peut célébrer la valeur de l'expérience ; et Sanchez montrer comment elle ouvre le monde à l'investigation humaine. Opposant la connaissance des vérités intérieures aux réalités sensibles, Sanchez forçait un peu la pensée de Roger Bacon. Le recours à l'illumination divine n'était pas seulement nécessaire, pour la recherche des vérités philosophiques, mais aussi pour parvenir à toute la science de la nature. Elle récompense une vie droite, et l'humilité d'esprit ; elle nous mérite l'accès au divin. Elle se réalise dans l'amour du prochain, et l'intelligence de Dieu, à travers ses œuvres. Pénétrant le jugement, et provoquant une adhésion profonde de toute la personne, elle accomplit en l'homme cette réunion de la connaissance et de l'amour qu'exige la pensée bonaventurienne. La théologie franciscaine, poursuivant conjointement les deux absolus, ramenait au moyen âge, plus encore à la Renaissance, ce culte du jugement qui devait féconder l'expérience, et assurer un nouveau développement des sciences. Elle avait converti le platonisme, de la poursuite des idées dans l'éternel, à la découverte des œuvres de la nature. Elle en réalisait l'achèvement, et comme la perfection.

Cette confiance neuve en l'esprit humain, devait conduire Sanchez à imposer, par le recours à l'expérience et au jugement, une méthode d'investigation scientifique. Vivès, encore trop porté à célébrer la valeur d'Aristote pour l'étude des choses, avait élevé déjà de nouvelles aspirations humaines. Educateur, il ne pouvait plus accepter la contrainte exercée sur le corps. C'est à Erasme que l'on accorde d'avoir libéré le nouveau né des bandelettes du maillot médiéval, l'écolier du fouet des maîtres grammairiens. Mais l'Institution de la femme chrétienne, et l'Introduction à la Sagesse, de 1524, sont antérieures de deux ans à l'Institution du mariage chrétien, et au Traité de civilité puérile, de cinq ans à la Declamatio de pueris statim ac liberaliter institutendis. Dans cet ouvrage, prétendant élever séparément les mœurs du jeune enfant par l'exemple et l'habitude, et son esprit par l'acquisition des connaissances, Erasme, rompt avec la tradition augustinienne. Pour Vivès, au contraire, le terme de discipline désigne un seul réglement, celui de l'esprit et du corps, conjointement formés, celui aussi que nous connaissons mieux aujourd'hui par les préceptes tout pratiques de Ponocratès au jeune Gargantua. La digestion du repas semble impropre à l'effort de la mémoire. Ce moment doit être consacré à des jeux, aux instruments de musique. On peut aussi « esbaudir » les esprits par l'habileté des mains et l'appel aux sens, dans les tours de cartes, les figures de géométrie, ou l'observation des lois d'astronomie. Au contraire, le sommeil, le soir, fixe la leçon préalablement revue, tant l'âme est tributaire du corps, et s'épanouit par son effet. Ainsi, en 1670, Bulteau traduisait, dans l'Introduction à la sagesse [42] : « Discontinuez vos études, et ne vous y appliquez point incontinent après le repas ; mais quand vous aurez dîné, tenez vous assis, causez doucement avec vos compagnons, ou si vous vous divertissez à quelque jeu honnête, que ce soit en sorte que vous ne vous travailliez, ni agitiez beaucoup le corps... Après le souper, que je voudrais être assez modéré, promenez-vous un peu avec quelque personne, qui vous puisse entretenir d'une manière savante et ingénieuse, qui vous divertisse par la douceur et l'agrément de son discours, et dont vous puissiez imiter avec profit et le raisonnement, et le langage... Avant que de vous coucher lisez trois ou quatre fois attentivement ce que vous désirez apprendre ; ensuite mettez vous au lit ; et le lendemain, au matin, demandez compte à votre mémoire de ce que vous lui avez confié. » Ainsi, conclut la page, le sommeil même contribue à perfectionner l'enfant dans la science, et dans la vertu. Telle est déjà cette école où la vie, sous tous ses aspects, forme l'esprit, où, par le corps, se modifie l'âme, où enfin le commerce des hommes doctes, et l'école du monde apportent à la fois la science et la vertu.

Si l'esprit de l'homme se façonne par l'effet du corps, l'homme non plus ne peut trouver sa réalisation que dans l'échange le plus profond, où l'âme et le corps ont part, celui de l'amour. Par cette conception, Vivès ouvrait, avec la grande querelle du siècle sur le mariage, une nouvelle carrière à la pédagogie. *L'Institution de la femme chrétienne* faisait de l'étude la sauvegarde de la femme devant le vice, et la raison nécessaire du bonheur du couple. Chrétienne dans l'entité humaine préservée, une telle vision des êtres portait encore la marque du platonisme dans le bonheur attaché à la réalisation de l'être. Non seulement la poursuite de l'éternel, mais sa saisie au moins partielle, dès ce monde, ennoblissaient l'homme en toute sa personne.

Cette dimension métaphysique appelait une morale neuve. Augustin, osait affirmer Vivès, dans son *Commentaire de la Cité de Dieu,* parlait avec des Gentils, et pour des Gentils ; nous qui sommes plus avancés que lui de tant de siècles de christianisme[43], devons nous montrer plus exigeants sur le plan de l'humanité. A ce titre, il pouvait, au risque de voir son texte interdit par l'Eglise, s'opposer à toute guerre, particulièrement aux guerres de religion de son époque, à toute souffrance humaine, et à toute violence. S'il nous reste quelque souvenir de ses œuvres, ce sont ces accents passionnés que l'on tire parfois encore de ce *Commentaire.* Il s'indigne devant la torture, introduite dans les questions judiciaires, en son temps. Pratiquée, en droit, au moins sur les esclaves, par un usage invétéré, Augustin l'acceptait, tout en avouant qu'elle méritait d'être déplorée par des flots de larmes. Vivès avait repris son raisonnement : elle force souvent l'innocent à avouer, et la cruauté que l'on prétend autoriser par le nécessité d'éclairer la justice, la trahit, en fait. C'est crime aussi de risquer par la souffrance insoutenable de conduire au désespoir, et par là à une éternelle condamnation les âmes, coupables ou non. L'humanité animait Vivès à développer la plainte d'Augustin en une protestation, et à témoigner contre son époque. Augustin avait rappelé que la femme avait été créée à partir du corps de l'homme. Il faisait de cette appartenance plus profonde du premier couple humain une loi d'amour extrême entre les hommes[44]. Le chapitre suivant opposant aux bêtes qui ne se font jamais la guerre à l'intérieur d'une même espèce, la conduite humaine, s'efforçait de soulever l'indignation : « Ni les lions, ni les dragons, n'ont jamais déchaîné entre eux des guerres semblables à celles des hommes ». Vivès, dans son *Commentaire,* généralisait et condamnait sans appel. S'autosant du livre du péripatéticien Dicéarque, qui avait rappelé tous les fléaux qui frappent l'espèce humaine pour montrer que l'assaut des hommes est pour eux le plus funeste, Vivès dépassait le pessimisme du philosophe antique en une exigence fondée sur la morale d'amour : « Jésus Christ, disait-il, vouloit oster ceste guerre d'entre les hommes, et planter une autre ardeur, non pas de discorde, mais de concorde, et d'une charité mutuelle ». Elevant alors la plainte d'Augustin, au nom de la loi du Christ, Vivès accusait en son temps les guerres. Celles de religion, qui, contraires au christianisme, ne peuvent être justifiées par lui, puis toute guerre en soi : « Les hommes qui sont consacrez à Jesus Christ ne devroient pas batailler les uns contre les autres, ains aimer l'un l'autre, et endurer l'un de l'autre ». La vertu de patience augustinienne n'était plus résignation devant la situation politique, mais responsabilité retrouvée. Le respect d'autrui, le devoir d'amour devaient engendrer tolérance et apaisement. La conclusion du commentaire nous ramenait au niveau de l'individu : « Il ne faut pas aussi irriter et provoquer les courages des hommes qui sont d'eux mesmes assez enclins à meurtres, forfaitz et meschancetez ». Vivès ne nous abandonnait pas comme Augustin à l'amerturme d'un monde perverti; mais, devant les passions humaines, il nous créait une obligation de préserver la paix. Absolue, la loi d'amour se faisait plus pressante en raison même de la faiblesse de l'homme. Soulevant par son livre le mouvement d'opinion, Vivès accomplissait ainsi le devoir du philosophe. Celui qui a pris connaissance des vérités supérieures, doit retourner à la cité terrestre pour la préserver, l'amender, et la conduire à la cité céleste; surtout, poussé par un esprit de charité, il doit travailler à adoucir le sort de son prochain. Dépassant ainsi la vertu de patience augustinienne, le philosophe espagnol subordonnait la connaissance à l'amour, et rendait à l'individu toute sa responsabilité dans le monde.

Fils de la tradition médiévale, ni Sebon, ni Vivès, ni leurs disciples du XVIe siècle, ne peuvent se présenter devant l'histoire sans rendre à leurs devanciers ce pollen de fleurs dont, peut-être, ils ne savent plus les noms, mais dont ils ont composé un miel qui charme encore bien souvent le lecteur et a nourri la pensée de leur temps. A l'un nous devons, dans une fidélité certaine à l'esprit bonaventurien, pour lutter contre une vision très affligeante du monde, une inoubliable peinture de l'amour où le chrétien, par son désir, se perd en Dieu. L'autre, suivant un courant divergent, porté pourtant par les mêmes exigences fondamentales, nous rend l'outil du jugement qui joint à l'expérience, peut féconder le monde, et repousser tout scepticisme: Parce que le jugement est aussi la réalisation en Dieu de cette entité indissoluble de l'âme et du corps, il mérite que l'on préserve l'homme de toute indignité, et de toute souffrance. Le courant platonicien, qui d'Augustin, par Sebon et Roger Bacon, s'est transmis à Vivès, respecte l'individu, et se fait ainsi un absolu de l'humain parce qu'il le fait participer du divin.

Par ce jugement droit, et le recours à l'expérience, élevant les simples à la connaissance du monde, une telle doctrine exprimée dans le latin des théologiens portait une contradiction en soi. Il appartenait à Montaigne de lui donner sa cohérence par l'usage du français, et de l'imposer dans une puissante vision artistique. A la fin du XVIᵉ siècle, *les Essais* apparaissent ainsi comme l'épanouissement de la pensée de Sebon et de Vivès. Opérant un choix judicieux entre les deux auteurs, par un retour au père de la doctrine modérant leurs jugements, Montaigne réalisait une de ces grandes conversions de l'esprit qui gouvernent la marche des civilisations.

Raymond SEBON
(Barcelone fin du XIVᵉ siècle, Toulouse 1436)
Médecin et philosophe catalan
(Portrait photographié avec l'aimable autorisation
de Monsieur le Doyen de la Faculté de Médecine de Toulouse)

PREMIERE PARTIE

SEBON ET L'AUGUSTINISME MORAL

Réimprimant sa traduction de *la Théologie naturelle* en même temps qu'il publiait *les Essais*, Montaigne voulait souligner une parenté de pensée entre l'ouvrage de Sebon et le sien. Si les souvenirs en sont nombreux, dans cette première rédaction, l'influence en est aussi partout profonde, et s'épanouit, peut-être particulièrement dans l'édition de 1588, et dans les dernières additions, où, aux accents plus précis du théologien s'est substituée la forme nouvelle que leur a imposée Montaigne, en son œuvre propre. Après Sebon, et dans des termes qui rappellent le plus souvent ceux qu'il lui avait prêtés, Montaigne a adopté la théorie bonaventurienne de la connaissance. Tout en écrivant l'apologie du théologien, il lui reproche le raisonnement scolastique, et la part de thomisme qu'il a mêlée à sa pensée, comme il atténue toujours son augustinisme trop porté vers le pessimisme. La fidélité à l'œuvre d'Augustin semble commander toutes ces réserves. Pourtant, à partir du théologien, dont la traduction, la reprise ou la discussion dominent *les Essais*, Montaigne, à son tour, élabore un nouvel augustinisme, où le $\gamma\nu\tilde{\omega}\theta\iota$ $\sigma\epsilon\alpha\upsilon\tau\acute{o}\nu$ socratique place l'homme au centre du monde, dans la jouissance d'une pensée fondée sur son détachement même.

CHAPITRE I

LA FIDÉLITÉ DU SOUVENIR

Conscient de la valeur des idées qu'il avait offertes à son époque, par sa traduction, Montaigne, a repris aussi, en son propre ouvrage, comme une langue nécessaire à sa pensée, les termes de son théologien. Pensant, par l'amour humain avoir dépassé les limites de sa condition, il lui emprunta l'expression réservée à l'amour divin. *La Théologie Naturelle* fonde la pensée philosophique des *Essais,* une sagesse préférée à la science, une connaissance par laquelle l'homme atteint, par delà sa nature, à celle de Dieu même.

Importance de la Théologie Naturelle

Montaigne met quelque coquetterie à refuser l'initiative de la traduction, et à la reporter sur les graves réflexions de son père à l'heure de la mort; il ne diminue point par là l'importance de l'ouvrage. Donnée par Pierre Bunel, « homme de grande reputation de sçavoir »[1], à un père qui « rechercha avec grand soing et despense l'accointance des hommes doctes »[2], *la Théologie Naturelle* s'impose par la matière qu'elle traite. L'occasion de la traduction le confirme. Choisie par Pierre Eyquem comme lecture pour se préparer à la mort, publiée ensuite, elle fut rééditée par Montaigne qui en fait non seulement ses débuts littéraires, mais une prise de position philosophique et religieuse. Doublant *les Essais,* elle permet d'en approfondir la pensée, comme l'apologie même du théologien, à l'intérieur du livre de Montaigne, nous explique et nous mesure la valeur de l'ouvrage médiéval.

La traduction du livre de Sebon constituait une prise de position parce qu'il était illustre. Composé pendant le séjour du théologien à Toulouse, terminé en 1436, le *Liber Creaturarum (seu Naturae) seu liber de Homine, propter quem sunt creaturae aliae*, avait été lu en Flandres au XVe siècle, en France à partir du XVIe. Il avait enchanté Lefèvre d'Etaples et ses amis parce qu'il enseignait l'excellence de la connaissance directe et personnelle de Dieu par la pratique de la vie chrétienne. Au contraire, les Réformateurs allemands le méprisaient parce que la préface s'achevait sur une phrase de soumission au Pape[3]. A l'intérieur des différents mouvements religieux, l'ouvrage nourrissait la spiritualité nouvelle, et servait, d'une manière que l'auteur n'avait pu prévoir, à l'affrontement entre les partis. Montaigne le savait bien, aussi, qui loue le théologien en affirmant la nécessité d'un approfondissement personnel de la foi[4]. Il avait aussi supprimé du *Prologue* la phrase qui avait été condamnée par l'index de Paul IV[5], parce qu'elle revendiquait le droit de libre examen exercé par les Evangélistes et les Protestants : « Plus sciet infra mensem... quam per centum annos studendo doctores ». Le livre devait enseigner en un mois plus que les docteurs de l'Eglise en cent ans. Si l'expression audacieuse avait disparu de la *Théologie Naturelle*, l'*Apologie* pourtant exprime le même irrespect pour des docteurs qui veulent introduire par « discours » et « moyens humains » une foi qui doit entrer chez nous « par une infusion extraordinaire » et divine[6], mais au service de laquelle il faut accommoder ensuite « les utils naturels et humains que Dieu nous a donnez ».

Ainsi, Montaigne se rangeait très fermement, et par la traduction, et par la défense du théologien, dans un parti qui refusait à la raison humaine l'établissement des vérités révélées, et affirmait au contraire le droit, le devoir même pour chacun d'approfondir une foi préalablement acquise par l'effort de l'intelligence personnelle. L'importance de cette revendication d'une libre spiritualité avait été soulignée par l'illustre patronage qu'un précédent traducteur, Jean Martin, avait cherché pour l'ouvrage. La reine Eléonore d'Autriche, épouse de François Ier, qui avait sollicité cette traduction, en devait avoir la dédicace. Veuve, elle rejoignit son frère l'Empereur avant l'achèvement du travail. Le Cardinal de Lenoncourt en fut gratifié[7]. Encore cette traduction, connue sous le nom de *Viola animae* n'était-elle qu'un abrégé. Donnant une version complète, Montaigne ne recherche que le nom de son père pour se « pousser en crédit, et mettre en lumiere » ; mais, avouant par là, envers lui, une dette d'« amendement et de reformation », il permet de croire que sa famille appartenait au courant bonaventurien, et que l'ancien maire de Bordeaux s'était peut-être illustré auprès de ses concitoyens par cette même politique. Dans l'*Apologie* ensuite, Montaigne rivalise avec Jean Martin, en s'adressant à une fort grande princesse, Marguerite de Valois, selon l'abbe Coppin. Princesse du sang, déjà reine de Navarre, elle semblait appelée encore à devenir souveraine de la France entière par l'accession au trône d'Henri de Navarre. Fille de la superstitieuse et très catholique Catherine, Marguerite défendait à la cour de son mari réformé, le droit de faire célébrer les cérémonies catholiques[8]. La religion qu'enseignait l'ouvrage, faite de retour sur soi-même et de libre examen, aurait pu lui être profitable et la rapprocher de son époux. De fait, si une partie de l'*Apologie* fut écrite en 1576, Montaigne fut nommé l'année suivante gentilhomme de la chambre d'Henri de Navarre. Et plus tard, ses lettres à la belle Corisande, Maréchale de Gramont[9], prouvent qu'il travaillait encore à empêcher la séparation de ménage royal. Illustre par cette dédicace, l'*Apologie*, comme la traduction de Sebon, expriment donc la pensée d'un auteur qui, homme d'action également, consacra sa vie au service d'un parti religieux et politique.

Liberté dans l'imitation

Si la fin de l'existence de Montaigne révèle un même effort moral et politique que la dédicace de l'*Apologie*, si la traduction qui précède doit éclairer l'ouvrage qui la prétend célébrer, il faut interroger les termes mêmes des *Essais*, pour y retrouver la présence constante de la pensée de la *Théologie Naturelle*. Auteur à son tour, l'ancien traducteur reprend spontanément certains passages, pour la beauté littéraire qu'il a conférée à l'expression d'une pensée dont il est le premier séduit. Quand, de plus, l'imitation dépasse l'image, ou la formule, et reprend importance par l'affirmation qu'elle constitue, elle n'est plus réminiscence involontaire, mais fondement d'une philosophie. L'originalité s'affirme par l'élaboration des emprunts successifs.

L'abbé Coppin a bien établi dans sa thèse que Montaigne reprenait les expressions et les images par lesquelles il avait traduit la *Théologie Naturelle*. Pour lui, cependant, ces images restent le plus souvent liées à la pensée qu'elles servent, autant dire que, par elles, les affirmations religieuses de Sebon se transportent aux *Essais*. Pourtant nombreuses aussi sont les images qui n'ont aucun caractère déterminé. Ainsi l'essai du *Repentir* n'est point éclairé par le chapitre CCXIV de la *Théologie Naturelle* qui affirme que nous avons en notre cœur un « logis commode à la parole de Dieu ». L'image de l'essai est en fait opposée, qui caractérise le péché : « en son haut appareil, qui loge en nous comme en son propre domicile ». La difficulté était peut-être d'exprimer autrement la pensée. Pour l'augustinisme, l'image du domicile, comme celle de la vraie patrie, est liée au désir même de Dieu. Elle semble dénaturée ici par l'atteinte même de cette parole donnée par la Révélation. Sebon utilisait sans cesse la métaphore de l'ouvrier qui bâtit sa maison pour imposer le travail de la création divine par un procédé d'analogie essentiel à l'ouvrage. S'il y a eu, dans l'essai considéré, réminiscence, parce que l'image ne répond plus à la même exigence de raisonnement, la rencontre paraît involontaire, et négligeable. Les images au contraire qui conservent leur sens originel, et l'expression de la spiritualité qu'elles ont contribué à traduire, méritent davantage l'attention. Leur présence prouve au moins la fidélité de Montaigne à une part de l'ouvrage, sinon à sa totalité. Sans doute, l'édition Villey qui fournit le précédent rapprochement apporte-t-elle également de bien meilleures références. Tantôt c'est la faute que « nous couvrons, recelons et favorisons » dans le « vray domicile de Dieu »[10]. Parce qu'elle est encore nécessaire, l'image paraît affaiblie ; elle ne traduit aucune vision originale, tout au plus la réalité d'un sentiment bon ou mauvais au cœur de l'homme, d'une appartenance profonde à ses passions sur laquelle s'accordent en fait toutes les morales. Tantôt encore, le même essai fournit cette belle expression de la plénitude que donne l'acte de penser dans le γνῶθι σεαυτόν élevé par les bonaventuriens en discipline de jugement : « j'ay mes loix et ma court pour juger de moy, et m'y adresse plus qu'ailleurs. Je restreins bien selon autruy mes actions, mais je ne les estends que selon moy ». Sebon avait prêté l'image juridique, comme l'éloge de la vie personnelle. « Toute volonté premiere en tant qu'elle est premiere ne répond à nulle autre, ainsi fait en soy mesme sa souveraineté, son empire, ses loix et ses ordonnances »[11]. Plus certain, ce souvenir justifiait l'autre pour l'édition Villey. A côté de l'image même de la cour de justice, le terme « estendre » rappelait l'image plus familière empruntée encore à Sebon, que l'abbé Coppin signale comme une réminiscence privilégiée[12] : « Je me cultive et augmente de tout mon soin » cite-t-il pour sa part. Et encore : la créature raisonnable « a besoin de se bonifier, croître et augmenter en dedans, jusques à ce qu'elle soit accomplie ». La perfection que confère à l'homme ce jugement sur soi-même et ses actes, s'exprime sous cette forme imagée d'extension spatiale dans l'intériorité. La contradiction qu'elle comprend concourt à sa puissance d'expression. La réalité morale dépeinte en paraît plus forte, plus irrésistible. Difficiles alors à retrouver, ces images qui tiennent parfois à un seul mot, parce qu'elles répondent à la spiritualité de l'ouvrage traduit, témoignent de la fidélité de Montaigne à la pensée exprimée, du désir de l'imposer encore par les *Essais*.

De même, passant de l'image des choses connues aux réalités inconnaissables en leur cause, Montaigne dans l'essai *De la Ressemblance des enfans aux Peres*[13] reprend à Sebon l'importance privilégiée accordée à la semence paternelle. Lui attribuant cette maladie de la pierre dont il est atteint, il l'appelle « monstre », et invite par là à reconnaître notre ignorance. Sebon marquait son admiration devant le même fait, au chapitre LVII : « Ceste contemplation, ô homme, te doit servir de certain advertissement que tu es l'ouvrage d'un grand Dieu : d'un Dieu qui d'une seule et si petite chose tire une si grande et si esmerveillable varieté de membres : C'est luy seul qui d'un grain engendre les fueilles, les branches, les racines et le tronc, et luy encore, qui d'une goutte de semence bastit cette innumerable diversité de pieces qui sont en toy ». La goutte de semence faisait ainsi partie de la contemplation du monde, de cette échelle des êtres par laquelle Sebon menait à Dieu, et l'« innumerable diversité de pieces », comme l'émerveillement produit, amenait bien la reconnaissance de notre ignorance « es ouvrages de nature ». Dans l'essai de Montaigne, la constatation morale précédait à l'inverse l'exemple qui la justifiait. L'utilisation de Sebon, pour être extrêmement fidèle, appuyait aussi l'essentiel de la doctrine augustinienne, cette faiblesse de la raison humaine qui s'oppose à l'optimisme aristotélicien.

De même par des réminiscences diverses, tous les aspects de la pensée bonaventurienne viennent ainsi s'insérer dans les *Essais*. La « conjonction » [14] de l'âme et du corps est affirmée dans le chapitre *De l'Experience* [15] par ce devoir fait à l'âme de participer « conjugalement » aux naturels plaisirs du corps. Dès le livre II, le principe était mis en rapport avec le dogme chrétien. Comme Sebon sur cette conjonction fondait la promesse d'une récompense ou d'un châtiment partagé par les deux parties de « l'humaine nature » [16], Montaigne avait repris : « les Chretiens ont une particuliere instruction de cette liaison : car ils sçavent que la justice divine embrasse cette société et jointure du corps et de l'ame jusques à rendre le corps capable des recompenses eternelles ; et que Dieu regarde agir tout l'homme, et veut qu'entier il reçoive le chastiement, ou le loyer, selon ses merites. » [17]. Parce que cette survie et transfiguration du corps après la mort est bien propre au dogme chrétien et étrangère aux philosophies qui s'en sont le plus rapprochées, son affirmation dans l'ouvrage de Montaigne constitue une prise de position. Dépassant l'humanisme, elle témoigne d'une pensée chrétienne. De même encore dans l'essai *De la Gloire*, c'est *la Théologie Naturelle* qui fournit le point de départ de la pensée. Sebon avait plusieurs fois repris, comme essentielle à son système, l'affirmation que l'honneur n'était dû qu'à Dieu : « Il n'est rien plus contre nature et raison que de veoir quelque chose pauvre, miserable, necessiteuse, deffectueuse et tres imparfaicte au dedans, courant après la reputation et ses ornemens exterieurs, oubliant ce dequoy elle a extremement besoing, et dequoy elle ne se peut passer sans infini dommage. Parquoy resolvon que l'accroissance exterieure n'est aucunement deuë à la creature : à Dieu seul incapable d'accroissance, incapable de vacuité et de vanité, et garni de toute plenitude appartienne tout honneur, gloire, benediction et louange. » [18] Les termes par lesquels débute l'essai de Montaigne sont les plus fidèles : « Dieu qui est en soy toute plenitude et le comble de toute perfection, il ne peut s'augmenter et accroistre au dedans ; mais son nom se peut augmenter et accroistre par la benediction et louange que nous donnons à ses ouvrages exterieurs ». Dès leur première page, les chapitres *De la Gloire* et *de la Présomption* analysent l'objet qu'ils traitent, en affirmant qu'il n'est point substance des choses. L'essai XXVI [19] encore, ne pourra parler de la gloire des plus excellents hommes sans rappeler en conclusion : « aussi n'est ce pas une piece de la substance de la chose ». L'expression, ainsi reprise, faisait écho au même passage de Sebon [20]. L'intérêt pourtant de la première citation vient de ce que, à côté des réserves qu'apporte l'*Apologie* à la pensée du théologien, Montaigne admet l'essentiel de l'ouvrage traduit, cette place centrale au monde qui fait à l'homme un devoir d'adorer Dieu. Cette adoration il est vrai, se raisonne dans le passage considéré, non par la supériorité de l'homme sur les autres créatures, mais par son insuffisance et l'imperfection de sa nature. Ce côté, de *la Théologie Naturelle* était parfaitement augustinien ; il permettait de commenter le « gloria in excelsis Deo, et in terra pax hominibus » par la disette où nous sommes de « beauté, santé, sagesse, vertu, et telles parties essentielles ». La misère de l'homme justifiait la gloire rendue à Dieu, et la loi exprimée par Sebon était avant tout un devoir d'adoration. De même, si, dans le passage célèbre de l'analogie chrétienne, il avait pu calculer notre dette envers Dieu de l'utilité des membres qu'il nous avait donnés, il précisait d'une manière plus juste que la véritable dette était toute morale et consistait non en l'objet, mais en l'amour même [21] : « D'autant que les obligations ne se mesurent pas seulement par la grandeur ou multitude des presens qu'on a receus, mais beaucoup plus par la volonté d'affection de celuy qui les a faits, voyon à quoy se monste la nostre pour le respect du donnant de Dieu nostre createur » ; et le présent occulte, celui de « l'amitié qu'il nous porte » excédait alors « tous les presens qu'il a cree ». Sur un sujet tout profane, les preuves d'amour accordées par les dames, Montaigne, au troisième livre des *Essais* [22], se souvenait encore de la phrase de Sebon : « L'obligation du bienfaict se rapporte entièrement à la volonté de celuy qui donne. Les autres circonstances tombent au bien faire, sont muettes, mortes et casuelles ». Sa phrase, pour exprimer l'amour humain, ne se trouve pas sortie de son sens. Au contraire, le bienfait moral et la volonté remplacent les obligations et présents trop matériels de l'augustinisme médiéval. Le désir seul transparaît d'un sentiment qui est un absolu, et que les réalités sociales et humaines ne peuvent que signifier. Par delà une réalité qui n'est qu'apparence illusoire, se fait désirer, saisir presque, l'infini du sentiment. Par le refus du concret jusque dans l'amour profane, s'exprime l'essence même de la pensée augustinienne, cette poursuite de l'amour où celui qui donne s'oublie soi-même en son objet.

Parce que cette expression de l'amour est essentielle à la doctrine bonaventurienne, Montaigne est sans cesse revenu sur les pages de Sebon qui peignent cet altruisme où le sujet, dépossédé de soi-même, s'identifie à l'objet aimé. Ce n'est pas sur le plan seul de l'amour, mais sur le plan de l'amitié que Montaigne, non sans originalité, prête à son sentiment l'absolu de l'amour divin.

Il est tentant de croire que l'essai *De l'amitié* fait écho aux souffrances qu'Augustin, dans les *Confessions*, rappelle avoir éprouvées après la perte de son ami [23]. A lui, ou au poète latin qu'il cite, Montaigne emprunte l'expression « dimidium animae suae » qu'il traduit sous une forme plus appuyée « nous estions à moitié de tout ». Il reprend en écho le tour négatif où se mêle déjà beaucoup d'art : « il me semble n'estre plus qu'à demy ». Les vers de Virgile et de Térence viennent atténuer ce que la souffrance d'Augustin, jusque dans la crainte de mourir, conservait encore de passion dominatrice. Exprimant l'horreur de la vie, il se voulait conserver, pour posséder encore cette partie de lui-même qu'il avait tant aimée. La contradiction des sentiments est trop violente pour l'art de Montaigne. C'est pourtant le même passage qui, au paragraphe précédent, analysant la douceur des larmes, exprime le charme de la mélancolie : « Unde igitur suavis fructus de amaritudine vitae carpitur gemere et flere et suspirare et conqueri ? ». Montaigne, à son tour, sait donner séduction à l'expression de son regret : Il nous suggère les charmes de la langueur et un redoublement du sentiment de la dépossession dont les sonorités imposent la douceur irrésistible : « Depuis le jour que je le perdy, quem semper acerbum, Semper honoratum (sic, Dii, voluistis) habebo, je ne fay que trainer languissant ; et les plaisirs mesmes qui s'offrent à moy, au lieu de me consoler, me redoublent le regret de sa perte. »[24]. L'assourdissement final de la phrase, le jeu des liquides, font un plaisir de la disparition même, et imposent ainsi par un art très achevé, l'effet contradictoire analysé par Augustin. Il n'y a pas d'impiété, sans doute , à dire que chantant une même souffrance, le disciple français égale au moins le modèle antique.

Il y en aura peut-être davantage à montrer que, par l'imitation de Sebon que la critique admet plus volontiers que celle des *Confessions*, il a prétendu surpasser son modèle en confondant l'amitié avec l'amour de Dieu ; ou plutôt, il a supplanté l'expression d'une souffrance encore tout humaine et chargée de réminiscences antiques, par la forme nouvelle et tout altruiste qu'Augustin a, dans la suite de l'ouvrage, donnée à l'amour chrétien. L'amour n'est point seulement pour Montaigne partage d'une même vie ; il représente ce qu'il y a de plus noble en l'homme, le don de soi par une libre volonté : « Et nostre liberté volontaire n'a point de production qui soit plus proprement sienne que celle de l'affection et amitié »[25]. Plus loin, cette même amitié confond les âmes « d'un melange si universel, qu'elles effacent et ne retrouvent plus la couture qui les a jointes »[26]. Enfin, le sentiment est analysé comme la perte de soi dans la personne de l'autre : « (A) c'est je ne sçay quelle quinte essence de tout ce meslange, qui ayant saisi toute ma volonté, l'amena se plonger et se perdre dans la sienne ; (C) qui, ayant saisi toute sa volonté, l'amena se plonger et se perdre en la mienne, d'une faim, d'une concurrence pareille ». Si la cause de cette perte de soi dans la personne aimée reste mystérieuse, et s'appelle « quinte essence », c'est que le sentiment dépeint dépasse l'humanité, parce qu'il touche au divin. Sebon, en effet, en plaçant la noblesse de l'amour dans la liberté volontaire, avait suggéré l'idée de cette suppression de la couture qui avait joint les âmes : « Et d'autant que l'amour va où qu'il aille, librement, volontairement et avec plaisir, la volonté qui se joint et s'unit par amour à la chose aymee n'en peut estre separee que librement aussi, et par son consentement. Il est impossible de l'en contraindre ; car si elle pouvait estre forcee ce ne seroit ni amour ni volonté. Voila pourquoy ceste liaison est tres forte, car nulle violence ne la peut desprendre, la volonté ne peut estre desacouplee de la chose aymee par nul effort estranger, et s'il ne luy plaist. »[27] Comme l'amour devient la réalisation de la libre volonté de l'homme, le destin que lui fixe sa condition, l'homme aussi, dans ce sentiment nouveau, ne connaît plus ni égoïsme, ni altruisme, ni tien, ni mien, dira Montaigne, mais perd sa personne dans ce dépassement, ou cet épanouissement supérieur de l'être qui constitue le sentiment. L'amour, répète sans cesse Sebon, — et dans ce même chapitre aussi —, change et convertit l'amant en la chose aimée. Une telle conversion, une telle perte de soi dans le désir, ne peut s'accomplir que parce que l'amour n'est plus seulement quête et moyen, mais aspect déjà de Dieu, saisie de l'absolu. L'amour chrétien qu'Augustin a transmis à Sebon à travers ses imitateurs médiévaux ne transforme l'objet aimé que parce qu'il est déjà cette plénitude du divin en laquelle l'homme réalise sa nature profonde. Augustin avait voulu passionnément posséder l'ami perdu, mais il avait réservé à Dieu seul cette conversion de l'amour qui change le sujet aimant en l'objet de son désir. Sebon, sans doute a ouvert le chemin à Montaigne en se complaisant à montrer l'avilissement de l'homme dans la corruption des objets qu'il donne à son amour. Montaigne, qui rivalise avec Augustin sur le charme de la mélancolie, sait bien avoir transformé la pensée de Sebon en conférant à l'amitié humaine le dépassement qu'opère pour lui l'amour divin. Mais cette transposition peùt-être ne trahit pas le bonaventurisme en refusant toute distinction entre l'amour du prochain, qui doit conduire à celui de Dieu, et son épanouissement en Dieu. Surtout, cette religion tout entière tournée vers l'amour en un temps de cruauté, appelait ce dépassement très conscient de la doctrine, et élevait désintéressement et amour du prochain jusqu'à un absolu, le confondant avec celui de Dieu même.

L'utilisation de Sebon en laquelle Montaigne se complaît en ses *Essais,* paraît ainsi presque toujours révélatrice. La liberté d'une transposition renouvelle et approfondit la doctrine propre à l'amour chrétien, jusqu'à identifier l'amour du prochain avec celui de Dieu, et en faire un nouvel absolu en une époque où l'on s'autorise de l'absolu divin pour massacrer ce prochain oublié, présence poignante, pourtant, à la porte des grands.[28]

Parmi tous les emprunts faits à Sebon, l'appel à l'amour atteste, chez Montaigne, une religion authentique. Il approfondit sa doctrine par des imitations d'art, et des transpositions savantes, qui renouvellent et étendent la notion de charité sur laquelle elle repose. L'auteur des *Essais*, plus généralement pris pour un philosophe, a puisé dans l'œuvre de Sebon l'essentiel de sa pensée, et les formules par lesquelles il rend sa théorie de la connaissance, et sa manière de voir le monde.

La connaissance par illumination

La tradition bonaventurienne n'avait pas attendu l'ivresse des grandes découvertes pour s'opposer à la passion aristotélicienne du savoir. Un rappel de la phrase célèbre de *la Métaphysique* où Aristote l'avait exprimée présidait aux plus grandes œuvres de la doctrine, comme si l'affirmation même de l'adversaire permettait de différencier la position chrétienne[29]. De même encore au XVIe siècle, les aristotéliciens recouraient à l'autorité du maître pour justifier la recherche du savoir; tel Grataroli, publiant le *De incantationibus* de Pomponazzi, posait initialement : « le désir de la science est naturel à l'homme ». Et la formule, pour lui, ne souffrait aucune réserve. A l'inverse, Sebon, après ses modèles médiévaux pour l'ouverture de sa *Théologie Naturelle*, ne proposait d'autre science que la connaissance de soi[30]. Il limitait le désir plus général qu'il semblait aussi partager, par une critique des preuves et des témoignages, accusant déjà une orientation de la pensée bonaventurienne vers une poursuite de la science : « Quia homo naturaliter semper quaerit certitudinem et evidentiam claram », avait écrit le théologien. « Par l'inclination naturelle des hommes, traduisait Montaigne, ils sont continuellement en cherche de l'évidence de la vérité et de la certitude : et ne se peuvent assouvir ny contenter qu'ils ne s'en soient approchez jusques au dernier point de leur puissance. Or il y a des degrez en la certitude et en la preuve ». *L'Apologie*, à son tour, reprenait ainsi, constatant et blâmant cette passion de science : « C'est à la vérité une très utile et grande partie que la science, ceux qui la mesprisent, tesmoignent assez de leur bestise; mais je n'estime pas pourtant sa valeur jusques à cette mesure extreme qu'aucuns lui attribuent ». Il est remarquable que Montaigne, pour défendre son théologien, ait voulu commencer son apologie par la même constatation de la passion humaine pour la science, et par la même prise de position antiaristotélicienne. Ce fut dessein délibéré, pour marquer sa fidélité, et l'appartenance de sa pensée.

Le refus cependant n'était point sans repentir. Du moins, il était discernement. L'utilité reconnue ne pouvait constituer un absolu. La vérité, ou la fin de l'existence se trouvaient ailleurs. Quelques pages plus loin, Montaigne affirmait la vanité de toute philosophie humaine dans son représentant le plus illustre : « L'erreur du paganisme, et l'ignorance de nostre sainte verité, laissa tomber cette grande ame de Platon, (mais grande d'humaine grandeur seulement) »[31]. Son admiration ne l'empêchait pas de montrer la vanité de nos raisons et de nos discours humains, « matiere lourde et sterile ». « Tout ainsi que les actions vertueuses de Socrate et de Caton demeurent vaines et inutiles pour n'avoir eu leur fin et n'avoir regardé l'amour et obeïssance du vray createur de toutes choses, et pour avoir ignoré Dieu »[32], c'est la foi qui « venant à teindre et illustrer les argumens de Sebon », les peut rendre fermes et solides[33]. Comme la vertu humaine n'a pas de réalité devant Dieu, de même les discours humains restent impuissants si ne s'y ajoute cette effusion de l'esprit en quoi consiste l'adhésion du cœur. La logique humaine, et la science à laquelle elle aspire s'effacent devant cet acte où se rejoignent connaissance et amour par lequel l'homme accède au divin.

Méprisant ainsi le procédé de son théologien, Montaigne ne le trahissait pas, mais il reprenait très exactement les termes par lesquels, en sa préface, il avait défini lui-même le mérite de son livre. Dès sa première phrase, Sebon avait affirmé la doctrine contenue en son ouvrage « convenable, naturelle et utile à tout homme, par laquelle il est illuminé à se congnoistre soy mesme, son createur et presque tout ce, à quoy il est tenu comme homme ». Ainsi placé, le terme « illuminé » prend valeur de manifeste bonaventurien. Mais les Essais de Montaigne sont beaucoup plus intéressants, qui décrivent curieusement cette même opération du jugement. L'Institution des enfants analyse avec beaucoup de soin comment s'opère la clarté poursuivie. C'est d'abord l'effort de l'esprit qui nous est rendu par l'image de la marche d'un cheval[34], « à tastons, chancelant, bronchant et chopant ». Le premier terme suppose déjà la notion visuelle d'obscurité qui cause l'hésitation. Puis l'insuffisance de cette vue partielle de la saisie affirme le caractère supérieur de la vérité appréhendée : « Quand je suis allé le plus avant que je puis, si ne me suis-je aucunement satisfaict : je voy encore du païs au delà mais d'une vue trouble et en nuage que je ne puis desmeler ». La lumière ne paraît plus image, mais réalité, tant la phrase a de cohérence dans l'infini de ce pays pressenti au-delà. La saisie ne peut plus arriver à la netteté de la certitude, et l'effort pour « desmeler » ce pressentiment demeure seul dans le champ de l'esprit. Œuvre de la grâce, l'opération suppose aussi volonté personnelle. Ainsi la décrira à son tour Saint François de Sales : « Il y a une certaine éminence et suprême pointe de la raison et faculté spirituelle qui n'est point conduite par la lumière du discours, ains par une simple vue de l'entendement, et un simple sentiment de la voloncté, par lesquels l'esprit acquiesce et se soumet à la vérité et à la volonté de Dieu. »[35] Pour le Mystique, le caractère fortuit se double aussi d'une opération de la liberté personnelle. L'illumination suppose l'acquiescement et la soumission à la grâce divine. Le caractère religieux de la pensée de Montaigne éclate mieux encore dans l'analyse qu'il fait quelques pages plus loin de l'art de Plutarque[36]. L'auteur ne donne qu'une atteinte dans le vif du propos: Il faut « arracher » et « mettre en place marchande ». La merveilleuse clarté du jugement humain se tire par effort, comme s'il fallait écarter un corps étranger, ces nuages qui empêchent le jugement. Pour l'augustinien, l'image est claire, c'est la force de l'habitude qui, depuis le péché, obscurcit le jugement ; et Montaigne reviendra souvent sur cette « erreur de grande suite et prejudice ». Il reprend alors le raisonnement d'Augustin dans *la Cité de Dieu* [37] et accuse la perversion du jugement humain en ce qu'il n'a coutume de s'étonner que des choses rares. La même argumentation sert encore à recommander le chapitre *De l'affection des peres aux enfants,* comme s'il n'avait d'autre mérite que son étrangeté. Dans cet approfondissement de la doctrine, le recours à Augustin est manifeste. Au contraire, la parenté bonaventurienne de l'ouvrage éclate davantage dans cette peinture de l'illumination que reprend Montaigne au niveau de l'excellence de tous les arts. C'était un lieu commun depuis l'antiquité que de parler du caractère divin de l'inspiration poétique. Le thème reprenait actualité au XVIe siècle, avec la théorie aristotélicienne qui, faisant participer l'homme aux forces du monde, lui en communiquait les fureurs qu'il ne contrôlait plus. Bonaventurienne au contraire, la fureur de l'illumination divine est toujours présentée comme consciente. Et Montaigne insiste sur cette nécessité de l'acquiescement dont parlera Saint François de Sales.

Partant de l'expression commune qui déclare les médecins heureux « quand ils arrivent à quelque bonne fin » [38], Montaigne revendique pour tous les arts cette faveur du sort qui, par delà les forces humaines, assure l'excellence : « Or, je dy que, non en la medecine seulement, mais en plusieurs arts plus certains, la fortune y a bonne part ». Les saillies poétiques, de l'aveu même des poètes, surpassent leur force, et le suffisant lecteur est en droit aussi de découvrir « és escrits d'autruy des perfections autres que celles que l'autheur y a mises et apperceuës ». Le patrimoine littéraire paraît communication avec Dieu, l'homme qui y œuvre, ou y puise n'étant plus qu'instrument consentant. Plus nette est encore la description dans le domaine qui répond à l'expérience propre de Montaigne, homme de guerre et homme politique : « quand je me prens garde de prez aux plus glorieux exploicts de la guerre, je voi, ce me semble, que ceux qui les conduisent n'y emploient la deliberation et le conseil que par acquit, et que la meilleure part de l'entreprinse ils l'abandonnent à la fortune, et, sur la fiance qu'ils ont à son secours, passent à tous les coups au-delà des bornes de tout discours ». Non seulement les hommes politiques acquiescent à la fortune, mais ils semblent la tenter en renonçant sciemment au rationnel ; ils marquent un choix pour une raison supérieure à la leur : « la meilleure part de l'entreprinse ils l'abandonnent à la fortune », analyse Montaigne. Et la réussite est immédiatemnt constatée par « des allegresses fortuites et des fureurs estrangeres » [39]. Cette observation tout extérieure de l'illumination de l'esprit reste pleinement bonaventurienne par cet abandon délibéré qui a présidé à la réussite. La grâce ne peut œuvrer sans le concours de la liberté humaine.

Ainsi, Montaigne refusant le rationnel, lui préférait en l'intuition une émanation du divin. Il affirmait un choix philosophique en décrivant en ses *Essais* l'illumination augustinienne, célébrée par Sebon en sa préface. Il avait pu aussi, dans la *Cité de Dieu,* en trouver la théorie plus fermement exprimée. Les appels qu'il fait au *De Trinitate* et aux *Confessions* laissent supposer qu'il avait une connaissance, directe, ou de seconde main, de ces ouvrages, qui éclairait, pour lui, l'exposé de la doctrine, plus sommaire dans l'œuvre de Sebon. Surtout, dans la peinture de l'activité supérieure de l'esprit, s'efforçant de suggérer la saisie intuitive de la vérité par des images bonaventuriennes qu'il ne trouvait point dans l'œuvre de Sebon, Montaigne révélait une connaissance profonde de la doctrine qui, sans descendre jusqu'à la mystique de l'amour divin, prenait du moins position sur le problème de la liberté humaine, à l'intérieur de la grâce.

Les expressions et la pensée de *la Théologie Naturelle* s'imposaient ainsi dans la libre imitation des *Essais.* Dans une nouvelle vision de l'amour humain, le prochain confondu avec Dieu même, devenait un absolu. Dans cette manière de penser, la connaissance et l'amour se rejoignaient en une adhésion profonde de l'être, qui est déjà participation au divin.

Mais, Montaigne, plus augustinien que son modèle, savait aussi ramener à l'authenticité de la doctrine une pensée marquée par la scolastique et le thomisme.

Chapitre II

LA CRITIQUE D'UNE THÉOLOGIE MELÉE

Puisant au XVIᵉ siècle les principales affirmations bonaventuriennes chez un théologien de la fin du moyen âge, Montaigne n'en
pouvait accepter ni l'art très scolastique, ni non plus un ordre du
monde trop rationnel qui plaçait l'homme à son centre, non
seulement pour le connaître, et en rendre grâce au Créateur, mais
pour l'utiliser à son profit, ou dans un ordre qu'il prétendait voulu
par Dieu. Cette aspiration à l'action, ce désir d'interpréter la
volonté divine pour gouverner les affaires humaines, étaient bien
étrangers à l'augustinisme ; et Montaigne ne pouvait plus les
accepter, qui ne se proposait, peut-être, d'autre fin en son ouvrage,
que de lutter contre ces positions thomistes. Traducteur sensible
à la vision très pessimiste d'un homme, et d'un monde pervertis
par l'amour de soi, dans son ouvrage propre, éloigné de toute
passion de conversion, et gouverné par la seule pitié humaine, il
apportait l'avertissement de la raison.

Les images

Parce qu'un homme s'exprime avec le langage et les procédés
de son époque, l'art de Sebon, fondé sur les réalités, donnait aux
images non point valeur de signification, mais de preuve. Rompu
à la scolatique, le théologien transformait les analogies trinitaires
d'Augustin en raisonnements logiques, parfois bien faibles. Ayant
composé son ouvrage de souvenirs d'Anselme et de Bonaventure,
empruntant à l'un la vision qu'il avait donnée aux raisonnements
de l'introspection augustinienne, à l'autre la préférence accordée à
la connaissance du monde sur la connaissance de soi pour trouver
Dieu, il n'avait reçu d'eux qu'images, ou reflets du Créateur. Jamais,
dans la tradition augustinienne, aucun objet ne lui avait apporté
la valeur logique de preuve que comporte l'analogie aristotélicienne,
mais par un jeu de convergence des mêmes signes, une nécessité
tout intérieure de la présence, et du désir de Dieu. Mais en ce début
du XVᵉ siècle, la pensée scolastique domine tellement le monde
des clercs, que le disciple de Lulle ne peut s'empêcher de transposer
dans la logique aristotélicienne qui la dénature, une analogie et des
images auxquelles Augustin n'avait accordé que valeur intuitive.

Dans les *Dialogues*, et le *De Trinitate*, Augustin accorde une grande place à la dialectique et à la logique aristotéliciennes. Par là il a donné naissance à la scolastique. Ces ouvrages ont été les plus lus au moyen-âge. Il nous reste du *De Trinitate* plus de cent trente copies manuscrites, la plupart datant du XIIe au XIVe siècle[1]. Si d'autres œuvres avaient pu transmettre à Sebon l'analogie cosmique, le *De Trinitate* qui ne répudiait point la logique aristotélicienne, et lui offrait une infinité d'analogies trinitaires, pouvait inspirer un esprit orienté vers l'amour du réel, et l'exercice de la raison humaine. Montaigne, retourné au maître de la doctrine, vraisemblablement après avoir traduit l'auteur médiéval, devait alors, dans *l'Apologie*, rectifier ces penchants qui dénaturent l'esprit du *De Trinitate*, et la pensée d'Augustin.

Si Sebon traite les problèmes théologiques auxquels Augustin avait consacré le *De Trinitate*, il procède d'une tout autre manière. Dans cet ouvrage, Augustin avait intitulé le *Mystère*, le premier volume, dont la méthode est plus traditionnelle et déductive ; et en effet, il ne se livre point à une démonstration, mais à une explication du dogme de la Trinité, et, par enchaînement, de tout le dogme chrétien. S'il travaille souvent par déduction, ce n'est point pour arriver à la preuve. Le titre l'indique : il y a mystère dans le dogme, particulièrement autour de la Trinité. Augustin prétend seulement en faire approcher la compréhension, et présente cette vérité comme irréductible. Le préambule marque nettement ce dessein d'approfondissement de la foi. Partant de citations des Apôtres[2], Augustin ajoute : « Voilà quelle est ma foi, parce que telle est la foi catholique »[3]. Et après avoir montré les difficultés de cette doctrine trinitaire pour la compréhension humaine, il annonce l'intention de son livre : « Aussi ai-je entrepris sur l'ordre, et avec l'aide du Seigneur notre Dieu, moins de parler avec autorité des choses que je connais, que de chercher à les connaître en en parlant avec piété. »[4] Là déduction existe encore chez lui, que reprendra trop bien Sebon ; elle sert non point la science, mais la connaissance, distinction fondamentale à l'ouvrage, et pour cette raison, sans cesse affirmée. Poursuivant la connaissance seule, Augustin part des citations de la Bible qui établissent le mystère de la Trinité, et les éclaire une à une. Pour expliquer l'incarnation du Verbe, dans le premier volume[5], il commence son chapitre en partant de la parole de l'apôtre : « quand tout lui aura été soumis, alors le Fils à son tour se soumettra à celui qui lui a tout soumis ». Il commente ensuite : « Il a parlé ainsi pour écarter l'idée que l'état humain du Christ pris par lui à l'humaine créature, se transformerait quelque jour en la divinité même, ou, à parler plus exactement, en la Déité, laquelle n'est pas une créature, mais l'unité de la Trinité, unité incorporelle et immuable, consubstantielle par elle-même, et coéternelle par nature ». La phrase, dans son début : « il a parlé ainsi », ou par ce rappel qui précise : « à parler plus exactement », montre un souci de vérité et de clarté, sans que nulle part cependant disparaisse l'impression de mystère. Déduction méthodique souvent, le raisonnement ne pratique aucun jeu verbal pour réduire le mystère, mais s'efforce au contraire de le rendre plus présent. En cela, le *De Trinitate* s'oppose absolument à la méthode médiévale de Sebon. Partant de l'*Ecriture Sainte*, Augustin disserte pour éclairer, ou pour s'opposer aux opinions erronées. Toujours il conserve cette honnêteté logique du croyant qui cherche la vérité, et, parce qu'il ne perd jamais de vue le mystère de la foi, il doute de cette raison humaine dont il joue encore.

Mais, parce qu'Augustin vit dans la présence du mystère, son art ne tient pas dans les procédés logiques. Il n'a pas, non plus, étudié la seule rhétorique, mais aussi la philosophie, lors de la demi conversion entraînée par la lecture de cet *Hortensius*, qui est perdu pour nous, et dont nous ne pouvons juger. A travers Plotin, il a connu la philosophie platonicienne. Il cite certains dialogues de Platon, le *Ménon* par exemple. Est-ce par admiration pour l'art platonicien qu'il emploie les procédés que Sebon imitera dans un autre esprit, images, entrecroisement des thèmes, analogies? Comme Platon, il leur confère valeur poétique et puissance de persuasion, jamais valeur logique. Ces procédés, dont chaque auteur peut renouveler l'usage, permettent à Augustin comme à Platon, d'imposer une philosophie de l'absolu dont la compréhension dépasse notre entendement. Parce que tous deux croient et aspirent à une idée de perfection et d'éternité, deux notions incompatibles avec la nature humaine, il leur faut aussi dépasser la puissance d'expression de la raison logique, ce qu'Augustin résume par cette belle formule : « D'ailleurs nous mêmes, dans la mesure à nous possible où nous saisissons quelque chose de l'éternel, nous ne sommes pas en ce monde »[6] Par suite, comme le mythe platonicien fait pressentir une vérité irrationnelle, de même les images augustiniennes ont puissance de saisie poétique, et d'approche de la vérité cernée. Et tandis que le premier volume de l'œuvre est logique et déductif, le second, *les Images,* par son titre même souligne l'importance du procédé, et sa nécessité même pour l'expression de la doctrine augustinienne.

Parce qu'il a eu le mérite de penser et d'approfondir en philosophe une religion jusqu'alors prêchée par des âmes simples, et pour des âmes simples, sous la forme imagée et concrète qui leur convenait, Augustin n'utilise que fort peu les métaphores empruntées à la vie courante qui émaillaient l'Ecriture ou que choisit Sebon au moyen-âge. Son travail, très abstrait, consiste plutôt à l'inverse, à tirer des paroles imagées de l'*Ecriture Sainte*, les vérités morales qu'elles contiennent. Cherchant la connaissance de Dieu seul, et d'un Dieu inconnaissable à l'homme, il en trouve partout image ou apparence. Le monde même dont il parle, plus que dans ses autres œuvres, les êtres qui l'habitent, et l'homme surtout en son âme, tout est connaissance de Dieu. Il part des choses, dit-il[7], qui, dans leur ordre, sont des ébauches de Trinités, pour s'élever à travers elles, comme par degrés, jusqu'à l'âme de l'homme, et de là jusqu'à Dieu. Ce monde reste d'ailleurs ébauché et abstrait, il n'a pas cette poésie puissante que l'on peut trouver dans l'œuvre de d'Aubigné où chaque objet est main de Dieu, et éclairé par les figures de la Bible, présageant ainsi l'avenir, attestant la présence du Créateur. Augustin n'est pas tourné vers la cité terrestre, mais vers celle de Dieu. Cependant, la poésie du *De Trinitate* est puissante aussi, mais le monde n'est atteint que dans les marques seules qu'il porte d'un Dieu qui est la fin de toute recherche. Ni le passé, ni l'avenir n'importent : mais l'existence seule de l'objet, dans la mesure où il atteste les caractères de Dieu. Le monde perd son existence dans cet appel passionné vers l'être qui l'a créé. Les rares images augustiniennes un peu gratuites, traduisent bien ce désintéressement du réel. A peine esquissées dans les termes, elles se transforment rapidement, comme il convient à cet art mouvant de la sensibilité. Ainsi, à la fin du chapitre[8], se fixe le véritable objet de la volonté : « L'agrément que nous trouvons en quelque chose peut inciter la volonté à s'y reposer avec quelque confiance : pourtant, cette chose n'est pas le but auquel on tend, mais elle est rapportée à une autre fin, en sorte qu'elle apparaisse non comme une patrie dont on serait citoyen, mais comme une halte ou même une étape pour le voyageur ». Le caractère indéfini laissé à l'attirance, par l'inconnu même, rend plus lointain le désir du chrétien et souligne l'opposition très augustinienne entre le désir du repos et le but final où tend le voyageur, une lassitude vaincue par le désir, une faiblesse de la condition humaine que soutient pourtant l'appel du divin. L'image augustinienne, dans son caractère général et sa mobilité, parce qu'elle se détache du concret, est riche d'une sensibilité profonde. Sa puissance d'évocation vient de ce qu'elle porte en elle tout le sens de la doctrine.

Le recours à l'image dans le *De Trinitate*, se double d'un effet d'analogie, d'un retour persuasif des mêmes thèmes qu'imite et dénature Sebon. Les images qui valent son titre au deuxième volume, sont toutes des analogies trinitaires dont l'existence et le rapport nous sont connus par l'expérience. Accumulations, reprises musicales et ce chiffre parfait qui les unit, font admettre l'existence de l'inconnaissable. Ainsi, l'âme se connaît, s'aime et aime sa connaissance ; elle a mémoire, intelligence et volonté, elle se souvient se connaît et s'aime ; le sens de la vue qui est en elle est à la fois dans l'objet perçu, dans sa perception, et dans la volonté d'attention. L'introspection humaine révèle sans cesse à l'intérieur d'une même individualité le rapport de forces conjuguées qui imposent le rapport mystique des trois personnes divines. Comme l'image, l'effet d'analogie ne comporte aucune valeur logique ;

elle est illusion puissante sur l'intuition. Augustin analyse lui-même le but poursuivi dans une conclusion : « c'est en traitant de ces connaissances qui adviennent à l'âme dans le temps et lui surviennent dans le temps qu'il est possible de rendre claires ces vérités, même aux esprits lents : le souvenir d'un objet dont l'âme ne se souvenait pas auparavant, la vue d'un objet qu'elle ne voyait pas auparavant, l'amour d'un objet qu'elle n'aimait pas auparavant »[9]. Ainsi s'analyse et s'affirme cette puissance subtile pour créer la certitude et le désir de l'inconnaissable. L'analogie n'est ni ornement, ni preuve logique, mais apparence d'une présence plus éloignée. L'âme qui dans l'introspection ne saisit plus que ses tendances : l'amour d'un objet qu'elle n'aimait pas auparavant, s'absorbe tout entière en cet amour, se perd dans sa recherche même.

Parce qu'Augustin apportait au monde une pensée bien différente de la philosophie platonicienne qui lui était pourtant la plus proche, il a pu en utiliser les procédés d'image et d'analogie. Mais l'opposition même d'une philosophie qui passe du pressentiment de l'éternel à la certitude de sa présence, entraîne la transformation des moyens d'expression. L'image augustinienne n'a point seulement le rôle du mythe platonicien de communiquer une intuition, étrangère à toute investigation logique, et par là même au langage rationnel. Dans sa fluidité, son caractère élémentaire et obsessionnel, elle enfante le désir et par là même la certitude de la présence de Dieu. Séduction savante dans la nostalgie, elle constitue déjà une saisie de l'esprit. Elle ne signifie plus, mais chante l'existence et l'amour de Dieu, elle s'achève dans une prière d'adoration, comme le livre même des *Essais*.

L'auteur sur lequel Sebon exerce une imitation scolastique qui le trahit, est aussi celui selon lequel Montaigne prétend le corriger. Comme Augustin, il refuse au raisonnement humain toute valeur pour prouver et établir la Révélation ; il en critique l'usage trop absolu chez Sebon. Il l'a approuvé, cependant, dans l'ambition de confirmer un dogme préalablement accepté, qu'il avait manifestée au prologue de son livre, et poursuivie dans l'ensemble. Mais il dénonce absolument la valeur du procédé d'analogie tel qu'il l'avait pratiqué après les aristotéliciens. Ce procédé, Montaigne, au contraire, le ramène au rôle d'expression du sentiment. Le terme d'Augustin lui sert alors à redresser celui de Sebon.

Quoique dans sa préface, Sebon n'ait proposé d'autre fin à son livre que de susciter l'illumination, il abuse de la déduction. Dans la première partie, plus proche pourtant de l'œuvre très augustinienne d'Anselme, chaque chapitre progresse comme un syllogisme. La première phrase en pose « les fondements »[10] d'où partent toutes les déductions ; les verbes « nous argumentons », « nous concluons », les propositions causales, marquent l'argumentation. D'une manière claire, mais un peu scolaire et monotone, le chapitre s'achève sur un rappel du raisonnement et l'affirmation acquise : « il s'ensuit que », « arrestons que » ou « voyla pourquoy », soulignent les conclusions. Déclarant hautement le procédé, les titres annoncent eux-mêmes : « la manière de prouver toutes choses de l'estre », « comment par la comparaison des quatre degrez il se prouve que Dieu a l'estre, le vivre, le sentir, l'entendre, et le liberal arbitre », « le vivre se preuve en Dieu de deux façons ». Les belles méditations d'Anselme qui prolongeaient si fidèlement l'esprit augustinien se trouvent alors dénaturées. Signes, pressentiment et certitude de la découverte, elles sont ravalées par Sebon au procédé de la raison logique. Dégradées de leur nature supérieure d'intuitions irréductibles, elles perdent toute valeur. La faute ou l'insuffisance du raisonnement éclate. Les fondements du syllogisme restent gratuits, ou se présentent comme des généralisations abusives, telle cette affirmation [11] par laquelle commence le chapitre *De l'intelligence*, et qui encourra l'opposition de Montaigne dans l'*Apologie* : « D'autant que l'intelligence fait la derniere marche en nostre eschelle de nature, et par consequent que c'est la plus parfaite ». Certains de ces raisonnements, l'abbé Coppin l'a montré, dès sa traduction, Montaigne les avait atténués pour dissimuler leur faiblesse, comme le caractère particulièrement matériel de la croyance qu'ils révélaient. Le chapitre *Du lieu et instrument de la punition corporelle* déduit de la faute commise le châtiment qui attend l'âme pécheresse : « C'est raison que toutes les creatures la desdaignent. Parquoy elle sera jettee en quelque bas lieu fort esloigné du ciel, comme est le centre de la terre propre assiette de l'enfer ». Montaigne a fait une comparaison du centre de la terre, qui était localisation donnée à l'enfer. Il lui a bien fallu, pourtant, suivre son auteur pour accabler la pauvre âme du feu traditionnel, pour cette raison, considérée comme suffisante, qu'« il n'est rien qui afflige comme le feu ». Il lui a fallu encore combler le lieu de « voyrie », et de « la descharge commune de toute ordure ». Le passage est très curieux pour montrer le raisonnement du théologien médiéval, fondé sur la logique, et les réalités humaines.

L'image, par suite, ne peut, pour lui, être signe; elle est preuve. Le chapitre consacré à *la comparaison des deux estres au Soleil et à la Lune*, de source platonicienne sans doute, atteint pourtant à la certitude de l'affirmation : « Ainsi le monde n'a aucune essence que celle qui luy est departie par le grand et eternel estre » [12] ; et la conclusion établit : « Voilà la double nature des deux estres et des deux non estres despechee ». Ces belles images chrétiennes qui, chez Augustin, avec la séduction délicate des contrastes, nous attiraient par leur beauté dont la résonance, se prolongeant en nous, produisait la conviction, sont alors déshonorées par la hâte du bon disciple qui les « despeche ». On ne marque pas mieux soi-même les limites de son art.

Peu capable de saisir la valeur de signe de l'image augustinienne,

Sebon l'est moins encore, nourri qu'il est d'aristotélisme, de comprendre que l'analogie augustinienne puisse n'être pas procédé de raisonnement, mais toucher la seule intuition, éveiller reconnaissance et désir. L'échelle des êtres dans la littérature bonaventurienne rappelle, sans doute, celle que Jacob a rêvée ; Sebon qui la fait si souvent gravir au lecteur l'élève rapidement à la réalité. Sur cette échelle dont, dit-il [13], nos sens nous ont instruits, l'homme se trouve placé au quatrième degré. C'est pourquoi, il a reçu avec tous les dons des bêtes qui sont au troisième degré, ce qui l'en sépare aussi le libéral arbitre. L'expression avec laquelle Augustin au *De Trinitate* avait ordonné le monde : « gradatim » avait un sens encore très abstrait. Après une longue tradition bonaventurienne, elle n'amène plus à saisir l'univers par la contemplation, mais à le raisonner pour en user. Par cette échelle de la nature, avait bien annoncé la Préface, la théologie naturelle « prouve ce qu'elle veult ». L'analogie qui, supposant une identité absolue entre deux objets, permet d'en argumenter une conséquence, est le raisonnement aristotélicien par excellence, et l'homme ne dispose peut-être pas d'autre outil logique. De nature différente, l'analogie augustinienne est incompatible avec tout raisonnement parce que, pour la doctrine, l'identité n'existe pas dans un monde limité dans la durée. Montaigne devait encore ramener sur ce point son théologien au raisonnement même du maître de la doctrine.

La seule *comparaison des deux estres au Soleil et à la Lune*, par son titre même, affirme la liberté d'interprétation à laquelle se livre Montaigne lorsqu'il la reprend dans l'essai *Comme nous pleurons et rions d'une mesme chose*. Les créatures, disait la marge de *la Théologie Naturelle*, « sont les rayons de l'estre du monde » [14]. Comme la lune, elles ne sauraient éclairer par elles-mêmes. Montaigne, au contraire, les compare au soleil [15] « ainsin eslance nostre ame ses pointes diversement et imperceptiblement ». La lumière du soleil qui « n'est pas d'une piece continue », mais « eslance si dru sans cesse nouveaux rayons les uns sur les autres », ne nous garantit plus l'existence d'un Dieu dont l'éclat dépasse également la mesure de nos sens. Assimilée à l'homme, elle en atteste le perpétuel changement, affirmation augustinienne opposée à l'identité des êtres et au retour cyclique aristotélicien. Mais aussi, des deux objets différents, se dégage le seul caractère identique, cette richesse de la vie humaine qui, même chez les plus grands criminels, compense la faute par un retour à des sentiments meilleurs. Cet éclat du soleil impose la puissance de la vie humaine et du monde dans son devenir, et déjà le « Haec valde bona » de la *Genèse* qui conclut l'ouvrage. Pas de manière plus opposée alors de reprendre l'image d'un auteur. Ce qui était preuve est devenu sentiment du devenir du monde, et plénitude de l'acceptation. Le changement dans la présentation de l'image utilisée est alors pleinement signifiant.

Dans d'autres passages, il est plus remarquable encore que l'image de Sebon soit corrigée, transformée, avec l'art augustinien le plus complet, en une fuyante esquisse destinée à fixer le sentiment, et cela par l'appel même au texte de *la Cité de Dieu*. Ainsi, la *Théologie Naturelle* élevait l'honneur à la dignité de personne humaine [16] : « veu que nous ne craignons pas d'employer nostre avoir, nous, et nostre vie pour le garder et defendre, et que nous aymons mille fois mieux mourir que de veoir mourir nostre honneur ». Montaigne se souvient de cette personnification jusqu'à nous faire épouser cet honneur au prix des mêmes biens [17]. Ainsi ouvre-t-il son essai *De ne communiquer sa gloire* par le souvenir de Sebon : « De toutes les resveries du monde, la plus receuë et la plus universelle est le soing de la reputation et de la gloire, que nous espousons jusques à quitter les richesses, le repos, la vie et la santé, qui sont bien effectuels et substantiaux, pour suyvre cette vaine image et cette simple voix qui n'a ny corps ny prise ». La fin de la phrase, par l'opposition entre des biens « effectuels et substantiaux », et ceux de l'honneur qui sont sans réalité, jusque dans la chute de la phrase rappelle la même condamnation de l'honneur formulée dans *la Cité de Dieu* : « Retranchez la presomption : que sont les hommes, sinon des hommes ? Et si la perversité du siècle mesurait les honneurs sur la vertu, même en ce cas, il ne faudrait pas faire grand cas de l'honneur humain, imponderable fumée » [18]. Dans l'essai suivant, Montaigne reprend le même passage d'Augustin. L'idée aussi est essentielle à *la Cité de Dieu*, et longuement développée dans ce livre V. Le rapprochement n'est donc pas fortuit. C'est par un emprunt délibéré que Montaigne corrige la personnification si appuyée de Sebon, par cette image plus estompée, fugitive même dans son essai qui retrouve la fluidité de l'art d'Augustin.

La différenciation des êtres

Délibérée aussi, et également fondée sur l'œuvre d'Augustin, est la critique de l'analogie telle que la pratiquent Sebon et les aristotéliciens qui l'élèvent jusqu'à un raisonnement. L'analogie aristotélicienne suppose, par une appartenance complète de l'être à la nature, une identité absolue de mouvement et de composition [19], et par un retour cyclique, et par l'éternité du monde, une répétition identique des mêmes corps et des mêmes faits. Le monde chrétien au contraire refuse l'éternité de la nature, mais s'inscrit dans la durée face à une éternité qui appartient au seul Dieu créateur. Il pose par suite la variation infinie des êtres dans l'espace et dans le temps : « Une seule fois le Christ est mort pour nos péchés » [20], dit Augustin dans *la Cité de Dieu,* affirmant par là le caractère unique de chaque être. C'est un principe aussi qu'il a exprimé dans les *Confessions* que l'identité absolue est exclue dans la nature [21]. Montaigne, dans l'essai *De l'Experience*, le reprend et l'étend au plan juridique pour s'opposer à la multiplicité des lois. Le titre même du chapitre suppose qu'il a aussi une application dans le domaine scientifique qu'il appartient encore au bonaventurisme de développer. Entre cet aspect scientifique donné à l'affirmation, auquel s'attache plus spécialement Sanchez, et la très générale opposition philosophique qu'en tirait Augustin, Montaigne sait trouver une leçon de méthode qui s'applique particulièrement à la logique aristotélicienne et à la scolastique de Sebon, et détruit la valeur constructive accordée à l'analogie. Ce raisonnement qui de l'identité de deux êtres prétend tirer une déduction et une loi générale, n'est pas recevable dans le monde de la variabilité augustinienne. Revenu aux sources de la doctrine dans l'exemplaire de Bordeaux, Montaigne affirme : « Nature s'est obligée à ne rien faire autre, qui ne fust dissemblable »[22]. Le jugement d'Augustin qui fondait ainsi une philosophie chrétienne, justifiait la condamnation du syllogisme aristotélicien, et de son application dans le domaine des sciences humaines. L'essai, dès la première rédaction, commençait ainsi : « La consequence que nous voulons tirer de la ressemblance des evenemens est mal seure, d'autant qu'ils sont tousjours dissemblables : il n'est aucune qualité si universelle en cette image des choses que la diversité et varieté ». Quelques pages plus loin, l'exemplaire de Bordaux précisait encore : « Toutes choses se tiennent par quelque similitude, tout exemple cloche, et la relation qui se tire de l'experience est tousjours defaillante et imparfaicte ; on joinct toutesfois les comparaisons par quelque coin »[23]. Ainsi la comparaison de Sebon, l'usage de preuve tiré du syllogisme par le raisonnement analogique, la prétention même d'atteindre à quelque vérité générale ou absolue pour la raison humaine, trouvaient leur réfutation dans le dernier essai de Montaigne. Un rappel précis de l'affirmation sur laquelle Augustin fonde toute sa métaphysique, la confirmait encore : comparaisons et analogies ne peuvent être que procédés poétiques, et avoir valeur d'intuition ou de signification. Par l'apparente similitude entre les deux objets, elles font disparaître à l'esprit les différences que cette même similitude atteste et dissimule. Le raisonnement par analogie est alors présenté comme faux dans sa nature même. Un retour fidèle à l'œuvre du maître de la doctrine permettait de condamner en Sebon la méthode d'exposition d'un disciple dissident, et cette scolastique même que le moyen-âge avait pourtant toujours appuyée de son autorité.

Avec la méthode rationnelle de *la Théologie Naturelle*, Montaigne refuse aussi cet amour des réalités qui ne peut plus conduire à aucune connaissance métaphysique. Du moins y trouve-t-il une contemplation de Dieu à travers ses œuvres, mais jamais une loi générale qui permette de comprendre ou d'organiser le monde. Que Turnèbe ait voulu viser par son qualificatif de « Quintessence de Saint Thomas » le mode de raisonnement scolastique n'est point exclu. Mais éditeur lui-même d'un Père de l'Eglise[24], il était particulièrement bien renseigné sur la nature de la doctrine qu'il jugeait. Son mépris tombe sur la pensée même du théologien, que traduit d'ailleurs fort bien aussi le mode de raisonnement incriminé. De cette interrogation que Montaigne dit avoir faite à son ancien maître, sur la nature de la doctrine, l'Abbé Coppin conclut à la durée du travail de traduction de *la Théologie Naturelle*. On peut tout aussi bien affirmer par là que celui qui manifestait dans son interprétation une tendance personnelle à accuser le pessimisme augustinien de l'ouvrage, trahissant ainsi une appartenance et une orientation personnelle à l'intérieur de la doctrine, s'inquiétait déjà de certaines incompatibilités et incohérences. L'*Apologie de Raimond Sebon* obéit à une longue exigence de la pensée, au désir de marquer, cette fois à partir du théologien, l'authenticité de l'augustinisme auquel Montaigne était revenu.

Dans le *De Trinitate*, Augustin avait bien distingué dans la nature une échelle des êtres qui pouvait attester l'existence de Dieu : « Ce n'est pas seulement l'autorité des Saintes Ecritures qui enseigne que Dieu existe; mais la nature elle-même tout entière, qui nous entoure, et dont nous faisons partie nous aussi, proclame que Dieu est son souverain créateur. C'est à lui que nous devons notre nature spirituelle et intellectuelle, grâce à quoi nous voyons qu'il nous faut préférer les vivants aux non-vivants, les êtres doués de sens à ceux qui ne sentent pas, les êtres intelligents à ceux qui ne le sont pas, les êtres immortels aux êtres mortels, les êtres puissants aux êtres sans puissance, le juste à l'injuste, le beau au laid, le bien au mal, l'incorruptible au corruptible, l'immuable au muable, l'invisible au visible, l'immatériel au matériel, le bonheur au malheur »[25]. Il s'agissait alors d'une préférence qui était du domaine de l'amour, ou de cette attirance vers un Dieu en quoi la doctrine réunissait les absolus platoniciens du beau et du bon. Ainsi, le puissant, l'incorruptible, l'immuable se rejoignaient dans une même recherche philosophique. La doctrine transposait le désir de l'absolu, et la passion essentielle au christianisme dans la recherche platonicienne de la connaissance. La passion n'était point tournée vers une charité active, mais vers la recherche de la vérité. C'est dans cet esprit aussi qu'un peu plus loin Augustin esquissait une différenciation entre les êtres[26]. Les animaux ont l'attention, la mémoire; l'homme est doué en outre de la faculté de rappeler et combiner ses souvenirs. La partie de notre esprit qui ne nous est pas commune avec les animaux et « nous relie à la vérité intangible et immuable » « en est comme détachée, comme déléguée pour le maniement et le gouvernement des choses inférieures ». La phrase suivante précise que ces choses inférieures ne sont point les seuls animaux, mais qu'il s'agit de « régler l'usage des biens corporels autant que le demande la nature humaine ». L'esprit humain est destiné à exercer sa maîtrise sur le corps, avant de l'étendre aux animaux, et à l'ordonnance du monde. L'usage, de plus, n'est point la domination; et la notion de mesure paraît présente dans l'idée même de réglement. Un pareil usage du monde, où l'homme se doit d'abord soumettre son propre corps selon une volonté conforme à la loi divine, est très éloigné d'une ivresse aristotélicienne de l'action et de la puissance humaine qui transparaît derrière les quatre marches de l'échelle des êtres dans *la Théologie Naturelle.*

Sans doute, Sebon s'est bien efforcé de suivre en son ouvrage la recherche augustinienne de l'amour quand, comparant l'homme avec les choses de la « tierce marche », il s'écrie : « Qu'il se garde donc bien de les mespriser : ains qu'il les ayme, qu'il ait continuellement devant les yeux, la fraternelle resemblance qu'il a avecques elles, qu'il nourrisse, qu'il abreuve son ame de ceste société »[27]. L'avertissement paraît bien perdu dans un monde où les distinctions de nature empêchent au contraire toute fraternité. La première marche n'obtient que mépris parce qu'elle n'a que l'être. La deuxième, Sebon le précise bien, lui est supérieure qui a le vivre, et la troisème encore qui a le sentir. Ce jugement de valeur qui appartient à l'intelligence rationnelle, exclut sans doute l'ordre de l'amour que suppose une fraternité. Et en effet, l'analyse de la « différence qui est entre l'homme et les trois degrez inferieurs »[28] lui permet de s'attribuer deux privilèges : « Le premier à cause de la dignité de sa nature, qui surpasse de bien loin la nature des animaux, des plantes et de toutes les choses comprinses sous les trois degrez inferieurs. Le second à cause de son liberal arbitre, qui luy donne maistrise et commandement sur tout ce qui est au dessous de luy, et l'advantage de ne pouvoir estre subjet à nulle creature ». Désormais, la notion de dignité éclate dans une supériorité méprisante. Surtout la distinction entre les êtres est immédiatement tournée en un but d'action au monde qui n'est plus de l'ordre de la connaissance, ni même de la maîtrise de l'homme sur ses passions. Cet homme dont on affirme seulement qu'il ne peut être soumis à aucune autre créature, se trouve, par sa nature et le destin, établi pour commander et régner sur le monde. Une philosophie thomiste se révèle par cette place faite à l'homme pour agir sur les autres êtres. L'esprit du christianisme s'est écarté de l'aspiration au Vrai pour se tourner vers l'organisation du monde, et la morale de charité qui se peuvent plus aisément justifier par la certitude artistotélicienne de la connaissance.

Ces deux passages trahissent une hésitation de Sebon, ou peut-être son désir d'unir deux formes opposées du christianisme, la morale de l'action, et la contemplation de l'amour. C'est à cette hésitation même que Montaigne réagit dans l'*Apologie* soit que les deux tendances fussent inconciliables, soit qu'il voulût souligner une déviation dangereuse, et affirmer lui-même la doctrine dans son authenticité. Ainsi, l'*Apologie de Raymond Sebon* insistera longuement sur l'ignorance où nous sommes de l'intelligence des bêtes. C'était refuser cette échelle des êtres de Sebon, qui, nous donnant une place privilégiée, nous tournait aussi vers l'action. C'est « impudence humaine »[29] que de se croire supérieur aux bêtes de ce qu'on ne les entend point. Et la critique de cette impudence suit très exactement celle de la « presomption » aristotélicienne par laquelle l'homme se plante par imagination au-dessus de la lune, et « ramenant le ciel soubs ses pieds » « s'egale à Dieu ». Ces critiques, en fait, sont identiques, et portent sur l'arrogance d'une même position philosophique. Montaigne, contrairement aux affirmations de Sebon, pense que sa chatte se joue de lui, plus que lui d'elle, et cite « des nations qui reçoyvent un chien pour leur Roy ». Sebon, justement posait que l'homme ne pouvait être soumis aux bêtes. Aussi, Montaigne conclut en reprenant les termes de *la Théologie Naturelle*, pour les contredire plus formellement : « (A) Nous ne sommes ny au dessus, ny au dessoubs du reste : tout ce qui est sous le Ciel, dit le sage, court une loy et fortune pareille

(B) Indupedita suis fatalibus omnia vinclis

(A) Il y a quelque difference, il y a des ordres et des degrez ; mais c'est soubs le visage d'une mesme nature

(B) res quaeque sua ritu procedit, et omnes Foedere naturae certo discrimina servant.

(A) Il faut contraindre l'homme et le renger dans les barrieres de cette police. Le miserable n'a garde d'enjamber par effect au delà ; il est entravé et engagé, il est assubjecty de pareille obligation que les autres creatures de son ordre, et d'une condition fort moyenne, sans aucune prerogative, praeexcellente et essentielle. »[30] Ce que Montaigne refuse ainsi, incompatible avec la portée politique de son augustinisme, ce n'est point tant de faire la brassée plus grande que le bras, ni d'enjamber par-delà les connaissances qu'il peut atteindre, mais cela même sur quoi il termine sa phrase : cette « praeexcellence » qu'il s'attribue, de connaître les lois naturelles et la volonté divine, et de cette erreur de raisonnement, ou de ce dépassement des forces de son esprit, de conclure à la « prerogative » de son action sur le monde. La violence avec laquelle il dénonce les termes de Sebon est celle aussi dont il use contre ceux qui prétendent connaître les lois naturelles pour en justifier leurs actes ; et elle s'adresse encore aux mêmes adversaires thomistes. Renseigné par Turnèbe sur la portée des affirmations de Sebon, Montaigne a désiré s'opposer à cet aspect de sa pensée, et en montrer l'incohérence avec le reste de son ouvrage comme avec le sens profond des *Essais*. *L'Apologie de Raymond Sebon* n'est donc point manifeste d'athéisme, ni pyrrhonisme pur. Elle ramène un homme dont la raison a été obscurcie par le péché à la contemplation du monde, à la position surtout de l'augustinisme qui attend de la Providence divine le gouvernement des affaires humaines.

Que Montaigne ait désiré s'exprimer clairement sur sa propre position n'exclut point qu'il ait continué à assumer l'ouvrage dont il voyait les incohérences. C'est qu'en effet, *la Théologie Naturelle* modifiait ou dénaturait cette classification des êtres en la complétant par la variété que l'augustinisme affirme à l'intérieur de la condition humaine. Le don du libre arbitre n'empêchait point les accidents, ni la grâce de doter chaque homme de qualités différentes et d'une identité originale. Cette différenciation entre les êtres paraît à Sebon une évidence ; et il l'annonce déjà en affirmant l'importance de la diversité de nature que constituent pour l'homme l'intelligence et le libéral arbitre : « Les hommes estans naturellement esgaux, il advient que ceux d'entre nous, à qui ces circonstances sont adjoustees, s'eslevent bien loin au dessus de leurs compagnons, et à mesme raison approchent aussi plus de la divine essence. »[31] Parce qu'il procède aussi bien par l'incessante reprise des thèmes propre à Augustin que par le syllogisme aristotélicien, cette affirmation ainsi posée en tête de l'ouvrage se trouve ensuite plusieurs fois reprise. Elle autorise toutes les hiérarchies sociales, et la hiérarchie ecclésiastique même «Or si en la nature humaine composée moitié de la corporelle : moitié de la spirituelle, il se voit une si merveilleuse diversité et dissemblance de qualitez et de rangs : si entre nous qui sommes originellement tous esgaux et pareils, il s'engendre une telle variété d'ordres par les accidens qui nous surviennent : et si ces accidens qui sont juridisdiction, puissance, office, art et science n'arrivent en nous et ne s'y logent, qu'en consideration de la partie spirituelle et intellectuelle, qui est en nous, et nullement par le respect de la corporelle, n'est-il pas necessaire à croyre qu'il y ait aussi divers ordres et divers degrez de dignité, d'office et d'estat en la nature, simplement spirituelle et intellectuelle »[32]. Ainsi, la variété du monde organisé par l'homme impose l'idée d'une variété des êtres qui n'est point fondée sur les accidents du corps, mais sur ceux de l'esprit. Montaigne, à son tour, lorsqu'il reprendra cette même idée de différenciation infinie des êtres qu'impose leur caractère unique, proclamé par Augustin[33] insistera peut-être sur la faiblesse plus que sur la supériorité des dons intellectuels répartis. Le raisonnement cependant est le même. Parce qu'après Aristote sans doute, mais bien plutôt également après Augustin, Montaigne affirme[34] que toutes nos idées viennent des sens, c'est des sens aussi, c'est-à-dire du corps, mais encore du monde auquel il réagit, que dépendront nos idées et nos dons intellectuels. L'*Apologie* de la diversité des philosophies et des créances humaines, avait dégagé les limites de la puissance de l'homme sur le monde : « (A) Si nature enserre dans les termes de son progrez ordinaire, comme toutes autres choses, aussi les creances, les jugemens et opinions des hommes ; si elles ont leur révolution, leur saison, leur naissance, leur mort, comme les choses ; si le ciel les agite et les roule à sa poste, quelle magistrale authorité et permanante leur allons nous attribuant ?... (B) Si nous voyons tantost fleurir un art, une opinion, tantost une autre, par quelque influance celeste, tel siecle produire telles natures et incliner l'humain genre à tel ou tel ply ; les espris des hommes tantost

gaillars, tantost maigres, comme nos chams que deviennent toutes
ces belles prerogatifves dequoy nous nous allons flatant ?»[35] Ainsi
s'élabore une théorie de la diversité, plus large encore que celle de
Sebon qui ne portait que sur l'esprit, une théorie des climats suscep-
tible de ramener l'homme à la mesure de ses forces. Dans l'espace,
déjà, l'esprit de l'homme, agité et roulé par le ciel se modifie. Dans
le temps aussi, en raison de cette évolution des civilisations évoquée
par *la Cité de Dieu*, l'homme se diversifie. Montaigne a poussé plus
loin la théorie religieuse de Sebon, il a donné à ce changement, qui
reste toujours cependant don de Dieu, une explication naturelle :
l'influence du milieu extérieur sur le corps. Parce que sa pensée est
orientée non point vers le but moral de rendre grâce à Dieu des
dons qu'il nous a faits, mais vers un but de paix politique, de tous
ces accidents, il dégage, non comme Sebon la dette que nous avons
envers Dieu, mais le doute que nous devons avoir de nos opinions,
afin de nous écarter de les vouloir faire régner sur le monde. Tandis
que Sebon, même lorsqu'il parle en augustinien, ne peut s'empêcher de considérer l'homme en sa grandeur, Montaigne le veut
peindre en sa faiblesse, pour lui retirer toute passion de domination.

Ainsi ces deux auteurs divergeant sur l'ordre du monde,
s'accordent du moins dans une même pensée augustinienne pour
affirmer la différenciation infinie des hommes entre eux. Plus large
dans ses affirmations, Montaigne s'élève aussi à une plus ample
contemplation. Il cherche à étendre, entre le monde et l'homme, ce
rapport qui féconde la doctrine bonaventurienne, et en renouvelle
la vision. A l'éternité immuable des forces de la nature posée par
l'aristotélisme, il oppose une différenciation; et la multiplicité des
êtres ainsi embrassée dans l'univers échappe à notre intelligence,
perdue encore dans une autre dimension, une multiplication
nouvelle dans le temps, la plus opposée à cette identité que crée le
retour cyclique aristotélicien. Si Sebon conserve le désir de la
grandeur de l'homme, Montaigne renouvelle la pensée augustinienne en amplifiant le mystère que comporte déjà l'immensité de
l'espace, par cette vie sourde et puissante qu'atteste son déroulement dans l'histoire. L'infini de la contemplation rend aussi
à l'homme la mesure de ses facultés, avec le désir d'une certitude.

Du pessimisme à l'optimisme

Se possédant soi-même, l'homme de Montaigne aspirait à se
dépasser, et ne pouvait plus accepter le pessimisme qu'inspiraient
à Sebon les malheurs de son temps, et avec lequel communiaient
bien des augustiniens de la Renaissance. Traducteur sensible à la
force de la vision, mais riche de la connaissance d'Augustin,
Montaigne, dans son propre ouvrage, s'élève contre cette déformation de l'augustinisme.

La préface de *la Théologie Naturelle* en rapporte l'utilité au
moment historique. Ce moyen-âge des théologiens, continuateurs de

la civilisation antique à travers la pensée chrétienne, se sent vieux. La notion d'évolution des civilisations qui donne à l'augustinisme son sens de l'histoire, la fonde sur le déroulement des faits, et non sur une valeur en soi que leur refuse l'intervention de la Providence divine dans le gouvernement du monde. Les temps enfuis annoncent la venue de la fin, et engendrent une inquiétude sur le moment vécu. Sans doute aussi, le disciple de Raymond Lulle a-t-il assisté aux guerres du Portugal contre les Musulmans, en attendant la complète reconquête de l'Espagne sur l'Islam, sous Isabelle de Castille et Ferdinand d'Aragon; il connaît les luttes religieuses. Il peut alors lancer, comme un thème qu'il reprendra souvent en son ouvrage, cette idée de proximité de la fin du monde : « En ceste decadence et fin du monde, il est besoing que tous les Chretiens se roidissent, s'arment, et s'assurent en ceste foy là, contre ceux qui la combattent, pour se garder d'estre seduicts et s'il en est besoing, mourir allaigrement pour elle ». Cette constatation d'une décadence, inspirée sans doute par la doctrine augustinienne en deviendra sans cesse au cours de l'ouvrage, une preuve et une justification : « Ainsi pouvons-nous apprendre la decadence de l'homme et son grand changement par la corruption de la fraternité selon l'ame. »[36] La corruption du monde qui consiste en l'oubli de la morale augustinienne de charité sert encore de preuve à la doctrine : « Bien que de faict et à la verité nous soyons frères selon l'ame, vueillons-nous ou non, si sommes nous tres-eloignez de ces offices : il n'est nul usage entre les hommes de ceste alliance spirituelle, il n'en est nulles nouvelles, elle est morte pour nous, tout plain de querelles, de dissension, de tromperies, de detractions, envye et mauvaise volonté. » L'augustinisme de Sebon se fonde sur la vision du monde bouleversé de son époque, la plus opposée à la morale de charité. Le triomphe même de l'amour de soi, et les maux qu'il entraîne, ne paraissent point destinés à susciter l'amour de Dieu, mais plutôt le désespoir.

Dans ce pessimisme sur le moment vécu, et sur le déroulement du monde, consistait peut-être l'intérêt soulevé par *la Théologie Naturelle* au XVIe siècle. Montaigne devant l'œuvre de Sebon, comme devant celle des augustiniens érasmiens ses contemporains, Agrippa, ou Du Fail, manifeste la même réserve. Les mêmes passages des *Cannibales*, et de l'*Institution des enfans* répondent à Sebon comme aux augustiniens. Préférant toujours le maître de la doctrine à ses disciples, il revient au détachement chrétien. Les limites de l'esprit humain font un devoir à l'homme d'accepter l'ordre de la Providence divine. Cependant dépassant cette occasion des persécutions religieuses, qui suscite, à un siècle d'intervalle, un même regain d'intérêt pour la littérature augustinienne, Montaigne a communié profondément avec le fondement moral de ce pessimisme. C'est parce que l'homme a perdu l'ordre de nature que Sebon conclut à sa décadence. L'inquiétude historique est consé-

quence d'une vision morale de l'homme que Montaigne accepte
et renforce dans sa traduction, avant de la refuser dans les *Essais*.
Le pessimisme pourtant accusé par Montaigne dans *la Théologie
Naturelle*, inspirera encore les plus beaux accents de Pascal en
ses *Pensées*.

En bien des endroits, Montaigne traducteur de Sebon a
modifié le texte. Comme il avait supprimé de la *Préface* toutes les
expressions qui soulignaient la certitude de l'auteur en son raisonnement humain[37], il s'est efforcé, dans la misère humaine, d'éveiller
en son lecteur le désir du Dieu inconnaissable de l'augustinisme, il
s'est complu à la peinture morale d'un homme que ses passions
rendent misérable en soi-même, et désaccordé au monde.

L'abbé Coppin, tout en reconnaissant la plus grande fidélité
à la traduction de Montaigne, avait déjà noté que la vigueur du
style lui était propre[38], et avait fait école. S'il remarque l'attaque,
et l'ampleur de certaines phrases, il faut encore ajouter les suppressions habiles. En abrégeant un texte toujours alourdi par la reprise
incessante des mêmes images, Montaigne lui donne plus de vigueur
et impose l'inquiétude au cœur de l'homme. Dès le premier
chapitre, il affirmait son art en préférant à l'énoncé d'une
obligation générale, un impératif plus direct :

1	Necesse est ergo,	Qu'il commence donc
	quod homo cognoscat seipsum,	à se cognoistre soy-mesme
	et suam naturam	et sa nature,
	si aliquid velit certissime probare	s'il veut verifier quelque
5	de seipso ;	chose de soy ;
	et quia homo est extra seipsum,	mais il est hors de soy,
	et elongatus et distans a se ipso	esloigné de soy
	per maximam distantiam,	d'une extreme distance,
	nec umquam habitavit in domo propria,	absent de sa maison propre
10	scilicet in se ipso,	
	imo semper mansit extra domum suam,	
	et extra se, et ex eo quia ignorat	
	seipsum, nescit seipsum,	
	et de tanto est elongatus, et distat	
15	a seipso, et tantum extra seipsum est,	
	de quanto ignorat se ipsum,	
	et quia totaliter nescit se ipsum,	
	ideo totaliter est extra se ipsum,	
	[habitavit	
	et per consequens, quia numquam	
20	in seipso, neque intravit in se, nec vidit	qu'il ne vid oncques,
	se, ignorat se, nescit quid valet,	ignorant sa valeur, mescognois-
	et ideo dat se pro nihilo,	sant soy-mesme,
	scilicet pro peccato, et pro parvo gaudio	s'eschangeant pour une cho-
	et modica delectatione.	se de neant, pour une cour-

25 Quia ergo homo totaliter est extra se,   te joye, pour un leger
                                                     plaisir, pour le peche.
                                                     S'il se veut donc recognois-
                                                     tre son ancien pris, sa na-
    ideo si debet videre se necesse est   ture, sa beauté première
    quod intret in se, et intra se,   qu'il revienne à soy, et
30 et veniat ad se, et habitet intra se.   rentre chez soy.

La juxtaposition des deux passages montre l'abondance des suppressions. Le retour incessant de Sebon sur la même image de la maison, doublée partout de l'objet de la comparaison : soi-même, alourdissait sa pensée. Les termes restaient, en fait, intellectuels : « parvo gaudio et modica delectatione » disait le latin ; Montaigne substitue l'adjectif qui, par appel au sensible, donne vie à la pensée : « pour une courte joye, pour un leger plaisir », écrivait-il librement. L'image même de la maison se trouve transformée sous sa plume. Exprimant le seul dédoublement de l'introspection, partie de l'homme, elle avait existence et présence pour Sebon, même si l'homme négligeait cette part de soi-même : « nec umquam habitavit in domo propria sua, in se ipsa » affirmait Sebon. L'image reprise par Montaigne devient prenante parce qu'elle est autre. Elle n'est plus seulement expression de l'introspection ; elle a perdu sa réalité ; parce qu'elle impose la présence de Dieu en l'homme, elle devient fuyante et lointaine comme lui-même : « absent de sa maison propre qu'il ne vid oncques », interprète Montaigne. A une image que Sebon avait héritée de la tradition bonaventurienne, mais qu'il dénaturait dans son emploi, la version française rendait le sens et la puissance poétique que l'augustinisme lui avait primitivement donnés. Le travail du traducteur était conscient et souligné par l'addition finale qui parlait de reconnaître non plus seulement soi, mais « son ancien pris, sa nature, sa beauté première ». Désormais le γνῶθι σεατόν de Sebon connaissait un dépassement ; non seulement l'homme auquel Montaigne s'adressait était profondément marqué par la déchéance du péché originel, mais le retour sur soi-même lui apportait, dans la saisie de son imperfection, la reconnaissance de la nature divine. A l'introspection de *la Théologie Naturelle*, Montaigne, par l'addition de ces quelques mots, ajoute tout le raisonnement du « cogito » augustinien, la saisie du divin dans son désir même.

Il faut reconnaître que la fidélité de la traduction de Montaigne n'allait point sans accentuer l'orientation de l'ouvrage. Non seulement sous sa plume s'imposait l'accent de la conversion, cette belle phrase passionnée à chutes successives qui se devait transmettre, avec la pensée même, à l'ouvrage de Pascal. Mais un grand auteur se manifestait, qui ne partageait point les exigences de fidélité que nous apportons aujourd'hui à nos méthodes de traduction. Montaigne était sûrement alors plus vigoureusement augustinien que son modèle.

L'augustinisme, auquel Montaigne s'efforçait de ramener les plus beaux passages de *la Théologie Naturelle*, était fortement marqué de pessimisme. Dans ces pages qui analysent l'amour de soi[39], la déformation de Montaigne éclate dans la présentation même. Lorsque la marge résumait « amor Dei lux est », puis ensuite « amor sui ipsius est tenebra », dans une opposition qui laissait place au choix, et invitait l'homme à l'exercice de sa liberté, Montaigne supprime le côté consolant de cette double vision des choses et formule « l'amour de soy mesme est obscur és hommes ».

Dans la traduction, se trouvant aussi plus fidèle pour les deux lignes consacrées à l'amour de Dieu, il cherchait à intensifier la valeur des huit autres que Sebon avait consacrées à l'amour de soi :

Et causa est quia amor Dei lux est	Et cela provient de ce que l'amour
et lumen illuminans, et ideo facit videre	de Dieu c'est un flambeau lumineux
seipsum et suum oppositum,	nous descouvrant tout à clair sa
scilicet amorem suiipsius,	propre nature, et la nature aussi
et illa quae oriuntur ab eis »	de l'amour de nous, son contraire »

La traduction ici terme à terme, se faisait plus libre encore pour peindre l'amour de soi-même :

1 sed amor suiipsius	Au rebours l'amour de nous
[de natura sua ;	
quia est tenebra, et obscuritas prima	obscur de soy et tenebreux
ideo abscondit et obscurat seipsum,	desrobe et nostre veue et soy
et celat ne videatur, atque obscurat	mesme et son adversaire, tant
5 et excaecat intellectum,	il offusque et aveugle de sa
ne videat ipsum amorem.	nuict les yeux de nostre en-
Et ideo qui habet talem amorem,	tendement. Et quiconque s'en
omnia bona et mala hominis ignorat,	est garny, il s'est privé de
et nihil videt de bonis et malis hominis	la science du bien et du mal
10 quia tenebrae totum possident,	de l'homme. Il est enseveli
et nulla lux est in eo,	dans l'horrible et espais nua-
et talis est ignorantissimus.	ge de l'aveuglement et de
Et quia etiam radix est	l'ignorance. Car c'est une cause
semper occulta et latens ;	latente, et occulte racine de toux maux.
[radicem	
15 ideo difficile est cognoscere ipsam	
[malorum.	
quia est causa latentissima omnium	

La puissance de la traduction de Montaigne vient d'abord de l'abandon des verbes usuels : « habet », « videt », « est ». Renonçant à la construction à prédicat, il choisit un verbe actif qui rend présente l'action du mal. Il offusque et aveugle. Tandis que pour Sebon, l'esprit ainsi obscurci ne voyait plus l'amour même, ce qui complétait et appuyait l'image, Montaigne, préférant à cette lumière de Dieu « un adversaire », élève l'amour de soi à une force nouvelle, un combat fantastique entre le bien et le mal. L'homme de Sebon que les ténèbres possèdent seulement dans le texte latin, est enseveli par Montaigne « dans l'horrible et épais nuage de l'aveuglement et de l'ignorance ». Enfin, Montaigne arrive à un balancement qui fixe dans une formule définitive une idée que les deux adjectifs « occulta » et « latens » esquissaient à peine : « car c'est une cause latente et occulte racine de tous maux ». La peinture de l'amour de soi a pris une puissance qu'elle n'avait point chez Sebon. Ainsi, comme l'avait déjà montré l'abbé Coppin, la traduction de Montaigne n'est point sans marquer une prise de position personnelle. Il a avoué, sans honte, qu'il faisait bon traduire un auteur qui avait si peu soigné le style. C'est un travail d'écrivain qu'il exerce d'abord sur ce théologien dont il impose la pensée en renouvelant la puissance des images, parfois trop appuyées, parfois simplement suggérées. Il faut reconnaître pourtant, que la déformation exercée par Montaigne ne tient plus seulement dans l'expression de l'augustinisme, mais dans une vision du monde, qui en accuse le pessimisme. Il renforce la présence du mal jusqu'à lui donner une puissance d'existence, une force comparable à celle de Dieu, tentation manichéiste la plus opposée à l'augustinisme authentique. L'impression donc que laisse l'étude de la traduction de *la Théologie Naturelle* est que Montaigne s'est complu dans une forme extrême d'augustinisme, l'a accusée encore par la beauté de sa traduction. La lecture, au contraire des *Essais* montre un très net retour sur cette position.

L'ouvrage de Montaigne, comme celui qu'il a auparavant traduit, fait une place de prédilection à cet amour de soi d'où provient le mal au monde. Cependant, il est remarquable que dans les *Essais,* de ce thème essentiel à l'augustinisme, Montaigne tempère toujours l'expression jusqu'à le ramener à l'esprit même des œuvres d'Augustin. Qu'il parle du suicide dans *Coustume de l'isle de Cea*, Montaigne utilise Sebon pour affirmer par sa doctrine la différenciation de sa pensée par rapport à celle des stoïciens. Sur une affirmation reprise à Sénèque[40], « On doit compte de sa vie même aux autres ; de sa mort à soi seul : la meilleure est celle qui agrée », Montaigne reprend « la vie despend de la volonté d'autruy ; la mort, de la nostre. En aucune chose nous ne devons tant nous accommoder à nos humeurs qu'en celle là »[41]. Le plus libre des stoïciens a autorisé l'auteur des *Essais* à considérer le soin de sa vie, et, dans le suicide, la décision de sa mort, comme une morale personnelle différant de celle qui gouverne nos rapports avec la société. La reprise de Sebon va lui permettre de transposer ce devoir envers soi-même qui suppose la supériorité de l'individu sur le collectif, en une contemplation philosophique, et un dépassement de soi. Pour Sebon, dans le suicide, l'homme ne commet point de tort envers soi-même, mais parce qu'il sort de l'ordre de la nature voulu par Dieu, la faute s'élève au plan métaphysique. Ce qui était possible dans l'ordre d'une sagesse individuelle, sur lequel se plaçait le stoïcisme, devient faute suprême à l'intérieur du christianisme. Ainsi écrivait Sebon, montrant encore à la racine de cet acte dénaturé, l'amour de soi qui pervertit l'ordre de la création : « Il n'est point de plus grande ny de plus horrible deformité que celle de l'ame et de la volonté ; il n'est rien plus desaggreable ny plus desplaisant qu'une volonté corrompüe et contrefaicte : Elle sera donc seule fontaine, racine et origine de sa douleur. Or la cause premiere de toutes ces choses est l'amour de soy-mesme, tout son mal luy vient de ce qu'elle a aimé premierement sa volonté, et qu'elle a aimé toutes autres choses selon sa volonté propre, sans Dieu, contre Dieu, sans sa volonté et contre sa volonté. Voilà comment de l'amour de nous s'engendre la haine de nous, qui produit apres, la souveraine tristesse. Telle amour est mere de la haine, et la haine racine de tout mescontentement. C'est une amour qui remplit nostre ame de haine, et la remplist de façon qu'elle devient toute haine. » [42]

Sans doute l'insistance de l'auteur et du traducteur sur la perversion que constitue l'amour de soi est évidente. Tirée d'Augustin, cette morale qui justifie, ou condamne les passions par la volonté qui les anime : l'amour de Dieu ou l'amour de soi, déforme la pensée du maître en mettant l'accent sur la vision de l'amour mauvais. Cette haine dont l'âme s'emplit, en quoi elle se transforme enfin, accuse l'importance prise par le mal « en cette decadence et fin du monde ». La place de l'amour dans l'œuvre de Sebon existe en droit, elle sert surtout à expliquer le tort de la volonté mauvaise. L'auteur, plus encore le traducteur, donnent du monde une vision si sombre qu'elle paraît constater que l'homme n'accède plus à l'amour, plutôt que s'efforcer de lui ouvrir le cœur. De même le déséquilibre qui crée le malaise moral, est essentiellement chrétien. Il ne naît point comme dans le platonsime, de l'accouplement de l'âme et du corps, mais du libre arbitre, qui peut faire la grandeur de l'homme, mais aussi, le mettant hors de l'ordre du monde, causer son propre malheur. Le tourment prend une valeur plus intense, plus irrémédiable, par les contradictions inhérentes à la volonté humaine qu'il suppose alors.

Ainsi s'explique que, tandis que le stoïcien se suicidait par amour de soi, Montaigne suivant Sebon, trouve dans ce même acte une haine de soi, à la fois absurde pour l'esprit, et contraire à l'ordre du monde, tort intellectuel encore, mais surtout métaphysique : « l'opinion qui desdaigne nostre vie, elle est ridicule. Car en fin c'est nostre estre, c'est nostre tout. Les choses qui ont un estre plus noble et plus riche, peuvent accuser le nostre ; mais c'est contre nature que nous nous mesprisons et mettons nous mesmes à nonchaloir ; c'est une maladie particuliere et qui ne se voit en aucune creature, de se hayr et desdeigner. C'est de pareille vanité que nous desirons estre autre chose que ce que nous sommes. » [43] L'acte est à la fois contre nous même et contre nature ; les deux torts analysés par Sebon sont bien conservés. Cependant, l'on peut regretter la beauté du désespoir qui se redoublait encore de l'effet de l'introspection. L'âme était « fontaine, racine et origine de sa douleur » et goûtait « la souveraine tristesse », violence baroque qui avait sa beauté. Montaigne, au contraire, rompt avec cet art par lequel il a débuté en refusant cette fois la séduction du sentiment pour faire place au jugement d'une intelligence qui condamne : c'est maladie, dit-il, et elle est ridicule. La pitié est absente du jugement. C'est dire l'influence classique qui s'est exercée sur son esprit entre la traduction de Sebon, et la rédaction des *Essais*. Cette préférence pour une intelligence et libre volonté, retrouvées à l'intérieur de la doctrine, et la ramenant, loin de tout manichéisme, ou de toute complaisance au mal, au seul désir de Dieu, c'est l'influence des humanités retrouvées dans l'œuvre d'Augustin. Le christianisme même en assurait le triomphe. Plus pessimiste encore que son théologien lorsqu'il le traduit, Montaigne, lorsqu'il l'utilise, retournant par prédilection à l'œuvre d'Augustin, corrige en lui une déviation de l'augustinisme. Face à la perversion de sa propre doctrine, comme face à l'aristotélisme, Montaigne se faisait ainsi le défenseur de la liberté humaine.

Dans ses *Essais*, il s'est sans cesse souvenu de la vision de cet homme que Sebon livre à l'amour de soi, et sépare de l'ordre de la nature. Cependant, il n'y a jamais mis l'accent pathétique de *la Théologie Naturelle* : « l'intelligence qui nous a esté donnée pour nostre plus grand bien, l'employerons nous a nostre ruine, combatans le dessein de nature, et l'universel ordre des choses, qui porte que chacun use de ses utils et moyens pour sa commodité ? »[44] dira-t-il alors. Le repos et la tranquillité en quoi consiste le bonheur augustinien, marquent au contraire l'harmonie à l'ordre du monde ; la passion de la connaissance des choses, orientée vers l'amour de soi engendre cette insatisfaction qui, dans le passage précédent, conduisait même à une haine absurde et tournait l'homme contre soi-même dans le suicide. Cependant, jamais dans les *Essais* le déséquilibre n'est dépeint comme un état de fait, un malheur général à l'humanité, il est seulement un danger, toujours à la mesure de nos forces, qu'il nous appartient d'éviter. Le ton de l'imitation reste foncièrement optimiste.

De même, pour Sebon, le malheur de l'homme entraînait comme conséquence nécessaire la perversion de la société ; Montaigne se refuse à cette généralisation. S'il « trouve que les premiers sieges sont communément saisis par les hommes moins capables, et que les grandeurs de fortune ne se trouvent guieres meslées à la suffisance »[45], il a soin de modérer ses termes pour laisser place à l'exception heureuse, dans un monde désordonné. La raison même de son *Institution* est que l'on peut remédier à cet état de fait. Comme les *Essais* constituent une pédagogie pour l'homme encore au niveau de l'individu, ils apportent un remède à la société. L'avertissement qu'ils donnent est plus ouvert, fait plus appel au libre effort de chacun que les constatations désespérées de Sebon.

Parce que chacun, poussé par l'amour de soi, n'aime rien que « sa particuliere gloire et grandeur et son plaisir corporel », « il combat l'honneur d'autruy pour defendre le sien », « il veut mal à tout autre gloire qui peut diminuer la sienne », « il se faict Dieu en tant qu'il est en luy ». « Autant qu'il y aura d'amans de cette condition, autant y aura-il de dieux au monde, differens, divers et desunis, parce que la chose premierement aimée d'eux n'est pas une en nombre », « tout y sera plain de querelles, d'inimitiez, de courroux, d'envie et de guerre ». Voilà, conclut Sebon « comme l'amour de soy et de sa propre volonté produict le debat, le desordre, les procez et la guerre au monde »[46]. Ainsi le monde augustinien porte comme la conséquence du déséquilibre de l'individu qui le forme, la guerre intestine, et dans la haine, sa propre ruine. Ce monde déchiré n'est plus fait pour l'homme, parce que l'homme qui le compose a rompu avec l'ordre de son destin.

Pathétique, Sebon n'oublie pas pourtant en fin de chapitre de rappeler toujours l'opposition du malheur, à la peinture duquel il se complaît, avec l'ordre de Dieu qui porte en soi tout remède. Montaigne n'ira jamais si loin; avant de plonger l'homme dans le désespoir, il l'invite à la raison, différant en cela par l'art, comme par la pensée. Si l'opiniâtreté qui introduit ces débats au monde lui semble bien la pire forme prise par l'amour propre, et la plus opposée à la raison, du moins l'avertissement qu'il donne est gouverné par l'amour du prochain, non par la passion religieuse : « (B) Si me semble-il, à le dire franchement, qu'il y a grand amour de soy et presumption, d'estimer ses opinions jusque- là que, pour les establir, il faille renverser une paix publique, et introduire tant de maux inevitables et une si horrible corruption de meurs que les guerres civiles apportent, et les mutations d'estat, ou chose de tel pois. »[47] La peinture du monde est bien celle que présente Sebon d'un temps déchiré par les guerres civiles, et la discorde, entraînée entre les hommes par l'amour de soi. Constatant un état de fait, la page a perdu son pessimisme parce qu'au lieu du mépris pour l'être coupable, Montaigne exprime sa pitié pour la souffrance qu'il s'est attirée. Oubliant la faute, il pleure l'effet. Non plus animé par la volonté de convertir, mais par le jugement, dans l'avertissement donné à la raison, il s'efforce de remédier aux guerres civiles. Son augustinisme, n'a plus cette violence qu'il avait prêtée à la traduction de Sebon. Il n'exprime plus la volonté de puissance, et n'écrase pas le lecteur sous son tort moral, comme sous sa condition dans le monde. Agissant désormais sur un plan d'intelligence supérieure, il ne vibre ni aux injustices et aux violences du monde, ni aux passions religieuses, mais il donne à l'homme l'avis de la raison, l'avertissement d'une morale de la mesure. Il ne peut le mépriser dans sa faute, parce qu'il ne le considère plus comme l'occasion de son prosélytisme, mais comme ce prochain qu'il faut rétablir dans un monde meilleur. L'intelligence qu'il a de ses torts se perd dans l'amour, et l'élève par la valeur même du sentiment qu'il lui accorde. Ainsi éclate, dans le rétablissement de l'authenticité de la doctrine bonaventurienne dans *les Essais*, la supériorité intellectuelle de cette pensée qui, parce qu'elle ne prend jamais l'homme comme objet, mais comme fin, parce qu'elle confond dans une même activité supérieure, intelligence et amour, redresse et ennoblit le monde auquel elle attache sa contemplation.

Comme Montaigne a voulu, dans *les Essais*, montrer les réserves qu'il faisait à l'aristotélisme de Sebon, il s'est efforcé aussi de réfuter le pessimisme de son théologien. S'il s'était laissé porter par ses élans passionnés, en le traduisant, et si, dans *les Essais*, il retrouve certaines expressions, et une même explication du monde par la perversion de l'amour propre, c'est toujours en mesurant la formule de *la Théologie Naturelle*. Il transpose la passion de conversion en un jugement de l'esprit qui sauve l'homme et le monde. Il leur rend la dignité, parce que l'intelligence qu'il donne d'eux se confond avec l'amour.

Si, par ces procédés d'écriture, Sebon avait déformé les images privilégiées par lesquelles Augustin imposait sa vision du monde, Montaigne, dans ses souvenirs de *la Théologie naturelle*, s'efforce de rendre vie à l'expression de la pensée augustinienne. Cherchant dans toute comparaison un procédé de signification, ou de persuasion, jamais une preuve, il refuse le raisonnement par analogie, qui fonde l'aristotélisme, pour une conception des êtres où la variation infinie, révélant la main toute puissante du Créateur, amène l'homme à mesurer les limites de sa condition, et l'élève à la sagesse. Dans une exacte fidélité à l'œuvre d'Augustin, il sait corriger le pessimisme de Sebon. Il élabore ainsi un nouvel augustinisme.

CHAPITRE III

L'ELABORATION D'UN NOUVEL AUGUSTINISME

Avec les mêmes accents qu'il a empruntés pour traduire *la Théologie Naturelle*, corrigeant les déviations de son augustinisme, Montaigne a pensé avec un génie original l'œuvre de Sebon. Les souvenirs de *la Théologie Naturelle* lui servent à donner un nouveau visage à l'augustinisme. Sans trahir la doctrine, il assure à l'homme une place centrale dans la création. Il élève la connaissance de soi, du plan moral à la métaphysique, et au détachement chrétien. Une nouvelle vision de l'univers, réduisant toutes les valeurs en trois ordres, par l'équilibre, impose l'acceptation de l'esprit.

La conception analogique du monde

Le raisonnement par analogie que Sebon était parfois tenté d'adopter, et que condamnait si fermement Montaigne, n'était qu'une conséquence nécessaire d'une plus large vision du monde, propre au système artistotélicien. Les platoniciens, et les augustiniens l'avaient refusée, pour imposer une liberté à l'homme dans la nature. Sebon a bien transmis à Montaigne cet aspect de la doctrine, mais l'auteur des *Essais* l'a constitué en une pédagogie. Par là aussi il ouvre le monde à la conquête de l'homme.

Le terme d'analogie est plus spécialement réservé au XVIᵉ siècle, à une conception aristotélicienne du monde, où microcosme et macrocosme, formés des mêmes éléments, animés des mêmes mouvements, emboîtés l'un dans l'autre, et indissolublement liés, accomplissent les cycles éternels de la nature. Il se réfère aux *Parties des animaux*, où Aristote prononce le terme τὸ ἀναλόγον dans les affirmations générales par lesquelles il termine son premier livre[1]. La classification qu'il donne des êtres part du principe que, dans leurs différences, ils ont quelque principe compensatoire par lequel se réalise cette analogie qui permet de les identifier les uns aux autres. Les supposant formés des mêmes éléments, Aristote veut voir en eux se constituer une vaste unité de la nature. Ainsi les plantes n'ont point d'excréments[2]. La terre, avec la chaleur qui est en elle, leur sert de ventre ; et elles y puisent avec leurs racines, une nourriture tout élaborée. *l'histoire des animaux* développe encore ce système qui suppose une compensation de la nature, et son ordonnance en vue d'une fin. Manifestant une même exigence, tous les êtres concourent à la formation d'un monde où rien n'est fait en vain. Une fois posée cette force commune, et cette identité profonde, Aristote prétendait trouver, dans la nature de l'homme, la plus proche, et par suite la mieux connue, celle des animaux, et, dans la connaissance des parties, celle aussi du tout. Par la suite, les aristotéliciens, particulièrement au XVIe siècle, reprenant cette hypothèse, ont déduit de la nature de l'homme, celle du tout, dont il est partie, ou, à l'inverse, lui ont prêté les facultés de ce tout, dont il n'était que l'élément asservi. Développant très librement le principe formulé par le maître, de « combiner le raisonnement et l'observation », par le raisonnement, ils ont pu suppléer à l'observation, là où elle était impossible.

Un tel système posait une même appartenance des êtres aux lois de la nature, comme leur constitution à partir d'éléments identiques à ceux du tout. Disciple de Platon, Aristote en avait sans doute pris l'idée dans l'œuvre du maître ; cependant il lui avait donné sa marque propre en imposant à tous les êtres un même déterminisme.

Dans *la République*, la nature de l'individu explique sans cesse celle de la société politique, ses éléments constitutifs, comme sa dégradation. Au début de l'ouvrage, la réflexion paraît particulièrement profonde[3]. Le démagogue est tellement lié à la masse qui le porte au pouvoir qu'il est presque jugé irresponsable de ses actes. Ce sont les vices du peuple qui le façonnent ; et l'homme est, sinon lié, du moins en partie excusé par une appartenance profonde. De façon plus claire, dans le *Timée*, sans doute postérieur à la *République*, et paraissant prolonger la question débattue, Platon élève la réalité vécue dans la cité athénienne au niveau d'un principe de raisonnement. La nature de l'individu n'explique plus celle de la cité, mais celle du cosmos même, parce qu'il est formé des mêmes éléments. Ayant composé un monde sphérique qui se suffit à lui-même, et contient tous les corps, le démiurge lui donna une âme éternelle qui le fit dieu[4]. Ce vaste mythe qui succède, dans l'ouvrage, à celui de l'Atlantide, attribue à l'homme les mêmes éléments que ceux qui constituent le monde ; il peut être pris véritablement comme un microcosme au sein du macrocosme. Platon, cependant lui accorde expressément[5], à côté d'une âme mortelle, siège des passions et de la nutrition, et commune avec le monde, une âme intellective, principe immortel, créé par le démiurge, en nombre fini[6]. Cette âme, parce qu'elle peut s'engourdir ou se développer par l'usage, mérite à l'homme sa dégradation, ou sa récompense dans les réincarnations successives. S'il y a ainsi régénération et châtiment, Platon affirme en son système la reconnaissance du mérite. A l'intérieur d'une analogie de nature entre l'homme et le monde, par la création séparée de l'âme intellective, il a maintenu la liberté humaine, en une pensée qui s'isole et le juge.

Placée au centre de la création, c'est elle qui conférera une vision propre à l'analogie chrétienne.

Ainsi l'image révélait la rupture opérée ensuite entre Aristote et son maître Platon. Le Stagirite ne s'était souvenu de la doctrine platonicienne que pour opposer la sienne. L'analogie du *Timée* empêchait toute appartenance de l'homme à cette matière dont il était formé, par la création, pour chaque individu, d'une âme intellective qui assurait son autonomie, et lui donnait cette conscience de soi essentielle à tout jugement. Au contraire, l'analogie aristotélicienne, renonçant à ces créations successives du démiurge, l'isolant désormais d'un monde livré à son propre mouvement, liait totalement l'homme à la matière, dans une identité absolue de nature et de force.

Parce que, sans doute, l'image aristotélicienne n'avait pas pris le développement qu'elle connut au XVIe siècle, Augustin a négligé d'en montrer la vanité. Mais, dans l'expression de sa propre doctrine, reprenant la pensée platonicienne, il va imposer à l'analogie une nouvelle forme que l'on pourra dire chrétienne, et qui désormais affrontera la vision aristotélicienne du monde. Le *De Trinitate* offrait une nouvelle esthétique par le recours à ce nombre trois qui assemble les personnes divines dans la théologie chrétienne, et qu'il impose par tant de trinités empruntées au monde, dans le livre des *Images*. Donnant un centre à la création, le nombre assurait, par sa nécessité propre, la symétrie et la mesure. Mais Augustin aussi avait, dans l'ouvrage, placé l'homme au centre de la création, et réalisé en lui le destin du monde.

Avec Augustin la pensée chrétienne ne connaît d'infiniment grand que le divin même, tandis que s'efface le cosmique, limité dans le temps et dans l'espace. Mais déjà, cependant, s'ébauche l'analogie dont la vision s'impose dans la tradition chrétienne. Prenant les objets terrestres comme une figure destinée à encourager les humbles dans le cheminement vers la cité céleste, l'ouverture du *De Trinitate* oppose ces réalités inférieures, aux réalités supérieures[7]. L'homme, par son libre choix, se trouve placé entre ces deux univers. La même opposition se poursuit, tout au cours du livre, dans la recherche des sciences et de la sagesse. Si, parfois, la science humaine s'avance sur la voie de la sagesse, et paraît s'identifier avec elle, Augustin précise aussi qu'à son terme extrême, elle ne mène pas jusqu'à Dieu : à une contemplation des perfections invisibles du divin, dans les meilleurs cas, jamais aux données de la Révélation[8]. Si par la science nous tendons déjà à la sagesse, la personne du Christ seule nous permet de transposer dans l'éternel les réalités du monde terrestre. Comme l'homme Dieu est ainsi au centre de la création pour en assurer l'accès au divin, chacun, par l'acte d'amour de la foi, accomplissant le destin de la création, inscrit dans la sagesse les connaissances temporelles ;

et la création, en sa finitude, devient transparence de l'éternel, par l'acquiescement à la Révélation. Ainsi tout l'ouvrage peut jouer de ces trinités matérielles, trouvées dans la nature, pour y puiser un reflet de la Trinité divine. Tourné vers l'âme humaine, il saisira, plus proche encore, l'image de Dieu. Le sens de la création tient tout entier dans cette libre volonté du cœur, par laquelle elle se découvre à l'homme, et dans cette pensée qui la domine et la reconnaît en Dieu. L'image chrétienne des deux infinis est bien déjà constituée par cette liberté placée au centre de l'univers, qui en constitue l'accomplissement : la connaissance plus profonde de la sagesse répond à celle de la science qu'elle éclaire. Par son libre arbitre, et l'accès à la foi, l'homme doublant les réalités matérielles de leur transposition dans l'éternel, se trouve placé entre deux mondes, dont l'un, au moins est infini.

L'ouvrage de Sebon reste très proche du *De Trinitate*, que le théologien en ait eu une connaissance directe, ou qu'elle lui soit venue à travers les œuvres d' Anselme, de Bonaventure, ou de Lulle. Dans *le Livre des créatures*, marqué aussi par l'aristotélisme, la même place dominante dans la création a bien été conservée à l'homme ; cependant l'opposition par laquelle il accomplit son destin ne consiste plus, ni dans celle de la science et de la sagesse, ni dans celle du livre de la nature, ou de sa signification métaphysique. Pour mieux répondre à la doctrine adverse, s'il ne peut y avoir d'infinité pour un monde créé dans la durée, l'homme confronte le petit monde au grand monde, le royaume qu'il gouverne en lui, à celui qu'il contemple au dessus de lui. Par cette transformation de l'image augustinienne, il se trouve mieux placé encore pour rendre grâce à son Créateur.

Dans sa préface, Sebon, comme Augustin au *De Trinitate*, avait prétendu se proposer un traité de la connaissance. Par le livre des créatures, ou livre de nature, disait-il, l'homme « est illuminé à se cognoistre soy mesme, son createur, et presque tout ce à quoy il est tenu comme homme ». Le livre « de l'universel ordre des choses ou de la nature » nous fut « donné premier, et dès l'origine du monde, poursuivait-il »[9]. Mais l'homme depuis le péché, « aveuglé comme il estoit », ne le comprenait plus, « car il faut estre clerc pour le pouvoir lire ». C'est pourquoi lui fut donné celui de la Bible. C'est pourquoi aussi Sebon a pu tenter de lui rendre son sens, pour faire lire à travers lui le livre divin. Dans cette affirmation préalable, il se montrait instruit de l'image augustinienne, et le plus fidèle dans l'expression.

Il la transforme, au contraire, dans le cours de son ouvrage, pour lui imposer la vision nouvelle que nous a conservée la littérature. Il n'oppose point connaissance supérieure et connaissance inférieure mais opère une division identique sur l'univers et sur l'homme. Cependant, tandis que les deux mondes aristotéliciens, en s'enserrant l'un dans l'autre, et s'animant du même mouvement, détruisaient la liberté humaine, Sebon, dans leur confrontation, préserve et restitue le libre arbitre. Par une traditionnelle séparation de l'âme et du corps, l'homme d'abord est invité à rendre une grâce infinie au Créateur : « Prison premierement chacune de ses deux parties, et puis nous estimerons les diverses pieces qui sont sous elles. Que l'homme considere en premier lieu son estre, qu'il se resouvienne qu'autrefois, il n'a pas esté ou qu'il a esté rien. »[10] De cette considération se déduisait combien l'homme est obligé à Dieu pour son essence. Le rappel ensuite du libre arbitre qui est en nous amenait une conclusion plus passionnée : « Qui pourra mettre en somme combien il doit à son Createur pour un present si admirable ? »[11] Nous touchions alors au domaine de la sagesse, à l'infiniment grand. Le chapitre suivant était consacré à l'admiration du corps humain, « ce beau bastiment », pour lequel la dette de reconnaissance était plus grande que pour tout le reste du monde. L'auteur le divisait, prenant ses membres, ses mains, ses doigts; il constatait combien l'homme donnerait pour les ravoir s'il les avait perdus. « Il n'y a homme de bon entendement qui ne les ayme mieux que tout le monde, et qui ne vousist avoir donné le monde pour les ravoir s'il les avoit perduës »[12] Ainsi le grand monde, en sa totalité, dans une symétire parfaite, venait s'opposer au petit que représentait le corps humain. Mais l'homme n'était point le monde qu'il pensait donner, ni non plus sa main, ni son doigt perdu; mais, détaché par la pensée des éléments qui le constituaient encore, il ne les connaissait que pour mesurer son obligation envers son créateur. Immobile en sa supériorité sur les deux mondes, sans éprouver le vertige cosmique qu'engendraient les mouvements de rotation, supposés par l'aristotélisme à l'intérieur de l'infiniment grand et de l'infiniment petit, Sebon dans l'opposition de deux grandeurs inverses rendant grâce à Dieu, accomplissait le destin de la création. Dominant, par son libre arbitre, le monde et soi-même, il usait de la plénitude du jugement, assurée par l'exercice d'une pédagogie neuve.

Mais cette raison qui n'était restaurée que pour le calcul d'une dette, et l'établissement d'une dépendance morale entre Dieu et l'homme, assurant sa grandeur face à la création, l'accablait aussi face à l'éternel. Non content de suggérer la possibilité d'une division à l'infini du corps humain par l'ablation successive des membres, Sebon prenait ensuite les différents organes, images qui « garantissent » les différentes fonctions de l'âme : « tout autant qu'il y a de divers membres organiques, tout autant y-a-il de divers offices et vertus invisibles en nostre ame : afin qu'elle puisse combler et remplir toute la capacité des parties de notre corps, et que nulle n'en reste vuide ». Raisonnement faible sans doute, Sebon n'en déduisait pas moins la comparaison de l'homme et du royaume [13], fondée sur « dispareille qualité des charges et offices » du corps et de l'âme humaine. Ce même chapitre, comme celui qui estimait la valeur de nos membres, concluait encore à la grandeur de notre dette envers Dieu. L'excellence du libéral arbitre qui nous élevait jusqu'à son image[14], imposait déjà cet écrasement de l'homme sous tous les dons qu'il avait reçus. Chaque chapitre, avec la reprise de sa conclusion, rappelait inlassablement à l'homme sa dépendance. Ecrasé, non point devant le monde, puisqu'il lui était donné pour son usage, il l'était par sa condition métaphysique. La gratuité et la grandeur des dons de Dieu le dépossédaient de soi-même, sans lui accorder, peut-être, cette participation au divin, qui lui conférant une dimension métaphysique, aurait pu le consoler, l'anoblir dans sa nature, en lui donnant le moyen de satisfaire à ses obligations. Sans dépassement de soi, par cette saisie du divin qu'assure la connaissance, l'homme, dans sa reconnaissance, était alors accablé par sa solitude, et la conscience de sa noblesse ; il se sentait condamné par sa grandeur même.

L'homme de Montaigne, au contraire, ne retient que peu de choses de l'infiniment grand : sa majesté seule, et la variété augustinienne[15]. Mais, il se souvient de la vision de l'infiniment petit imposée par celle du royaume : « qui se remarque là dedans, et non soy, mais tout un royaume, comme un traict d'une pointe tres delicate : celuy-là seul estime les choses selon leur juste grandeur ». Conservant l'image, élevant l'analogie bonaventurienne en une pédagogie véritable, Montaigne n'est écrasé d'aucune dette ; il accède par la connaissance à la dimension du divin. Parce qu'il a retrouvé son jugement droit dans l'opposition des deux infinis, l'homme n'en est plus accablé, qui les juge et les domine par la pensée. Ici, peut-être, éclate la faiblesse de la logique dont use encore Sebon. Il ne suffisait point à l'homme d'être image de Dieu, ni même de posséder le libre arbitre pour trouver, en sa position au monde, le bonheur d'une plénitude. Sebon se plaçait en moraliste, étranger à la métaphysique, parce qu'il se fondait sur la seule raison humaine. Montaigne qui atteint au divin par ce jugement droit, ne sent plus l'écrasement d'une condition, ni sa dette, mais le seul mouvement de la connaissance qui l'entraîne vers Dieu. Parce que, comme l'amour où elle se perd, la connaissance bonaventurienne confond le sujet pensant avec son objet, dans une participation supérieure, la dette ne peut plus l'accabler, elle est dépassée par le jugement et la contemplation, en une confusion entre la créature et le Créateur, dans la saisie du bonheur et la plénitude.

Fille de la tradition chrétienne, la vision des deux infinis transmise par Sebon, reprenait, dans l'Institution des enfants, une portée métaphysique. L'essai Sur des vers de Virgile devait l'étendre en une plus large contemplation sur le monde. Dans le passage, encore, la transformation du thème ne s'était point faite sans un retour préalable sur la tradition chrétienne. Comme Montaigne a

pu trouver cités dans *le Commentaire de la Cité de Dieu* les vers
de Virgile qui servent de trame à tout l'essai [16], c'est aussi Vivès
qui, en marge d'un passage où Augustin avait fait allusion à la
double représentation du dieu Janus [17], avait pu suggérer la transposition de l'analogie, du domaine spatial qui avait été le sien
jusqu'alors, au domaine temporel. Ainsi transformée, la métaphore
n'imposait plus que la beauté et la grandeur de la condition
humaine, réalisée dans la contemplation, un choix laissé à l'homme
dans son destin, entre le rêve et le retour sur le passé : « Que
l'enfance regarde devant elle, la vieillesse derriere : estoit ce pas ce
que signifioit le double visage de Janus ? Les ans m'entrainent
s'ils veulent, mais à reculons. Autant que mes yeux peuvent reconnoistre cette belle saison expirée, je les y destourne à secousses.
Si elle eschappe de mon sang et de mes veines, aumoins n'en veus-je
desraciner l'image de la memoire, hoc est vivere bis, vita posse
priore frui. » [18]. Dans une vision supérieure de l'analogie chrétienne,
Montaigne rejoignait la pensée du Père de l'Eglise [19]. Le passé et
l'avenir se confondaient dans une même contemplation des mondes,
le grand ou le petit. Le passé et le futur, et toute la durée de la vie,
ramenés à la liberté suprême du sujet connaissant, venaient se
perdre dans l'instant. Mais aussi, par le souvenir, ou la connaissance, l'homme doublait l'existence vécue, et son propre destin,
et les fixait dans la jouissance supérieure de la pensée. Par là, il
dépassait le temps dans l'éternel.

Ainsi, d'abord fidèle, puis très libre, le thème de l'analogie
s'appuie, chez Montaigne, sur la tradition chrétienne. Position
d'affrontement face à l'aristotélisme, élaborée à partir d'une longue
tradition qui, née de Platon s'était développée dans la théologie
médiévale, elle constituait la plus sûre pédagogie, mais déjà, dans son
exercice même, ramenant la créature à la vision du Créateur,
confondant le temporel dans l'éternel, elle assurait une supériorité
infinie à l'homme sur le monde.

Sur ce point de l'analogie, Sebon, trop limité au plan moral,
n'avait point pleinement suivi la doctrine augustinienne. Médiéval,
limité à une raison purement humaine, il avait laissé l'homme dans
la crainte. Montaigne avait eu recours aux passages de *la Cité de
Dieu* dont Vivès avait souligné la portée dans son *Commentaire,* pour
rendre à l'image que lui avait transmise Sebon sa portée métaphysique. Restituant l'homme, par le jugement, dans sa grandeur première, Montaigne devait trouver une postérité dans la confiance
du siècle suivant en cette raison restaurée. Cependant le triomphe
de l'humain devait alors appeler telle imitation, flagrante dans les
termes, mais divergente dans la pensée, et marquant une déviation
de l'augustinisme. Montaigne qui avait prêté à Sebon l'accent de
sa phrase, qui avait contribué par la force de ses images à imposer
la pensée et la puissante figure de l'analogie chrétienne, au mépris

de son propre livre, attacha Pascal à la traduction qu'il avait donnée de *la Théologie Naturelle*.

Parce que le jansénisme représentait une déviation pessimiste de l'augustinisme, parce que Pascal connaissait le Dieu des philosophes, à côté de celui des chrétiens, lui qui a tant emprunté à l'œuvre de Montaigne, refuse l'équilibre qu'assure la possession de soi. L'homme des *Deux infinis* bénéficie, on le sait, des connaissances du XVIIe siècle, de celle du système planétaire, et de celle de la circulation du sang. Négligeant l'image du royaume, Pascal emprunte aux aristotéliciens l'identité de mouvement des deux infinis qui devait, pour eux, prouver une autre identité de nature. Ainsi, devient prodigieuse la rotation des astres, dans l'infiniment petit. Le dessein de Pascal, puisqu'il a conservé à l'homme sa position centrale, n'est point d'utiliser cette agitation universelle au service de l'athéisme, mais d'imposer à l'homme, au sein même de l'infiniment petit qu'il dépeint, un sentiment tout contraire à celui que les philosophes prétendent trouver dans l'union aux forces du monde. L'homme de Pascal ne connaîtra ni la confiance, ni l'exaltation de soi. « Il s'effraiera », dit-il, « plus disposé à les contempler en silence qu'à les rechercher avec présomption ».[20] Pascal réserve au seul « auteur de ces merveilles » leur intelligence. Et parce qu'il ne conserve de Montaigne que l'attaque bouleversante des phrases empruntées à *la Théologie Naturelle*, et veut oublier la plénitude et la participation au divin que donne l'exercice de la partie supérieure de la pensée, il nous isole dans l'ignorance : « ce que nous avons d'être nous dérobe la connaissance des premiers principes, qui naissent du néant ; et le peu que nous avons d'être nous cache la vue de l'infini. »[21]

Ainsi la place accordée à l'homme dans le monde fait apparaître une autre originalité de Montaigne, un optimisme inconciliable avec le jansénisme de Pascal. Parce qu'il est retourné à la pureté de la pensée augustinienne, il refuse toute déviation vers un pessimisme qui écrase l'homme. Davantage, parce qu'il prétend nous rendre une raison juste, et par là une participation au divin, il nous établit, par la pensée, maîtres du monde. En transmettant ces affirmations qui avaient fait entrer dans le christianisme la philosophie antique, Montaigne devait aussi préparer, pour le siècle suivant, la pensée la plus humaine, celle qui, par la contemplation, rendait à l'homme, dans une morale de mesure, la plénitude de son intelligence.

Le précepte du γνῶθι σεαυτόν

Par la place qu'il donne à l'homme dans le monde, mais bien davantage encore par cette connaissance de soi qui résulte de sa contemplation, Montaigne se montre original dans sa reprise de la pensée bonaventurienne. La morale de connaissance de soi chez Sebon, marquait, dès l'ouverture, l'appartenance de l'ouvrage à la tradition chrétienne. Sagesse opposée au désir de la science, elle devenait progressivement le remède apporté à toute ambition humaine. Parce que, par cette passion, l'homme était hors de soi et s'ignorait, le livre se proposait de le ramener chez soi : « Voicy le train qu'il luy faut tenir pour parvenir à sa cognoissance »[22], annonçait le même chapitre, et il poursuivait : « De cette resemblance ou dissemblable s'engendrera en luy l'intelligence qu'il cherche de soy, et, qui plus est, celle de Dieu, son créateur immortel. »[23] Ainsi se présentait le γνῶθι σεαυτόν socratique. Il était remède à l'ivresse aristotélicienne de la connaissance. De l'homme, le livre se proposait d'« enjamber » jusqu'à Dieu. Le précepte antique, dans la Théologie Naturelle, n'avait pas seulement la portée morale que lui prêtait Érasme[24], mais celle qu'affirmaient les bonaventuriens. Le monde qui est reflet du Créateur, l'homme surtout qui est son image, permettent d'accéder jusqu'à lui. L'introspection augustinienne reste un moyen privilégié de connaissance. Par là, le conseil socratique prenait une portée largement métaphysique. La connaissance ne cherchait dans le monde, et dans l'homme, que la présence de Dieu. L'homme aussi, qui pouvait apporter cette présence et cette connaissance avait pour premier devoir de se détourner du monde pour être en soi. L'expression revient souvent chez Sebon, comme la marque même de la doctrine. Les premières pages la reprennent plusieurs fois : « Qu'il commence donc à se cognoistre soy-mesme et sa nature, s'il veut verifier quelque chose de soy. Mais il est hors de soy, esloigné de soy d'une extrême distance, absent de sa maison propre qu'il ne vit oncques »[25]. Le livre lui propose de revenir « a soy » et de rentrer « chez soy ». Etre en soi devient ainsi par la place privilégiée donnée dans l'ouvrage à ces expressions, le premier devoir de l'homme, et le moyen aussi de dépasser sa condition en une connaissance métaphysique.

Montaigne saura conserver la préférence du retour sur soi-même à toute activité au monde ; il l'opposera à la charité thomiste où l'homme s'abandonne à la passion du monde ; il en formera un nouveau devoir de charité. Son augustinisme prolonge l'exigence de Sebon jusqu'à une nouvelle politique. Il fait sienne cette expression de la Théologie Naturelle qui marque si bien le dédoublement de l'introspection augustinienne où l'homme est à la fois sa propre demeure, et celui qui l'habite. Il est pleinement instruit de sa valeur religieuse puisqu'il rappelle dans l'essai De la Solitude[26] ce passage de la Cité de Dieu où Saint Paulin de Noles affirmait à l'arrivée des barbares que « certes, l'homme d'entendement n'a rien perdu s'il a soy mesme »[27]. Montaigne la reprend deux fois dans l'essai de l'Experience : « (B) j'aymerois mieux m'entendre bien en moy qu'en (C) Ciceron (B). De l'experience que j'ay de moy, je trouve assez de quoy me faire sage, si j'estoy bon escholier. »[28] Dans l'essai Du repentir, Montaigne se fait sa loi et sa cour pour juger de ses actions, et il ne les étend que selon lui. Quantité d'expressions semblables, parties de celles de Sebon, rendent plus ou moins nettement dans *les Essais,* au niveau des images cette réalité qu'est pour Montaigne l'introspection augustinienne. Et déjà avec ce verbe « étendre » qui suppose l'aise, tandis que pour autrui il restreint ses actions, s'exprime un approfondissement de la pensée bonaventurienne.

Pour Augustin, sans doute, qui introduisait le désir platonicien de la connaissance dans le christianisme, cette forme de charité supérieure n'excluait pas la charité agissante pour le prochain, plus conforme à l'esprit du christianisme. Si la première paraissait supérieure, l'action pouvait occuper une part de la vie humaine pourvu que la recherche de Dieu n'en fût point exclue. Montaigne déjà qui limite ses actes sous le regard des autres, met le jugement de soi au-dessus de toute loi sociale. La conscience et la vie inté-rieure, le jugement diraient plus simplement les *Essais,* deviennent valeur suprême, et seule cherchée. Montaigne précise cette supé-riorité d'une pensée qui se ramène à soi sur tout acte au monde : « Si je ne suis chez moy, j'en suis tousjours bien pres. »[29] L'inté-riorité, pour lui valeur supérieure, l'emporte sur l'action. Une nouvelle morale s'engendre à l'intérieur du christianisme de cette dignité nouvelle que la présence de Dieu apporte à la pensée humaine; un nouvel augustinisme s'impose; l'individuel l'emporte sur le collectif.

L'essai de *Mesnager sa volonté*, paraît apporter de la façon la plus claire ce prolongement donné par l'auteur des *Essais* à la pensée de *la Théologie Naturelle.* Dès le deuxième paragraphe, il reprend le dédoublement augustinien de la personne que traduisait l'image de Sebon, pour affirmer cette fois une pensée neuve, et, il le soulignera plus loin, scandaleuse, face à la charité thomiste : « (B) Mais aux affections qui me distraytent de moy et attachent ailleurs, à celles là certes m'oppose-je de toute ma force. Mon opinion est qu'il faut se prester à autruy et ne se donner qu'à soy-mesme. »[30] La charité chrétienne est encore respectée, mais se situe la seconde, après le devoir envers soi-même. Montaigne en montre la difficulté par l'errreur ordinaire. On cherche à se divertir faute de pouvoir assumer cette exigence. Pascal se souviendra de cette page pour déshonorer toutes les charges humaines par l'insuffi-sance même qu'elles trahissent chez ceux qui les assument : « (C) Ce n'est pas, disait Montaigne, qu'ils veuillent aller, tant comme c'est qu'ils ne se peuvent tenir : ne plus ne moins qu'une pierre esbranlée en sa cheute, qui ne s'arreste jusqu'à tant qu'elle se couche. L'occu-pation est à certaine maniere de gens marque de suffisance et de dignité. (B) Leur esprit cerche son repos au branle, comme les enfants au berceau. »[31] La comparaison avec l'enfance marque l'erreur, et la pitié seulement du moraliste qui veut guérir une pente condamnable du monde. L'irrespect de Pascal ne gardera point cette mesure et prendra l'accent du mépris contre un monde injuste[32].

Ce que Montaigne au contraire veut imposer par cette page, c'est la supériorité d'une vie privée, par son authenticité, et les exigences qu'elle comporte. La difficulté de dominer ses propres passions doit faire éviter de gouverner, et par là de « prendre à louage » celles des autres. Surtout cette même dignité de la vie intérieure, qui tient dans un exercice supérieur de l'esprit, suppose l'intelligence de l'acte. Il faut prendre les affaires d'autrui « en main », non « au poulmon », ni « au foye ». Retraçant la conduite qu'il a tenue comme Maire de Bordeaux, avec beaucoup de fermeté, Montaigne souligne comment ces qualités et ces principes ont été appréciés en lui et par le souverain, qui lui a intimé l'ordre exprès d'accepter cette charge, et par les jurats qui la lui ont renouvelée, fait exceptionnel qui l'apparie aux plus grands personnages de l'Etat. Cette priorité, accordée non plus à la contemplation de Dieu dans l'introspection, mais au jugement de soi-même, et au gouvernement de la libre raison sur les actes et les passions humaines, Montaigne l'affirme[33], n'est point un égoïsme : « cettuy-cy, sçachant exactement ce qu'il se doibt trouve dans son rolle qu'il doibt appliquer à soy l'usage des autres hommes et du monde, et, pour ce faire, contribuer à la société publique les devoirs et offices qui le touchent ». Il faut vivre à autrui et agir dans le monde pour vivre aussi à soi. Cet ordre de valeur, ce renversement plutôt des valeurs chrétiennes n'est qu'apparence. Lucide parce que sans passion, la raison retourne au monde et se montre seule capable de le diriger.

Ainsi Montaigne pratique dans *les Essais* ce dédoublement de l'introspection augustinienne dont Sebon dans l'ouverture de *la Théologie Naturelle* faisait le principe de sa pensée. En cette conversion vers soi-même consiste toute la vie intérieure; mais à l'inverse de Pascal, il ne s'autorise pas de la vanité des actions humaines pour déshonorer toutes les charges publiques. Il n'accorde priorité au jugement sur l'action que pour la purifier et lui rendre une valeur nouvelle. Portant la marque de son époque, son augustinisme désigne l'adversaire par l'ironie avec laquelle il rappelle la morale thomiste : « il avoit ouy dire qu'il se falloit oublier pour le prochain, que le particulier ne venoit en aucune consideration au pris du general »[34]. L'allusion condamne comme erreur, justifié par le service des masses, toujours abondonnées aux passions les plus basses, tout sacrifice de l'individu. En lui seul réside la lucidité du jugement. L'ironie impose un renversement des valeurs ordinaires. Le scandale de l'expression appelle un remède aux maux de l'époque. Prêtée à son père, la morale chrétienne ainsi affirmée gardait pourtant encore une certaine dignité, et se chargeait aussi de tout le respect et de l'affection que Montaigne portait à celui qu'il disait l'avoir professée. Sa propre morale ne se présente ainsi, ni comme un manifeste d'athéisme, ni comme un aveu d'égoisme, mais comme le prolongement très réfléchi d'une doctrine pacifiste. Parce que toute la valeur de la pensée réside en l'individu, la vraie charité, seule capable de sauver le monde du déferlement des passions de cruauté doit s'exercer aussi au niveau de l'individu. C'est en protégeant et en retrouvant l'homme isolé de la masse, par ce retour à soi-même qui lui est prêché, que le monde seulement peut atteindre à une sagesse, ou du moins à la paix.

L'augustinisme de Montaigne dépassait celui de Sebon en ce qu'il se tournait vers l'action, et apportait un remède à son temps. Le retour de chacun à soi-même assurait l'intelligence au monde en se substituant à des passions qui se justifiaient de l'esprit de charité. Montaigne prétendait apporter une utilité plus grande dans la compréhension des maux de l'humanité, et la sagesse des remèdes. Cette charité de l'intelligence, qui prolonge l'augustinisme, paraît fort opposée à la pensée politique de Pascal, tourné vers la volonté de patience, et le mépris du monde. A l'inverse, aimant les hommes de toute cette préférence qu'il s'accorde, l'augustinisme de Montaigne accède à l'action véritable, qui, libérée de toute passion, obéit à la seule raison.

A partir de la tradition bonaventurienne que représente Sebon, Montaigne avait ainsi marqué son originalité dans la place qu'il accordait à l'homme en ce monde. Renouvelant la morale usée du γνῶθι σεαυτόν, dans ce retour de l'esprit sur soi-même où s'opère la rencontre de la raison divine, il l'élevait par une charité supérieure, dominée par l'intelligence de ses effets. Il donnait ainsi à la pensée augustinienne la forme la plus opposée au pessimisme qu'exprimera Pascal, à son mépris de l'homme et du monde. Généralisant la théorie bonaventurienne de la connaissance, il l'animait d'une charité supérieure, et d'un optimisme profond.

La théorie des trois ordres

La philosophie bonaventurienne était fondée sur les trois formes de la connaissance énoncées par le *De Trinitate*. La connaissance sensible restait irremplaçable pour son utilité. La raison logique purement humaine ne pouvait suffire à l'atteinte de la vérité[35], — et le *De Doctrina Christiana* l'affirme plus nettement —, elle était illusoire et trompeuse[36]. La part supérieure de l'esprit accédait seule à l'intuition des vérités éternelles. Dans la *Théologie Naturelle,* ces distinctions entraînaient un ordre de valeur toujours fixe. Imprégné encore d'aristolélisme, plus proche de la vision matérielle du monde que des grandes abstractions philosophiques, Sebon accordait un prix particulier à l'expérience. Après avoir, au premier chapitre, dans sa recherche de la vérité, exigé comme essentielle une critique préalable des preuves et des témoins, il affirmait presque aussitôt : «nous sommes instruits indubitablement par nos sens et par l'expérience»[37]. La présence des quatre degrés dans

l'échelle des êtres s'imposait immédiatement. S'il usait souvent en
thomiste de la logique humaine, du moins son ouvrage recherchait
l'illumination. La préface en affirmait le caractère privilégié. Une
trinité de la connaissance s'élaborait ainsi ; elle différait des analogies trinitaires d'Augustin en ce que déjà s'introduisait une
différence de valeur entre ses trois formes. Il affirmait immédiatement la supériorité de l'illumination « attendu qu'elle est la
premiere : et que c'est elle qui renge, qui accommode et qui dresse
les autres à une saincte fin, à la vraye verité et à nostre proffit »[38].
Sans insister sur l'insuffisance de la raison logique, Sebon cependant
n'accordait et vérité et sainteté en quoi consiste le seul « proffit »
de l'homme qu'à la seule illumination. Immédiate et complète en
soi, elle était aussi d'une nature supérieure, atteignant aux deux
absolus de l'amour et du vrai.

Cette séparation des différentes connaissances, propre à l'augustinisme, et ce jugement de valeur porté sur chacune, Montaigne les
élargit en un ordre du monde. Accusant le mépris pour la raison
logique, il célèbre l'excellence dans tous les domaines comme une
participation au divin ; mais il souligne aussi la justesse de toute
connaissance première. Les chansons des Cannibales, comme les
Villanelles de son pays de Gascogne émeuvent sa sensibilité
poétique. Surtout les connaissances et les paroles du peuple qui se
fonde sur les sens, sont immédiatement justes: « le paisant et le
cordonnier, vous leur voiez aller simplement et naïfvement leur
train, parlant de ce qu'ils sçavent »[39] c'est qu'ils ne parlent aussi
que de leur expérience, de « la practique » dit-il exactement, sur
quoi s'établit toute science humaine. Et le même passage ravale
déjà les discours de toutes les sciences de son temps, et ces
sciences mêmes qui se fondent sur l'autorité d'autrui, et négligent
la réalité et le recours à l'expérience : « ils cognoissent bien Galien,
mais nullement le malade » dit-il, prenant un exemple très usuel ;
mais l'expression de « sçavanteaux » qu'il appliquait auparavant à
tous ces faux savants, dans la valeur péjorative du suffixe avait
portée générale pour toutes les sciences.

De même dans le domaine géographique, il se fie davantage
au témoignage des simples parce qu'ils sont vrais. Ainsi peut-il
vanter comme la plus sûre, la connaissance qu'il a pu avoir des
Cannibales, par le moyen d'un domestique : « Cet homme que
j'avoy, estoit simple et grossier, qui est une condition propre à
rendre veritable tesmoignage :... il faut un homme tres-fidelle,
ou si simple qu'il n'ait pas dequoy bastir et donner de la vray-
semblance, à des inventions fauces ; et qui n'ait rien espousé »[40].
Déjà sous l'éloge de Montaigne perce l'opposition condamnée :
une allusion à cet homme qui avait vu la Palestine et qui, à ce
titre offrait des nouvelles « de tout le demeurant du monde »[41],
était préparée au paragraphe précédent par ce jugement : « les fines
gens remarquent bien plus curieusement et plus de choses, mais ils

les glosent ; et pour faire valoir leur interpretation et la persuader, ils ne se peuvent garder d'alterer un peu l'histoire : ils ne vous representent jamais les choses pures, ils les inclinent et masquent selon le visage qu'ils leur ont veu ; et, pour donner credit à leur jugement et vous y attirer, prestent volontiers de ce costé là à la matiere, l'alongent et l'amplifient. »[42] Désormais la condamnation est faite des topographes de son temps ; l'organisation même de leurs ouvrages, la clarté logique de l'expression, comme la puissance des affirmations, s'opposent à la vérité. La vraie science est celle de l'expérience ; la pratique même de la raison humaine écarte toute vérité. Sur l'histoire, dans l'essai *Des livres,* Montaigne porte même jugement. Il aime « le bon Froissard, qui a marché en son entreprise d'une si franche naïfveté qu'ayant faict une faute, il ne creint aucunement de la reconnoistre et corriger, en l'endroit où il en a esté adverty ; et qui nous represente la diversité mesme des bruits qui couroyent et les differens rapports qu'on luy faisoit. C'est la matiere de l'Histoire, nue et informe ; chacun peut en faire son profit autant qu'il a d'entendement. »[43] Le refus de l'ordre logique paraît alors à Montaigne preuve de vérité. Mais déjà l'idée que l'on puisse faire plus ou moins de profit de l'ouvrage selon qu'on a d'entendement, impose qu'il existe aussi, au dessus de l'histoire des faux savants, une science véritable des faits.

Si pour les topographes Montaigne n'avait pu former que des souhaits, lui qui a lu Cesar, Salluste et surtout Plutarque depuis dit-il qu'il est « françois », c'est-à-dire dans la traduction d'Amyot, reconnaît l'excellence chez les historiens : « les bien excellens ont la suffisance de choisir ce qui est digne d'estre sçeu, peuvent trier de deux rapports celuy qui est plus vray-semblable ; de la condition des Princes et de leurs humeurs, ils en concluent les conseils et leur attribuent les paroles convenables. Ils ont raison de prendre l'authorité de regler nostre creance à la leur ; mais certes cela n'appartient à guieres de gens. »[44] A ces historiens là, le choix des documents, leur interprétation même sont laissés par Montaigne au profit d'une vérité toute morale, d'une recréation des faits. L'art de l'ouvrage, la séduction qui s'en dégage, imposent une exigence de vérité qu'il faut bien reconnaître différente de celle du vécu, mais en laquelle Montaigne place une interprétation, ou une vision, qui atteint à la vie éternelle.

Ainsi avec cet accès au divin que suppose pour l'augustinisme de Montaigne l'excellence en tous les arts, marche presque de pair, la vérité de l'expérience qui appartient aux gens simples. Mais sur le moyen terme qui, en toutes les sciences, a recours à la logique humaine, tombe toujours une condamnation. Aux mauvais historiens on reproche de choisir et de cacher certains faits, d'interpréter ce qui est croyable et ce qui ne l'est pas, et tout cela en fonction de l'expression en bon latin, ou en français, qu'ils en pourront tirer. C'est l'existence de tout art rationnel qui est ainsi

refusée, et l'ordonnance même d'un ouvrage selon les formes de
la rhétorique. Cette raison humaine est, dans un monde gouverné
par une providence, un mauvais critère du vrai et du faux, de même
dans le domaine des faits, ses décisions ne sauraient avoir de valeur.
Montaigne a trop souvent repris à Augustin son jugement sur les
« mirabilia »[45] pour qu'il soit besoin de le rappeler ici. Cette
condamnation du rationnel, où la plus précise connaissance de *la
Cité de Dieu* vient renforcer un ordre de valeur esquissé par *la Théologie Naturelle*, et hérité de la lutte bonaventurienne contre l'aristotélisme, étendue à toutes les sciences, donne une impression de
système, et, une vision du monde neuve et puissante dans sa simplification.

Travaillant en artiste autant qu'en penseur, Montaigne a rejeté
le pessimisme de Sebon qui tombait trop généralement sur tous les
hommes; et dans cette vision, qui, par la puissance du chiffre qui
l'organise, donne une impression de perfection et de symétrie
absolue, il confère une nouvelle grandeur au monde. Seul l'ordre
intermédiaire se trouve condamné; encore lui marque-t-on la possibilité d'accéder à la pensée supérieure dans un optimisme délibéré.

Si l'on en croit le chapitre *Des Vaines Subtilitez,* cette
conception du monde est née d'un jeu de table. Admettons du
moins que les convives de Montaigne étaient de fervents augustiniens, qui ont ainsi élevé la doctrine jusquà ce système qu'impose
l'œuvre de Montaigne. Sans doute cette recherche des choses « qui
se tiennent par les deux bouts extremes » amène à énumérer bien
des futilités; elles servent pourtant à autoriser les affirmations de
principe : « la bestise et la sagesse se rencontrent en mesme point
de sentiment et de resolution à la souffrance des accidens humains : les Sages gourmandent et commandent le mal, les autres
l'ignorent... l'enfance et la decrepitude se rencontrent en imbeci-
lite de cerveau »[46] . Et l'exemplaire de Bordeaux résume en somme
toute la pensée philosophique des *Essais* en ajoutant « les paisans
simples sont honnestes gens, et honnestes gens les philosophes, ou,
selon nostre temps, des natures fortes et claires, enrichies d'une
large instruction de sciences utiles ». Désormais, la science porte
en elle une condamnation dans sa nature; la charité de Montaigne
réunit dans une même dignité le peuple et les grandes âmes. Vision
chrétienne que cette simplification de l'ordre du monde dans le
renoncement à la raison humaine. Cet abaissement délibéré et
systématique ne tourne pourtant à aucun septicisme, mais affirme
un dépassement de l'homme en Dieu. L'humilité l'ouvre à une
autre vérité : cette intuition divine qui se confond avec la grâce.

Montaigne développant librement l'œuvre de Sebon, mais plus
rigoureusement fidèle à celle d'Augustin prolongeait les subtilités
théologiques, en un nouvel augustinisme; commes ses hôtes à sa
table, ses lecteurs sont conduits à confondre dans une même

dignité les deux ordres extrêmes du monde, et à douter seulement de cet intermédiaire purement humain que consacre cependant une société tout humaine également. Si le mépris tombe souvent dans *les Essais* sur cet ordre intermédiaire, du moins, la beauté de l'ouvrage vient de cette confiance profonde en la nature de l'homme, dans sa simplicité, en l'aide aussi qu'accorde Dieu aux esprits supérieurs.

La fidélité de Montaigne à *la Théologie Naturelle* se révèle ainsi, dans l'infidélité même, comme l'affirmation d'une pensée originale à l'intérieur du christianisme. Prolongeant la systématisation propre au théologien scolastique, mais l'enrichissant d'une plus sûre connaissance du Père de l'Église, Montaigne imposait sa propre conception du monde. Une très large contemplation des êtres et de l'Univers plaçait l'homme, par delà le temps, dans l'éternel, comme la connaissance de soi le faisait participer au divin. Si, comme l'Ecclésiaste, il humiliait la science humaine, dans une charité supérieure, il restituait aux humbles toute la dignité de leur condition. Cet élargissement de la pensée augustinienne ramenait l'homme au monde dans un nouvel esprit de charité.

Fidèle au souvenir de Sebon, mais averti dans les critiques qu'il fait porter sur son ouvrage, Montaigne appelait une politique humaine, comme une nouvelle connaissance du monde. Il appartenait à Vivès de le guider dans cet accomplissement de la pensée augustinienne.

Juan Luis VIVÉS
(Valence, 1492 — Bruges 1540)
Humaniste espagnol
(Photo Bibl. Nat. Paris)

DEUXIEME PARTIE

VIVES ET L'AMOUR PARMI LES HOMMES

Montaigne a présenté comme accidentelle en sa maison la lecture de Sebon. L'ultime exigence de son père mourant qui voulut y confirmer sa foi lui confère cependant une valeur privilégiée. S'il s'est efforcé, dans ses *Essais*, d'affirmer sa pensée à partir de celle du docteur toulousain, il est plus discret sur la présence, en sa librairie, de l'œuvre d'un autre bonaventurien espagnol, dont l'influence fut sur lui plus déterminante encore.

La personnalité de Vivès, en son temps, fut double. C'est à l'humaniste qu'Erasme prétendit s'adresser, quand, dans son édition d'Augustin, il lui confia le commentaire de *la Cité de Dieu*. Mais, très vite, l'ampleur du travail et les positions très affirmées de son ami dépassèrent son attente. Et Vivès lui-même, demanda que quelques centaines d'exemplaires fussent tirées à part de l'édition complète, en raison de l'intérêt particulier que les savants de son époque attachaient à cet ouvrage d'Augustin[1]. C'est une vulgarisation de la pensée augustinienne qu'il prétend d'abord réaliser; mais l'ouvrage exprimait aussi la pensée politique du Père de l'Eglise, et son commentateur affrontait par là les problèmes de son époque, et, très librement croyait pouvoir dépasser dans une civilisation chrétienne les exigences morales qu'avaient imposées Augustin à des Gentils.

Plus jeune d'une génération qu'Erasme, Vivès n'était point son disciple. Illustre également puisqu'il fut choisi par Henri VIII et Catherine d'Aragon comme précepteur de leur fille Marie Tudor, il avait apporté dans l'Europe septentrionale un courant de la pensée espagnole, cette tradition bonaventurienne qui avait consolé les Juifs convertis à travers les persécutions de la reconquête, et les poursuites de l'Inquisition. Plus exactement, Vivès, lecteur de Lulle et de Sebon, ramenait l'esprit d'investigation scientifique de Roger Bacon, et son ancienne opposition à la scolastique.

Espagnol par sa mère, élevé au Collège de Guyenne, par des amis de Vivès, Montaigne a formé sa pensée à partir de celle du philosophe espagnol. On s'accorde, au moins, à lui reconnaître une dette importante envers l'humaniste, contractée dans la lecture du *Commentaire de la Cité de Dieu*.

Chapitre i

L'HUMANISME SUBORDONNÉ A LA FOI

La passion pour les lettres antiques que beaucoup d'humanistes, après Erasme, vivent comme une tentation opposée à leur devoir religieux, prête un intérêt nouveau à l'augustinisme. L'ancien rhéteur, qui eut tant de peine à concilier les exigences de sa pensée avec la Révélation, répond aux inquiétudes des plus grands esprits du xvie siècle. Epanouissant l'homme en tous ses aspects, sa doctrine confirme la foi par une raison supérieure.

Dès 1506, l'édition Amerbach, à Bâle, atteste l'intérêt primordial des humanistes pour ce Père de l'Eglise, et, après 1528, les très nombreuses reprises de l'édition d'Erasme[1]. La publication séparée de *la Cité de Dieu* enrichie du *Commentaire* de Vivès trahit cette exigence d'une époque[2]. Parce que c'est le propre des grandes œuvres de contenir pour les siècles à venir des messages différents, Vivès a su trouver en Augustin la réponse aux problèmes de son temps. C'est en humaniste du xvie siècle qu'il a lu l'œuvre de l'évêque d'Hippone. S'il a su distinguer, à travers la pensée chrétienne, les allusions antiques, et les sources de la doctrine d'Augustin, la raison d'être de son commentaire est de souligner les aspects de *la Cité de Dieu* qui satisfont l'attente de ses contemporains. Montaigne donc y pouvait trouver une érudition immense et les anecdotes les plus abondantes; mais il ne pouvait, sans les dénaturer en appuyer une autre pensée, ni le stoïcisme si souvent partagé autour de lui, ni non plus un abandon à soi-même dans la jouissance épicurienne. Loin de corriger sa rédaction initiale, la complétant seulement, il manifeste aussi, du moins dans les emprunts qu'il fait à l'œuvre de Vivès, la plus grande continuité dans son ouvrage. Il revient sur les textes qui ont causé son émotion première, la recrée et la justifie. L'appel à Vivès, révélant sa méthode de composition, garantit ainsi la permanence et l'authenticité de la pensée chrétienne dans *les Essais*.

Le principe philosophique du commentaire

Comme il est d'usage, Vivès expose dans sa *Préface* la manière dont il a conçu son *Commentaire de la Cité de Dieu*. Après avoir souligné qu'il y avait « beaucoup de choses appartenant à la Théologie » dans les études qu'il avait faites, qui lui ont mérité d'être choisi par Erasme pour ce travail, il se défend d'avoir, dans l'ouvrage « interposé sa sentence ». La raison de cette prudence n'est point modestie, ni imitation du scepticisme de l'académie, mais affirme-t-il, forme d'art augustinienne, pleinement signifiante qui veut imposer sans enseigner[3]. Encore le principe est-il fondé sur la conception de la variabilité de la pensée humaine que Montaigne formulera à son tour après Sanchez[4]. Le refus d'enseigner, pour Vivès, comme pour Montaigne, n'est point ignorance de la vérité, mais inquiétude sur la puissance de l'esprit, sur ce branle perpétuel qui justifie les additions successives des *Essais*. Ne doute point l'auteur qui prétend imposer par les digressions, et le plaisir qu'elles causent au lecteur. Il renonce seulement de façon délibérée à une forme d'exposition gouvernée par la logique discursive, pour une séduction plus puissante exercée par l'intuition. La composition poétique à sauts et gambades, que Montaigne formule comme sienne[5] avait donc un autre maître que Platon. Vivès l'avait pratiquée sciemment en son ouvrage, et l'avait annoncée comme une prise de position philosophique. Montaigne en plusieurs passages des *Essais* est revenu sur cette affirmation de la préface de Vivès[6] ; il faut avouer alors que si le discernement de la valeur du principe d'art, et le mérite de la réalisation lui reviennent pleinement, c'est à Vivès, à Augustin même, et à travers lui, Montaigne le reconnaît bien, à Platon, qu'appartient l'originalité de la conception. Une telle méthode d'exposition affirme le caractère personnel de l'œuvre qu'elle sert. La vérité que l'on enseigne doit être générale : au contraire, dans son caractère intuitif, la vision que l'on suggère par les exemples et les digressions, comme une exigence morale qui se refuse aux limites de l'expression verbale, appartient tout entière à celui qui l'impose ; elle est aussi pleinement relative à lui-même. Vérité supérieure parce qu'elle conserve toute la dignité de l'acte du jugement, cette méthode artistique ne sert pas la pensée d'autrui, mais elle exprime une exigence profonde de l'auteur. Dès la publication des commentaires, l'Eglise, par une sévère prohibition s'est bien chargée de rappeler à Vivès qu'il avait prêté ses inquiétudes et ses refus à un Père de l'Eglise dont la pensée restait fondamentale pour le christianisme.

Vivès aussi avait très bien défini son travail, non point la recherche méthodique d'un docte, mais ces lumières de l'esprit dont un ignorant même est capable. Après une métaphore, pour imposer son ouvrage comme un chemin aisé qui donne récréation à la vue parmi les collines raboteuses du texte d'Augustin, il l'affirme comme l'œuvre du hasard, supérieure en cela à celle même de la doctrine[7]. Son *Commentaire* se présente ainsi comme une interprétation, une vision personnelle des grands problèmes exposés dans *la Cité de Dieu*. L'ouvrage est vécu, pensé, en fonction des inquiétudes de l'homme devant les exigences de son temps; cela justifie les affirmations personnelles et extrêmes. Comme il a repris les principes d'art de Vivès, Montaigne aussi saura formuler les grands choix philosophiques et étendre la pensée chrétienne jusque dans ses prolongements les plus difficiles.

L'utilisation du Commentaire de la Cité de Dieu dans l'Apologie

Il n'est pas nouveau d'affirmer que *les Essais* ont puisé bien des emprunts à *la Cité de Dieu* d'Augustin; mais il est important de préciser que cette lecture se double de celle du *Commentaire* de Vivès qui, sur le plan de la conception de l'homme et de ses exigences, se superpose au texte du Père de l'Eglise. Augustin écrivait pour des Gentils, ne craint pas de dire Vivès, qui lui oppose la morale d'une civilisation chrétienne dont il voudrait qu'elle fût celle de son temps[8]. Par suite, il n'est pas possible d'admettre avec Villey que ces emprunts qu'il reconnaît pourtant déjà nombreux, puissent servir à autoriser le doute, particulièrement dans les opinions que Montaigne a émises sur la divinité[9]. Dans l'*Apologie de Raymond Sebon* justement, où les souvenirs sont les plus nombreux, l'autorité d'un tel auteur ne sert pas à dissimuler l'audace d'une pensée rationaliste. Appuyé au contraire sur la connaissance profonde de l'œuvre d'Augustin, et exprimant avec l'accent de la conviction sincère la même vision du monde, Montaigne loin de s'écarter jusqu'à une de ces extrémités que la doctrine a toujours suscitées, en prolonge du moins la pensée pour répondre aux exigences morales et politiques de son temps.

Si l'on se refuse donc à admetttre qu'il ait donné au titre de son essai, valeur d'antiphrase par désir de détruire sous l'ironie, l'auteur qu'il avait lui-même traduit, réimprimé et utilisé encore en son propre ouvrage, dans l'*Apologie de Raymond Sebon*, Montaigne ramène à un augustinisme plus fidèle un auteur plus mêlé. Il utilise, à cette fin, l'ouvrage du maître qui fait pour lui autorité.

Vouloir décider de la divinité par nos raisons humaines, lui prêter comme l'on fait les philosophes, les formes et visages qui appartiennent à notre expérience humaine, et à nos passions, suscite au centre de l'*Apologie* l'opposition de Montaigne. Pour nourrir sa pensée, il trouve ses exemples dans l'opposition d'Augustin aux différentes philosophies humaines, et plus précisément dans ce groupe de chapitres très souvent utilisés aussi par lui-même, par lesquels Augustin s'efforçait de lutter contre la croyance, encore répandue en son temps, à la religion anthropomorphique de l'antiquité. Mais la page en sa première rédaction résumait déjà ces grands chapitres de *la Cité de Dieu*. L'addition de l'exemplaire de Bordeaux complète ainsi un emprunt primitif. Loin que ces rapprochements, comme Villey le voulait, fussent l'œuvre d'une lecture plus approfondie, dans les dernières années de la vie de l'auteur, ils attestent que l'émotion première qui a présidé à la création du paragraphe est née de cette lecture même.

Ce n'est point à une mosaïque, mais à un véritable travail de marqueterie que ressemblent certaines pages de l'*Apologie de Raymond Sebon*. Elles adhèrent profondément à la pensée qu'elles illustrent parce qu'elles en ont été elles-mêmes tirées. Elles sont entrelacement des thèmes et renforcement, non dissimulation, ni destruction de la pensée. Si par exemple une longue addition de l'exemplaire de Bordeaux [10] rappelle le doute sur les philosophies humaines qu'avait voulu appuyer Augustin par les paroles de Cicéron au *De Natura Deorum,* un paragraphe plus 'loin, une addition de la même époque reprend la citation, dans son texte latin cette fois, empruntée au livre IV chapitre XXX de *la Cité de Dieu* [11]. Ces additions se trouvent ainsi encadrer un texte de la première rédation qui concluait sur une phrase qui en était déjà la traduction. L'addition de l'exemplaire de Bordeaux la complète et en révèle la source. Le texte primitif ensuite se référait au chapitre XX du même livre d'Augustin. Dans le déroulement de la phrase, sur l'exemplaire de Bordeaux, s'insère encore une nouvelle addition. Elle privilégie cette fois le commentaire de Vivès sur l'analyse que donne Augustin de ces valeurs placées par les Anciens au nombre de leurs Dieux. Pour Vivès, pour Montaigne, il n'importe point que la foi honorée par les Romains n'ait été qu'un aspect de la justice et non la croyance en Dieu, mais il faut que les peuples « honorent et adorent les choses pour l'amour desquelles il a esté donné à l'homme qu'il monte au ciel, c'est à sçavoir Vertu, piété, foy. » Et Vivès récite l'histoire des temples dédiés à ces divinités. Le souci archéologique parle sans doute au citoyen de Rome, mais davantage cette diversité des divinités dans laquelle il veut voir la manifestation d'une exigence du divin en l'homme. L'adversaire qu'était pour Augustin la religion antique a disparu devant cette expression du désir de Dieu, sentiment en la saisie duquel repose tout l'augustinisme [12]. Le paragraphe suivant, dans la dernière rédaction, suit de très près le texte de *la Cité de Dieu,* au chapitre V, livre XVIII [13]. Mais un passage de la première rédaction se ramène ensuite au commentaire que Vivès donne du chapitre XXVI du livre IV [14]. La courte allusion d'Augustin aux *Tusculanes* a mérité chez Vivès la réflexion qui domine en fait la pensée des rédactions successives : « Combien vaudrait-il mieux nous eslever à l'imitation de la divine vertu et bonté ». De Cicéron encore, à travers les déformations que lui prêtent Augustin, puis Vivès, Montaigne pouvait tirer l'appréhension de la perfection divine. Ce sentiment étranger aux religions et aux philosophies antiques, il ne l'avait pas trouvé réellement dans ces différentes citations, mais dans l'ensemble de *la Cité de Dieu*, que, dans leur espacement à travers l'ouvrage, elles embrassent presque en sa totalité. Surtout, plutôt que son expression même, il avait emprunté à ses devanciers l'art de le suggérer, ce qui suppose plus que l'adhésion à la doctrine, la virtuosité dans la forme d'art qui l'exprime. Pour Montaigne, comme pour Vivès, « l'yvresse de l'entendement humain », affirme déjà la première rédaction, ne consiste qu'à « s'apparier à Dieu », à « ramener à soy les conditions divines ». Sur la condamnation des philosophies fautives, l'emporte cette soif de l'absolu qui tourmente l'homme, et fait aussi la grandeur de sa condition.

Dans un ouvrage si soigneusement élaboré, l'étude de l'utilisation des sources, la recherche de ces retours de la pensée sur elle-même ne peuvent se flatter d'être exhaustives. Les références fournies par l'édition Villey ont seulement permis de montrer sur un court passage, essentiel pourtant à la pensée de l'*Apologie de Raymond Sebon*, que Montaigne puisait dans Saint Augustin et Vivès autre chose que l'anecdote ou l'érudition capables d'enrichir sa pensée. Si les emprunts aux passages les plus éloignés dans le texte peuvent ainsi s'unir en une pensée cohérente, c'est que Montaigne a adopté les vues profondes de l'auteur. L'infidélité d'une utilisation qui mêle les citations, révèle la fidélité véritable dans le procédé qui impose la doctrine par suggestion. A travers la critique des choses humaines, dans la religion et la philosophie, se fait jour la passion de la perfection platonicienne, de l'absolu que représente Dieu pour le chrétien.

L'utilisation du Commentaire de la Cité de Dieu *dans le premier livre des* Essais.

Villey avait aperçu dans l'*Apologie de Raymond Sebon* la richesse des emprunts faits par Montaigne à Augustin et à Vivès, mais il n'en a pas tiré toutes les conséquences nécessaires, parce que ceux du premier livre lui avaient échappé. Par suite, il attribuait à des reprises directes des citations antiques qui bien souvent avaient été transmises à Montaigne par la pensée chrétienne. Comme l'œuvre d'Augustin, dès la première rédaction, domine la pensée religieuse de Montaigne, les premiers essais, où Villey prétend voir une mosaïque de maximes stoïciennes, trouvent avec leur source, leur sens véritable, dans plusieurs passages de *la Cité de Dieu* où Augustin s'est efforcé de réfuter le stoïcisme. De même que dans l'*Apologie*, avec l'exemple augustinien, la pensée même qu'il illustrait était conservée, les essais que Villey date de 1572 n'ont de stoïcien que la maxime. L'anecdote ou le raisonnement sont toujours dénaturés de leur sens, ou plus exactement servent l'intention à laquelle les ont prêtés auparavant Augustin ou Vivès, d'imposer la philosophie chrétienne à partir des philosophies antiques.

Nombreux sont, au livre I et au livre II, les essais dont Villey se refuse à voir l'unité sous les formules antiques, imposant ainsi l'idée d'une gaucherie première, d'un inachèvement, dans l'œuvre de Montaigne. En réalité, selon le principe de cet art énoncé par Vivès, usant des digressions qui amusent pour séduire, aucun essai n'est étranger à la force signifiante de l'ensemble. Les premiers ont charge de lancer les thèmes principaux, repris et développés par la suite. Il est remarquable qu'ils affrontent les plus grands problèmes et qu'ils expriment déjà, plus succintement peut-être, mais avec la même fermeté, les grandes idées morales et politiques développées ensuite. Ces premiers essais, groupés par Montaigne au début de son ouvrage, constituent une prise de position très ferme que révèle l'utilisation des souvenirs stoïciens dans la pensée augustinienne.

Au premier livre, les essais *Que le goust des biens et des maux depend en bonne partie de l'opinion que nous en avons*, *Qu'il ne faut juger de nostre heur, qu'après la mort*, *De la force de l'imagination*, *De la coustume et de ne changer aisément une loy receüe*, *De l'usage de se vestir*, *Du jeune Caton*, *De la solitude*, affirment tous une pensée originale et profonde, la même sous des aspects divers. Tous répondent à un même principe de composition. L'essai part d'une citation d'Augustin, de Vivès, ou des anciens utilisée par eux, pour différencier leur philosophie, ou d'une maxime sur la puissance de la coutume, et de l'imagination, sur la variabilité du monde, qui sont des aspects essentiels de la doctrine. Dans *la Cité de Dieu*, plus souvent dans le commentaire de Vivès qui en retrouve les sources, ou lui en prête parfois, en particulier par un appel constant à Sénèque, se trouvent suggérés les textes capables d'autoriser l'affirmation chrétienne. Ce sont souvent des images ou des formules qui se détachent du déroulemnet de la pensée, laquelle s'affirme ensuite et se différencie par leur moyen. Tel est sans doute le procédé nécessaire d'une doctrine qui refuse le principe d'autorité pour le libre jugement, de ne jamais citer la source, ni le garant. Elle présente l'opinion adverse pour la réduire par une conciliation illusoire, puis en mesurer les différences et sa propre supériorité. Tout au long de *la Cité de Dieu*, avec les stoïciens, les épicuriens et toutes les philosophies humaines, Augustin pratique le même jeu. Ainsi fait à son tour Montaigne, qui ne cite point ses maîtres, mais volontiers les anciens qu'ils ont réfutés après être partis de leurs affirmations. La dissonance alors des emprunts au stoïcisme faits par Montaigne dans ces premiers essais s'explique mieux. Elle n'est point maladresse d'un philosophe hésitant. En un temps de renaissance des doctrines antiques, comme l'a fait Augustin dans *la Cité de Dieu*, elle prétend conduire le lecteur aussi loin que la raison humaine l'a jamais pu, avant d'affirmer un christianisme qui vaut tout entier par la puissance de la conviction.

Les sources de ces premiers essais en doivent garantir la composition et le sens. Ainsi, pour reprendre une maxime de Stobée, inscrite sur les murs de sa librairie, Montaigne en commençant l'essai *Que le goust des biens et des maus depend en bonne partie de l'opinion que nous en avons*, préférait aux lettres grecques la langue française ; il avouait par là l'émotion qui avait commandé le titre et le déroulement de sa pensée. C'est à la lecture du chapitre IV, livre IX de *la Cité de Dieu* qu'il faut ramener l'inspiration de l'essai. Dans ce passage très souvent cité par Montaigne, Augustin réfute la doctrine stoïcienne à l'aide d'un récit donné par Aulu-Gelle dans ses *Nuits Attiques* [15]. Le philosophe stoïcien, dans la tempête, manifeste les mêmes troubles que les autres hommes sous l'effet de la peur. Les passions, chez le sage, devancent le rôle de l'intelligence ; mais il conserve cependant en son esprit un jugement stable et droit sur ce qu'il doit raisonnablement désirer ou fuir. Montaigne reprend « si les maux n'ont entrée en nous que par nostre jugement, si les choses se rendent à nostre mercy... si ce que nous appellons mal et tourment n'est ny mal ny tourment de soy, ains seulement que nostre fantasie luy donne cette qualité, il est en nous de la changer » [16]. L'emprunt paraît certain. Augustin précisait cependant, limitant la portée de la citation, que les stoïciens ne faisaient qu'« innover en matière de langage », de même Montaigne ajoute à la page suivante : « or que ce que nous appellons mal ne le soit pas de soy, ou au moins tel qu'il soit, qu'il depende de nous de luy donner autre saveur, et autre visage, car tout revient à un, voyons s'il se peut maintenir ». Le pourceau de Pyrrho conduit à juger que la raison humaine est impuissante à décider, comme le voudraient les stoïciens, de ce qui est bien ou mal. « Toute opinion est assez forte pour se faire espouser au pris de la vie » généralise l'exemplaire de Bordeaux. Mais dans la deuxième partie du texte, ces stoïciens, dont l'opinion a pourtant été mise en infériorité, par leur illustration dans l'antiquité, font admettre comme possible ou souhaitable, ce détachement de la raison qui n'est qu'affirmé, ou verbal, comme dit Augustin. Leur autorité permet ensuite d'imposer la grandeur plus réelle du détachement chrétien qui, loin de surmonter par l'esprit et la volonté, prend son « principal contentement en l'ame » [17]. Saint-Louis alors, les chrétiennes outragées du premier livre de *la Cité de Dieu,* avant l'usage même que Montaigne fait de son argent, viendront imposer cette valeur d'un autre ordre. L'ensemble de l'essai reproduit le mouvement de la lutte philosophique dont il s'inspire. C'était aussi le *Commentaire* de Vivès au chapitre cité qui fournissait outre une biographie d'Epictète, la devise ἀνέχω καὶ ἀπέχω destinée à en résumer la doctrine, et cette formule finale qui ramenait la pensée d'Epictète à sa source même : « Et de là vient ce que dit Séneque stoïcien que nous sommes plus travaillez d'opinion que de fait, et qu'il y a plus de choses qui nous espouvent qu'il n'y en a qui nous pressent » [18]. Parce que le commentaire fournissait aussi une référence aux *Tusculanes* de Cicéron, on peut dire que c'est dans l'œuvre de Vivès que Montaigne a puisé le titre et la phrase initiale de son essai.

L'usage, en effet, des citations de Sénèque et de Cicéron ainsi suggérées par la lecture de *la Cité de Dieu*, se subordonne absolument à l'économie de l'ouvrage. Montaigne déforme sciemment la pensée stoïcienne afin de la dépasser. La mosaïque de ses emprunts forme un nouveau dessin en se pliant à la pensée de la source véritable de l'essai. Ainsi l'expression : « L'unique port des tourmens de cette vie » rappelle la 70ᵉ lettre à Lucilius »[19], encore l'image chez Montaigne n'est-elle prêtée qu'à une part seulement des hommes, tandis que chez Sénèque, elle est plus généralement étendue à la vie humaine. Plus loin, le conseiller de Lucilius veut bien accorder « aux hommes de la plus vile condition » le suicide héroïque de Caton, et l'auteur des Essais : « un magnifique effort ». L'étonnement ainsi se renforce d'une expérience personnelle : « Combien voit-on de personnes populaires, conduictes à la mort, et non à une mort simple, mais meslée de honte et quelque fois de griefs tourmens, y apporter une telle asseurance, qui par opiniatreté, qui par simplesse naturelle qu'on n'y apperçoit rien de changé de leur estat ordinaire »[20]. Point de mépris dans le terme de « personnes populaires », mais l'admiration de cette simplesse qui conserve au peuple et aux primitifs cette intuition directe de la vérité qu'ils partagent avec les vrais savants, tandis que les doctes en sont exclus. L'héroïsme est sans effort et tout entier dans cette spontanéité première. Ce qui était exception chez Sénèque, se généralise chez Montaigne en même temps que se précise la notion d'un héroïsme. De lutte contre la nature, il devient, en dépit du rapprochement des termes, abandon à cette même nature.

La même déformation touche aussi les emprunts aux *Tusculanes* suggérés par les allusions de Vivès. Montaigne reprend-il le cri de Posidonius « Tu perds ton temps, douleur, si importune que tu puisses être, tu ne me feras jamais convenir que tu sois un mal »[21] ; il y ajoute la réfutation d'Augustin : « Il ne debat que du mot, et cependant si ces pointures ne l'esmeuvent, pourquoy en rompt-il son propos ? Pourquoy pense-il faire beaucoup de ne l'appeller pas mal ? »[22] Cette réduction du stoïcisme pouvait avoir encore sa source dans l'ouvrage de Cicéron qui analysait : « Les stoïciens forment de petits syllogismes pour établir que la douleur n'est pas un mal, comme si le mot et non la chose faisait difficulté ». L'utilisation de Cicéron, parce qu'en certains de ses ouvrages au moins il a nourri la pensée d'Augustin, devenait pour Montaigne privilégiée. Les accents de l'orateur antique avaient déjà été prêtés à la pensée chrétienne ; aussi les *Tusculanes* fournissent-elles à Montaigne beaucoup d'anecdotes et de raisonnements. Sur la réalité de la douleur se fonde le courage[23]. Le jeune Lacédémonien qui avait dérobé un renard se trouve mêlé au souvenir de cette cérémonie religieuse où, en cette même ville, Cicéron avait vu battre de jeunes garçons. Montaigne contaminait ainsi deux passages très voisins de l'ouvrage[24]. Cicéron en dégageait un enseignement :

« grande est la force de l'habitude »[25] ou encore : « Le poète est avisé et se rend compte que pour apprendre à supporter la souffrance, l'habitude est une maîtresse digne d'estime »[26]. Cette puissance de l'habitude qui par la modification du corps se substituait à la volonté stoïcienne était bien propre à entrer dans la pensée augustienne. Plus souvent cependant, elle constitue une cause d'erreur pour l'esprit humain qu'une force libératrice. C'est en augustinien aussi que l'entendra Montaigne pour qui elle ravale l'homme en-dessous des bêtes : « Il est aisé à voir que ce qui aiguise en nous la douleur et la volupté, c'est la pointe de nostre esprit. Les bestes qui le tiennent sous boucle, laissent aux corps leurs sentiments, libres et naïfs, et par conséquent uns, à peu pres en chaque espèce, comme nous voions par la semblable application de leurs mouvements. Si nous ne troublions pas en noz membres la jurisdiction qui leur appartient en cela, il est à croire que nous en serions mieux, et que nature leur a donné un juste et moderé tempérament envers la volupté et envers la douleur. Et ne peut faillir d'estre juste estant esgal et commun. Mais puisque nous nous sommes emancipez de ses regles, pour nous abandonner à la vagabonde liberté de nos fantaisies, au moins aydons nous à les plier du costé le plus aggreable »[27]. Les termes employés par Montaigne supposent, gouvernant l'utilisation des *Tusculanes*, le souvenir du chapitre initialement donné d'Augustin. En marge de l'expression « que les imaginations de l'âme qu'ils appellent fantasies », Vivès avait analysé dans son rapport au verbe grec φαντάζω, le sens philosophique du terme employé par Montaigne, négligeant le « visum » de Cicéron traduit par « vision ». Le choix entre ces deux termes possibles supposait l'influence de Vivès et d'Augustin plus forte que celle de Cicéron. Davantage l'exercice stoïcien qui se réalise par le corps pour soulager l'esprit n'est qu'une image qui autorise l'exercice, très différent dans sa nature, proposé par Montaigne. Parce que l'homme est déchu de l'état de nature, une habitude lui a perverti l'esprit, et lui a faussé l'usage de son corps, dans le jugement du plaisir et de la douleur; un exercice de l'esprit peut seul aussi, sinon nous faire accéder à la vérité des sensations, du moins nous en créer une heureuse « fantasie ». Toute l'originalité de Montaigne, par une déformation très consciente qui dénature la pensée des *Tusculanes* d'où il semble parti, est d'avoir condamné l'esprit par l'habitude, au lieu de le libérer par son secours, d'avoir remplacé l'exercice du corps par celui de l'âme seule, d'avoir enfin renoncé à une morale d'affranchissement et d'affirmation de soi pour la recherche du contentement personnel.

Ainsi, sans qu'il soit besoin de poursuivre les rapprochements très riches entre cet essai de Montaigne et les paragraphes des *Tusculanes* utilisés, une constatation s'impose : comme les emprunts faits aux *Lettres à Lucilius*, ils sont purement formels, parce qu'ils servent une tout autre pensée. Ils sont essentiels à l'essai cependant, parce qu'ils ont été imposés par la tradition humaniste. Comme une belle vision antique, ils introduisent une pensée nouvelle qui se différencie ensuite. Sans doute est-il facile de montrer la liberté et l'audace d'utilisation des passages de Sénèque proposés à Montaigne par le commentaire de Vivès, car il est peu sûr qu'Augustin se soit si souvent fondé sur Sénèque que Vivès le prétend. Il est plus difficile, au contraire, de distinguer dans l'imitation de Montaigne s'il cite la phrase même des *Tusculanes*, ou l'écho qu'en a donné Augustin dans *la Cité de Dieu*. On peut du moins affirmer que les anecdotes ou les expressions reprises créent un parallèle entre la pensée de Montaigne et celle de Cicéron. Jamais la rencontre ou l'identité. C'est que l'appel à un Dieu créateur, et à la notion de faute, dénature les procédés d'une morale tout humaine. Celui-là s'affirme sur le monde, et par le corps même, qui est dépossédé du monde et de soi-même. Celui-ci peut jouir de soi qui dispose de l'éternel.

Cette démonstration, dans l'essai XIV du premier livre a prétendu établir que Montaigne avait utilisé les lettres purement humaines en les dénaturant au service d'une pensée chrétienne, qu'il a toujours volontairement détaché les formules et les anecdotes empruntées aux stoïciens de sa propre pensée, qu'ils autorisent seulement, et permettent de nuancer ensuite. La même analyse pourrait être exercée sur tous les autres chapitres préalablement cités, auxquels Villey attribue la composition « en mosaïque ». La cohérence de la pensée, en tous, tient tout entière dans la phrase initiale qui lance le sujet, et donne leur sens à toutes les digressions qui suivent.

La pensée augustinienne qui intègre dans le Christianisme l'humanisme antique, pouvait offrir à Montaigne le sujet de ses réflexions. Les *Essais* prolongent ainsi bien des affirmations de *la Cité de Dieu* ou du *Commentaire de Vivès*, ou les lieux communs les plus usés par la doctrine. Le titre *Qu'il ne faut juger de nostre heur qu'après la mort*, développe la phrase de l'*Ecclésiaste* « avant la mort ne loue personne ». *La Cité de Dieu* la cite au chapitre XI du livre XIII. Au commentaire à la phrase de l'*Ecclésiaste* en ce chapitre, Vivès marquait l'identité de pensée avec le récit que donne Hérodote de l'avertissement de Solon à Crésus[28]. Fort de la référence, Montaigne s'est plus sûrement reporté au texte antique qu'à toute autre source contemporaine, à moins que, comme il semble l'indiquer lui-même, le texte de Vivès ne lui ait seulement rappelé les souvenirs très fidèles de son apprentissage du grec au collège de Guyenne. Confirmant l'appel à Vivès, le même essai donne Priam comme exemple de souffrance avant la mort. Vivès le trouvait aux vers de l'*Enéïde* trois chapitres plus haut[29]. Ce groupe de chapitres de *la Cité de Dieu* est particulièrement utilisé par Montaigne qui leur emprunte le raisonnement par lequel il réduit la crainte de la mort. L'essai en porte témoignage. Il prend encore au chapitre VI du même livre cette part d'« heur » que constitue pour chacun la durée véritable de l'agonie. Dans la première rédaction, l'avertissement d'Augustin qui tournait la souffrance de la mort en un mérite et une gloire pour l'homme[30], bien mieux que tous les textes stoïciens, autorisait et l'ensemble de l'essai, et l'acceptation par l'auteur de cette épreuve, décisive aussi pour le chrétien : « C'est le maistre jour, c'est le jour juge de tous les autres : c'est le jour, dict un ancien, qui doit juger de toutes mes années passées. Je remets à la mort l'essay du fruict de mes estudes. Nous verrons là si mes discours me partent de la bouche, ou du cœur »[31]. Pour qui avait relaté avec tant de soin la mort de son ami la Boëtie, cette fin donnée primitivement à l'essai devenait un défi, une promesse, à laquelle sa propre mort pendant la consécration de la messe apporte sans doute tout son sens. L'augustinisme de Montaigne n'est pas tant livresque par la recherche et l'utilisation des sources, que vécu dans une conviction qui ne s'est point démentie.

L'essai *Que philosopher c'est apprendre à mourir* qui prolonge la méditation sur la mort serre de plus près encore les mêmes passages d'Augustin, et utilise pour ses citations stoïciennes les *Commentaires* de Vivès. Le titre en est pris indirectement au livre VIII de *la Cité de Dieu* qui, analysant la valeur des philosophies humaines, distingue entre la contemplation et l'action. Cette distinction donne la phrase d'ouverture de l'essai, tandis que Vivès fournit en référence le passage du *Phédon*[32], source des *Tusculanes*. L'étude encore de la philosophie platonicienne dans la suite du même livre de *la Cité de Dieu* est sans cesse développée par Vivès par appel à Cicéron. Particulièrement au chapitre V, il résume l'opinion du premier livre des *Tusculanes* « enseignant que les ames des hommes sont immortelles, et que ce sont elles que nous adorons pour Dieux, quand eux estans desliez du corps, elles s'en sont volees au ciel[33] ». Dans la page ainsi résumée est comprise la citation qui fournit son titre à l'essai. Ainsi, deux chapitres voisins de *la Cité de Dieu* ont apporté à Montaigne le titre et la pensée initiale. Et la suite encore de l'essai se nourrit à d'autres passages du même ouvrage[34].

L'Essai XXI *De la force de l'imagination* paraît moins livresque par son titre qui le rapporte à la théorie fondamentale à la doctrine. Châtiment du péché originel, l'imagination trouble la raison. Comme le XVIe, cet essai aussi fera appel au IXe livre de *la Cité de Dieu*, aux mêmes chapitres et aux mêmes commentaires de Vivès. Parce qu'il traite un sujet très proche, le livre XIV lui fournira aussi d'autres emprunts.

L'essai XXIII, *De la coustume et de ne changer aisément une loy receüe*, pour étendre au plan politique cette imagination que fonde la puissance de la coutume, ne part plus d'un adage mais d'un conte inventé sans doute par Quintilien, et repris par Augustin. Encore Montaigne en déforme-t-il le sens. Dans le *De Quantitate animae* l'anecdote devait imposer l'identité de l'âme ; mais dans la forme que Montaigne lui prête, ce n'est plus le fermier, mais la fermière qui est affligée du nourrisson. L'invention, visiblement, a pris un caractère populaire. Erasme dans ses *Adages* lui avait également fait place. Les passages d'Augustin utilisés ensuite par l'essai appartiennent aux livres XVIII, XIX, XXI et XXII de *la Cité de Dieu*. Des références probables aux livres I et II des *Confessions*, puisque l'on en refuse à Montaigne la lecture avant 1580, supposent comme cette ouverture même de l'essai, des conversations, ou des lectures, qui ont pu donner à Montaigne une connaissance de seconde main de ces grands textes de l'augustinisme.

L'essai XXXVI appartiendrait plutôt à la veine d'inspiration orale. Intitulé *De l'usage de se vestir*, il débute par la nécessité de forcer toujours « quelque barriere de la coustume ». Pourtant comme les essais XXXII et XXXIV, il fait appel au livre V de *la Cité de Dieu*. Au chapitre XIX, il utilise le *Commentaire* de Vivès pour y puiser, dans les notes marginales, la référence à l'*Ecclésiaste* qui commande l'essai : « d'autant que tout ce qui est soubs le ciel, comme dit la saincte parole, est subject à mesmes loix. »

L'essai XXXVII *Du jeune Caton* se réfère au livre I chapitre XXIII de *la Cité de dieu*, où l'exemple de ce personnage sert à décider du cas des Chrétiennes outragées ; et ce n'est point pour exalter l'héroïsme, comme le fait Montaigne. Mais le commentaire de Vivès à ce chapitre apporte le récit de Plutarque que cite aussi Montaigne. Le livre V chapitre XII où Augustin analyse la vertu romaine, à propos encore de Caton, donne quelques vers du livre VI de l'*Enéide* qui précèdent d'une vingtaine ceux que cite Montaigne. Le passage s'accorde non seulement avec l'admiration que l'essai témoigne pour Caton, mais avec le sentiment de la misère morale contemporaine : « Il ne se recognoit plus d'action vertueuse »[35] affirme la première édition, et l'exemplaire de Bordaux renchérit : « Nos jugemens sont, encores malades, et suyvent la depravation de nos meurs ». Son jugement sur les malheurs de son époque appelle le désespoir d'Augustin sur les cités humaines vouées à leur disparition. Le chapitre XIV de ce livre, enfin, définissait pour Montaigne la vraie gloire qui ne s'appuie pas sur le renom, et qu'il prête à son héros : « Il eut bien faict une belle action genereuse et juste, plus tost aveq ignominie que pour la gloire. »[36] C'était accorder pleinement son héros avec la pensée d'Augustin ; et plus justement la première rédaction soulignait combien Montaigne, dans son admiration, respectait la limite fixée par *la Cité de Dieu* à toute gloire strictement humaine : « Ce personnage là fut veritablement un patron que nature choisit pour montrer jusques où l'humaine vertu et fermeté pouvoit atteindre. » Donc à propos de Caton même, l'affirmation est bien éloignée de tout stoïcisme, mais elle fait la synthèse des deux livres d'Augustin cités, concernant le suicide, ou la notion de vraie gloire. L'admiration très profonde de Montaigne limite ici le personnage à l'humain, réservant comme Augustin l'excellence à la grâce divine, et à la révélation.

L'essai XXIX, *De la solitude*, se présente pour Villey comme montrant plus qu'aucun autre « la demarche tendue que, en opposition avec sa sensibilité naturelle, Montaigne emprunte vers cette époque de ses maîtres de philosophie. »[37] Pourtant Montaigne a, par deux fois, justifié son essai par un appel à Augustin. Dans l'édition de 1580, il tire de son ouvrage la belle prière de Saint Paulin de Nole. Reprenant son texte dans les additions de l'exemplaire de Bordeaux, il ajoute un jugement général, que quelques mots raturés attribuaient à Augustin. Par cette addition, il se réfère au chapitre qu'il a déjà utilisé dans sa première rédaction, et dont le commentaire donné par Vivès lui avait fourni quelques-unes de ses sentences stoïciennes, avec le désir sans doute d'en puiser d'autres par lui-même. Telle est bien la manière de procéder de Montaigne dans tous les essais que Villey attribue à cette première époque de composition de 1572. L'essai paraissait partir de cette distinction entre vie contemplative et vie active que l'essai XX empruntait au livre VIII de *la Cité de Dieu*. Plus exactement, l'exemple de Saint Paulin de Nole pris au livre I, chapitre X, comme l'examen du suicide de Caton, nous donnait la nature de cette solitude : « Certes l'homme d'entendement n'a rien perdu, s'il a soy mesme »[38], affirmait la première rédaction, avant cet emprunt destiné à éclairer la phrase. Ce dédoublement propre à l'introspection augustinienne nous renseignait sur le contentement de l'âme cherché dans les essais précédents. Le dépouillement chrétien n'était ni l'exercice stoïcien, ni la jouissance épicurienne dans l'instant, mais la saisie d'un bien essentiel dans l'exercice des facultés de l'âme. La contemplation de soi assurait celle des vérités supérieures, le divin même. L'exemplaire de Bordeaux précisait : « L'imagination de ceux qui par devotion, recherchent la solitude, remplissant leur courage de la certitude des promesses divines en l'autre vie, est bien plus sainement assortie. Ils se proposent Dieu, objet infini et en bonté et en puissance : l'ame a dequoy y ressasier ses desirs en toute liberté. »[39] Sans aller jusqu'à la mystique de l'illumination bonaventurienne, la phrase, du moins, affirme que le contentement supérieur de cette âme tient tout entier dans la contemplation de sa condition, le désir de l'infini, peut-être, qui est en elle, et un bonheur supérieur dans la certitude de son existence ainsi saisie. Déjà semblait pressenti par Montaigne tout le raisonnement du « cogito » augustinien. L'addition de l'exemplaire de Bordeaux qui primitivement faisait appel à Augustin : « Il n'est rien si dissociable et sociable que l'homme, l'un par son vice, l'autre par sa nature »[40], suppose certainement un retour sur l'ensemble de *la Cité de Dieu*, sur l'histoire de ces civilisations qui croissent,

puis marchent à une fin inéluctable. Constitués en royaumes ou en
société de brigands, les hommes ont en eux un besoin d'association
que signale déjà le livre IV chapitre IV, que formule plus nettement
le chapitre XXIV du livre XIX, résumant la progression de tout
l'ouvrage, non sans reprendre d'ailleurs une définition exprimée
par Cicéron en sa *République* : « le peuple est une multitude
d'êtres raisonnables associés par la participation dans la concorde
aux biens qu'il aiment. »[41] A cette définition, Augustin ajoutait ce
qu'il avait si longuement étudié aussi au livre V de son ouvrage,
l'affirmation d'une force opposée de discorde qui dissociait les
états[42]. Et Vivès, l'apôtre de la paix entre les hommes, en marquait
déjà la valeur précaire, insistant sur le facteur de dissociation :
« Le nuyre et ne nuyre point est beaucoup plus prompt et aisé que
le proffiter. Car ainsi qu'il n'y a personne qui ne puisse nuyre,
aussi il n'y aura personne qui nuyse s'il s'abstient d'injure. Mais le
proffiter monstre force et puissance. Et pourtant il est commandé
par la loy de Dieu, qu'un chacun face ce qu'il pourra pour vivre sans
nuyre : Et puis s'il a la possibilité de bien faire, qu'il l'exerce à aider
les hommes mortels. » Quelques chapitres plus loin, à l'occasion
d'une définition du droit qu'il empruntait à Cicéron, Vivès précisait
encore cette force de dissociation qui est en l'homme. L'art d'équité
faisait-il dire à Sénèque aux *Epitres*, loi gravée au fond des coeurs,
comme le rôle aussi du jurisconsulte, sont des moyens pour
empêcher les discordes entre les individus[43]. Parce qu'elle débute
par un exposé, qui se voulait général, des philosophies incompatibles, la page n'était pas claire ; mais elle se terminait sur l'accent
augustinien que porte l'essai de Montaigne ; et elle avait le mérite
de fournir les références de Sénèque. Montaigne sans doute utilise
les *Lettres à Lucilius* dans son essai. Mais comme dans les précédents, c'est pour prendre aussi ses distances par rapport à cette
doctrine. Sénèque conseillait-il l'exercice stoïcien de la pauvreté :
« Voici donc où doivent tendre les réflexions, les soins, les vœux,
en faisant remise à Dieu de tout autre souhait : vis content de
toi même et des biens qui naissent de toi. Peut-estre est-il un
bonheur plus à notre portée ? Reduis toi à une humble condition
d'où tu ne saurais choir. »[44] Montaigne accepte bien la promesse
d'un contentement de l'esprit qui rappelle la prière de Paulin de
Nole. Il en nie la possibilité en ce monde parce que Sénèque prétend
l'assurer par des soins et une humilité de vie. Dans cet aspect
matériel de l'exercice stoïcien, Montaigne souligne l'erreur. L'esprit
est, pour lui, trop lié au corps pour que la condition corporelle
ne contribue aussi à l'aise et à l'épanouissement. Il est bien
temps dans la souffrance d'essayer de le détacher pour préserver
son activité. Aussi proteste-t-il : « D'anticiper les accidens de
fortune, se priver des commoditez qui nous sont en main, comme
plusieurs ont faict par devotion et quelques philosophes par
discours, se servir soy-mesme, coucher sur la dure, se crever les
yeux, jetter ses richesses emmy la riviere, rechercher la douleur

(ceux là pour, par le tourment de cette vie, en acquerir la beatitude d'un 'autre; ceux-cy pour, s'estant logez en la plus basse marche, se mettre en seurté de nouvelle cheute), c'est l'action d'une vertu excessive. »[45]. La plus proche des références fournies par l'édition Villey marque davantage combien Montaigne refuse le stoïcisme. La critique de la morale est faite au nom de la modération augustinienne, en même temps que de sa conception de la nature humaine. La discontinuité des emprunts stoïciens dans l'essai atteste l'opposition foncière de Montaigne à cette philosophie.

Ainsi, tous les essais du livre I dans lesquels Villey veut voir une appartenance stoïcienne de Montaigne, — et ce sont aussi de grands essais philosophiques — reposent bien, comme il l'avait noté, sur une même conception. Mais la distance que Montaigne maintient toujours entre l'emprunt aux stoïciens et sa propre pensée n'est point maladresse d'auteur. Effet de la recherche, elle marque une savante différenciation. Par son effort de volonté, un exercice matériel ou quelque autre aspect, l'illustre doctrine autorise une position voisine, mais différente. Montaigne presque toujours révèle son propos par le titre, et la phrase initiale ou finale du texte qui constituent des emprunts à la pensée augustinienne, si cohérents cette fois à l'ensemble de l'essai qu'ils n'en sont plus aisément distingués. Au contraire, la pensée semble dominée par la lecture de quelques groupes de chapitres de la Cité de Dieu. Le commentaire de Vivès apporte le plus souvent des références stoïciennes fort proches de celles qu'utilise Montaigne, sinon exactement les mêmes. Parce qu'elle se répète en tous ces essais, cette méthode de composition paraît délibérément choisie. Elle éclaire une pensée dominée par l'influence d'Augustin, et par celle de son récent commentateur. Elle reprend avec la pensée même, l'ancien jeu artistique par lequel le Père de l'Eglise faisait l'éloge des philosophies humaines, et en vantait la grandeur pour mieux affirmer la supériorité du christianisme. Sans doute pouvait-il entrer ainsi beaucoup de l'exercice stoïcien dans la pratique chrétienne; encore recevait-il telle valeur de la spiritualité nouvelle à laquelle il se prêtait, que la sienne disparaissait, dénaturée. Le dépouillement stoïcien qui est attente et préparation, est sans commune mesure avec un détachement chrétien où l'âme trouve déjà en soi jouissance de l'éternel.

L'utilisation du Commentaire de la Cité de Dieu *dans le second livre des* Essais.

Si le recours constant de Montaigne à la Cité de Dieu assure l'unité des premiers essais, et non les maximes stoïciennes à partir desquelles Augustin déjà autorisait et différenciait sa pensée, on ne peut plus admettre que l'auteur des *Essais* ait évolué du stoïcisme à l'épicurisme. Accordant à ceux des chapitres du livre II qu'il date de 1572 la même forme de composition en mosaïque qu'il a prêtée à ceux du premier livre, Villey croit cependant discerner un revirement, et un approfondissement. En fait, s'il y a changement entre les deux livres, c'est seulement dans leur objet. Le premier fait œuvre d'exposition, tandis que le second s'oriente vers la lutte philosophique.

Le titre *De l'inconstance de nos actions*, pour ouvrir le combat du livre II, affirme la variabilité augustinienne. Vivès, dans sa Préface à l'édition de *la Cité de Dieu* en avait repris le principe, à Augustin[46], opposé en cela au retour cyclique et à l'identité des êtres qui fondaient le matérialisme aristotélicien. Mais Montaigne prend sa référence dans *la Cité de Dieu*; car si la première phrase porte un accent personnel, la conclusion avoue presque l'autorité à laquelle il se réfère par la gravité du terme de l'Ecriture : «Il faut sonder jusqu'au dedans » ; la fin même : « je voudrois que moins de gens s'en meslassent », rappelle la limite qu'apporte Saint Paul à la connaissance de l'homme : « qui parmi les hommes, sait ce qui est dans l'homme, sinon l'esprit de l'homme qui est en lui. »[47] La citation se trouve au livre XIV chapitre IV de *la Cité de Dieu* où Augustin explique, par la théorie des passions, ce branle et ces pièces diverses que Montaigne voit en l'homme. C'est, par ailleurs, le livre V chapitre XII qui a fourni l'éloge du jeune Caton.

Pour Augustin, le personnage de Caton s'est approché de la vraie notion de vertu par une morale de mesure qui donne l'unité intérieure à sa vie[48]. C'est aussi l'idée que retient Montaigne sous l'image toute moderne qu'il impose, de l'harmonie de l'être à travers celle du clavecin, louant l'égalité de mœurs qui reluirait en la vie de qui aurait prescrit et établi certaines lois et certaine police en sa tête : « qui en a touché une marche, a tout touché; c'est une harmonie de sons tres-accordans, qui ne se peut démentir. »[49] L'emprunt paraît-il douteux, les deux vers de l'*Odyssée* traduits par Cicéron et conservés par Augustin au chapitre VIII de ce même livre V l'attestent. Dans un chapitre où Augustin tente de concilier le déterminisme stoïcien avec la liberté humaine et sa propre doctrine, les vers d'Homère ne sont cités par lui que parce que Cicéron les donne comme fréquemment repris par les stoïciens. Le commentaire de Vivès ne se borne pas à montrer que la traduction du deuxième vers ne correspond pas au texte grec, mais il dégage dans le rôle de Jupiter l'absence de liberté humaine que suppose une pareille maxime : « Ce sont les paroles d'Ulysse à Phemie affermant que les pensées des hommes se changent souvent, et qu'elles ne s'accordent pas tousjours avec elles mesmes, et qu'elles sont tous les jours telles, comme Jupiter le père des Dieux et des hommes veut qu'elles soient, ce mesme jour là ». Dans le commentaire au même chapitre, Vivès éclairait auparavant à l'aide du *De divinatione* de Cicéron la position stoïcienne qu'Augustin cherchait au contraire à dissimuler habilement. Il se référait à la lettre 107 à Lucilius à laquelle

Montaigne ne fait pas d'emprunts directs, mais qui contenait pourtant déjà les images de flux qui nous emporte, de l'eau bonasse ou ireuse, l'idée de la variabilité des mondes, et celle des contradictions des êtres que Montaigne a retrouvées dans les lettres qu'il a lui-même utilisées. Mais dès la première rédaction, Montaigne, comme dans les autres essais, avait bien limité le sens de ces emprunts, les faisant suivre de cette affirmation de l'existence d'une liberté humaine que nous négligeons : « A qui auroit prescript et establis certaines loix et certaine police en sa teste, nous verrions tout par tout en sa vie reluire une equalité de meurs, un ordre et une relation infaillible des unes choses aux autres. »[50] Ainsi se rejoignent les deux thèmes de l'essai. L'affirmation de la variabilité humaine autorisée par la théorie des passions au XIVe livre de *la Cité de Dieu,* se trouve justifier l'éloge de Caton emprunté au Ve livre où Augustin tente de concilier le stoïcisme à sa propre doctrine[51]. Mais Montaigne suit davantage encore Vivès et ne retient de la conciliation que la poésie des vers d'Homère, et les belles images de la fuite du monde, empruntées à Sénèque. Orienté vers la lutte philosophique, il souligne la distance que met entre la pensée stoïcienne et la sienne la croyance en la liberté humaine. Irrémédiables pour les stoïciens, la variabilité et le branle perpétuel de l'homme, restent dans l'augustinisme au contraire, soumis à une morale de mesure et à la volonté.

Cet essai que Villey reconnaît comme de la même époque que les chapitres philosophiques du livre I, de même composition aussi, exprime bien encore les mêmes idées. Et en groupant dans ce livre II ces premiers essais avec ceux qui leur sont postérieurs, mais proches par le sens ou l'objet poursuivi, Montaigne semble avoir réfuté cette hypothèse d'une évolution de sa pensée. C'est dans la reconnaissance même de la variabilité du monde, essentielle à la doctrine augustinienne, qu'il manifeste sa constance et sa fidélité. Cette mouvance de toute chose créée, il la retrouve encore en lui ; mais, dans le jugement qu'il en porte pourtant, il atteint déjà à la stabilité, tant la connaissance de soi accède à l'éternel.

La connaissance d'Augustin révélée par les essais personnels

Par le jeu des additions successives, les premiers essais ont montré que Montaigne revenait sur le texte qui avait causé son inspiration première, ou du moins lui avait suggéré l'emprunt. Il complétait l'expression première en faisant appel au même passage, et à l'érudition de Vivès qui lui permettait de l'éclairer et de l'enrichir d'exemples, d'anecdotes et de citations. On pourrait croire, du moins, qu'échappent à toute influence livresque les essais où Montaigne s'abandonne à la peinture de soi-même. Un chapitre qui, selon Villey, date de la fin de la première rédaction, où tout selon lui « est personnel », et dont « l'intérêt est uniquement de nous faire connaître Montaigne »[52], sera particulièrement révélateur.

L'essai *Des livres* ne répond plus à la méthode de composition précédemment étudiée. Comme le troisième livre déjà, plus que sur des citations de détail empruntées à Augustin, il repose sur la connaissance générale de son œuvre, et sur une conviction intimement partagée. C'est en augustinien que Montaigne pense les problèmes de son temps, et réagit aux philosophies adverses, sans partir désormais du texte même d'Augustin. Il l'a pourtant tellement utilisé qu'il le reprend, consciemment parfois, ou involontairement dans l'expression d'un essai antérieur. Plus personnel et spontané, comme le voulait Villey, l'essai *Des livres* nous livre une pensée pourtant toujours imprégnée du même auteur. On peut affirmer que Montaigne n'a pas seulement la connaissance de *la Cité de Dieu* que lui acordait Villey; mais, puisée déjà à travers le *Commentaire* de Vivès, et plus tard à travers l'œuvre de Sanchez, cet essai atteste la connaissance de la pensée des plus grands ouvrages d'Augustin, du *De Doctrina christiana*, du *De Trinitate*, et des *Confessions* principalement.

Si Montaigne, dans l'essai *Des livres*, exprime bien ses goûts personnels, parce qu'il partageait aussi les exigences philosophiques et morales de l'augustinisme, il communie comme nécessairement avec ceux qu'avait exprimés Augustin et qui répondaient à ses grandes affirmations doctrinales. Montaigne formule certains refus littéraires que justifie un objet privilégié. Enfin, le raisonnement essentiel à la doctrine, celui qui permet d'atteindre l'homme et Dieu même, à travers lui, figure dans l'essai.

Montaigne, guidé par Augustin, reprend fréquemment l'œuvre de Cicéron; c'est à lui encore qu'il emprunte la condamnation et le refus qu'il en professe en son livre. Sans doute l'œuvre philosophique de Cicéron est-elle très diverse; mais Montaigne, après Augustin, s'autorise fort bien d'une pensée opposée pour en puiser la force, et mieux en triompher ensuite. C'est au contraire, au temps de la querelle du Cicéronianisme, à l'orateur même que s'en prend l'essai *Des livres*. Pour violente qu'ait été la controverse à cette époque, il n'appartient à notre sujet que de montrer que la connaissance d'Augustin explique et justifie pleinement la position de Montaigne. Comme Sanchez après lui, il fonde ses refus sur un principe religieux. Avouant sa dette envers les ouvrages de philosophie morale, mais non toujours son adhésion à la pensée qu'ils expriment, Montaigne étend sa critique à toute l'œuvre de l'orateur en général. Il attaque d'abord son style : « sa façon d'escrire me semble ennuyeuse, et toute autre pareille façon »[53], et il justifie l'affirmation dont il a souligné « l'impudence »: « ses prefaces, definitions, partitions, etymologies, consument la plus part de son ouvrage, ce qu'il y a de vif et de mouelle est estouffé par ses longueries d'apprets ». La phrase suivante lui refuse « suc et substance », la lenteur des approche ne laisse que « vent ». C'est critiquer l'art oratoire et la science de bien dire, au nom de la sagesse ou de la recherche de la vérité. Vivès déjà pourrait avoir inspiré ce jugement. Dans les pages les plus passionnées[54], il se défend de faire de la rhétorique, et préfère abréger que de paraître « declamer ». Il condamne aussi bien l'art oratoire cicéronien que la logique aristotélicienne, tout exercice de la raison discursive lui paraissant également vain. Mais il manifeste en cela une vigueur qui trahit l'esprit d'un parti. Ainsi déclare-t-il sa préférence pour le platonisme, accusant la philosophie postérieure d'être devenue mensongère : « Mais apres que les disciplines ont commencé à estre theatrales, et qu'on a estime que tout le fruict d'icelles estoit de tromper en disputant, et clorre la bouche et jetter la poudre aux yeux, et ce par un sçavoir fort ignorant, et avec des noms forgez à leur plaisir, les livres de la logique et de la Physique d'Aristote ont semblé plus propres à cecy. »[55] D'autres pages s'attaquent, avec même violence, à cette logique discursive qu'il accuse de n'être qu'artifice chez les disciples chrétiens d'Aristote: Cette triple condamnation de l'art oratoire de Cicéron, de la logique et de la physique d'Aristote et de leur application dans la scolastique, s'autorisait d'Augustin. Et les termes de Montaigne paraissent plus proches des siens que ceux mêmes de Vives.

Pour Montaigne, pour Vivès, depuis longtemps pour la pensée bonaventurienne, le *De Doctrina christiana* qui, dans son programme d'études hâtées pour former de nouveaux prêtres, avait contribué à limiter l'enseignement scolastique à certaines disciplines, pouvait aussi à l'inverse constituer une arme, et une autorité pour le condamner. De toutes les connaissances, Augustin, si savant lui-même ne conservait dans cet ouvrage, que ce qui pouvait être utile au ministère et à la foi. Des sciences l'histoire seule, et Montaigne lui accorde une place privilégiée dans *L'institution des Enfans*, mais aussi dans tous ses essais où Plutarque et tous les historiens anciens et modernes viennent apporter l'anecdote qui permet de cerner la vérité humaine. Des langues, Augustin demandait l'apprentissage du grec et de l'hébreu[56]. Depuis Lulle, le mouvement bonaventurien espagnol reprenait cette exigence. Par leur enseignement, la Renaissance répondait déjà à un besoin religieux. Pour sa part, Montaigne n'en discute pas la nécessité, mais précise seulement la méthode qui permettra de les acquérir. L'étude de la dialectique était ensuite limitée sinon proscrite. Dans son principe, cet art est illusoire et ne fait que mettre en formules une justesse de raisonnement fixée de toute éternité par Dieu. Dans la pratique, il est dangereux, car il engendre « la passion de la dispute, et une certaine ostentation à duper l'adversaire. »[57] Par voie de conséquence, Augustin critiquait ensuite « définition » «divison», et « distribution » qui président à tout art du langage. Parce que les définitions de choses fausses peuvent être vraies, elles ne font pas non plus avancer vers la vérité. Ni Montaigne, ni Vivès ne condamnaient cette limitation qu'expliquait l'urgence de la formation des futurs prêtres, mais qui se justifiait par un doute fondamental sur la logique humaine, et avant tout peut-être par la crainte toute morale que l'orgueil de soi ne détournât l'homme de Dieu. Ce sont les deux aspects du *De Doctrina christiana* qu'a retenus Vivès, et qui animent sa lutte contre l'aristotélisme. Dans son essai, Montaigne paraît plus proche encore des termes d'Augustin. Il y puise une opposition plus profonde sur le plan de la recherche de la vérité. L'art, qui se perd en définitions, partitions, etymologies, étouffe dans l'ouvrage « ce qu'il y a de vif et de mouelle. »[58] Il lui est facile ensuite de renchérir en affirmant un jugement qu'il prête au « commun », pour aggraver le cas de Cicéron, « qu'il n'y avoit pas beaucoup d'excellence en son ame. »[59] Dans un platonisme où vérité et bonté se confondent, le refus de l'excellence accable l'homme, comme le philosophe. C'est pauvre concession que de lui laisser la science tout humaine de son art qu'il appartient aussi à l'homme de contester. Ce sera le rôle du pauvre Caestius dont le malheur accablera la mémoire de Cicéron de la dernière réprobation.

On peut dire alors que Montaigne, qui s'attaque à l'homme, est plus dur encore qu'Augustin qui juge la science. Un texte pourtant autorise l'autre. Montaigne ici, sans qu'aucune référence de Vivès ait pu le guider, paraît plus proche que lui du texte d'Augustin. Son jugement fondé sur le même texte du *De Doctrina christiana* en retrouve les principaux aspects.

Si, pour ce refus de l'art de Cicéron, qui s'insère dans les grands courants d'idées du XVIᵉ siècle, Montaigne ne semble point avoir été conduit par Vivès à la connaissance de l'œuvre d'Augustin, du moins peut-on dire que les recherches effectuées dans ses *Commentaires*, rappelant une lecture de collège ont pu guider ses choix. La prédilection pour Térence au XVIᵉ siècle se justifie par une orientation religieuse, comme le refus de Cicéron ; et les plus grands textes augustiniens l'autorisent.

Avant d'affirmer dans l'essai son goût pour Térence, Montaigne l'a utilisé souvent dans son livre pour imposer un passage d'Augustin qui le citait déjà, ou que le commentaire de Vivès prétendait inspiré par lui.

Déjà étudié sous d'autres aspects, l'essai XXIII du livre I emprunte à *la Cité de Dieu*[60] le raisonnement qui fait du désordre du monde le châtiment de la désobéissance originelle de l'homme : « La misère de l'homme en effet, est-ce autre chose que la révolte de lui-même contre lui-même ? Parce qu'il n'a pas voulu ce qu'il pouvait, il ne peut plus ce qu'il veut. Avant le péché, tout ne lui était pas possible dans le paradis assurément ; mais ce qu'il ne pouvait pas, il ne le voulait pas : il pouvait donc tout ce qu'il voulait ». Le commentaire de Vivès renvoyait le lecteur à l'*Andrienne* de Térence, dont le vers que paraphrasait Augustin était cité encore au même livre, dix chapitres plus loin. De même, cet essai *De la coustume et de ne changer aisément une loy receüe*, peignant le désordre politique du monde affirmait dès la première rédaction : « et vaudroit mieux faire vouloir aux loix ce qu'elles peuvent, puisqu'elles ne peuvent ce qu'elles veulent. »[61] Et Montaigne était à lui-même ensuite, dans la rédaction de 1588, son propre Vivès, qui avouait sa source, en insérant dans l'essai deux pages plus haut, une autre citation de l'*Andrienne*. De même encore, *De l'affection des pères aux enfants*[62] offre une citation des *Adelphes* qui est née d'un emprunt à *la Cité de Dieu* et date de la première rédaction[63]. Dans un chapitre qui fait place, comme le passage d'Augustin, au regret de la misère humaine dans la vie familiale, Montaigne confirmait encore l'emprunt, revenant dans l'édition de 1588 sur sa première lecture d'Augustin, mais aussi sur celle de Térence en rajoutant un autre fragment pris à la même pièce[64]. Ainsi, les différents essais conduisent à penser que bien des citations de Térence s'imposent à Montaigne par sa fidélité au texte de *la Cité de Dieu*. L'essai *Des Livres,* à son tour, prétend pour le même auteur affirmer un goût personnel. Mais Montaigne s'y défend aussi de déclarer ses emprunts en raison de leur évidence : « Ils sont tous, ou fort peu s'en faut, de noms si fameux et anciens, qu'ils me semblent se nommer assez sans moi. »[65] Pourtant, lorsque pour justifier sa prédilection, il substitue le nom de Cicéron à celui d'Augustin, il faut reconnaître qu'il force un peu le jeu qu'il avoue s'être permis avec le lecteur. Et peut-être ne faut-il pas prendre au mot non plus l'auteur qui condamne son garant dans le même essai : « (A) Pour l'estimation et préférence de Terence (C) faict beaucoup que le pere de l'eloquence Romaine l'a si souvent en la bouche, et seul de son rang. »[66] L'admiration d'Augustin pour Térence, la fidélité de Montaigne à son jugement, ne justifient ni son silence sur l'auteur qu'il suit en réalité, ni la contradiction que marque en l'essai cette addition de l'exemplaire de Bordeaux. Les emprunts faits à Térence dans les autres passages, l'enthousiasme exprimé dans le chapitre *Des livres* laissent transparaître, sous l'éloge, une adhésion délibérée. Le choix, qui se justifie par la beauté de détail, poésie ou formule, aux dépens de la fable, est héritage philosophique plutôt que libre jugement. Ce que Montaigne cherche en Térence, c'est l'émotion poétique qui impose le sentiment; mais cette émotion aussi suppose que la grâce est appuyée sur une réalité, la saisie de l'humain sans doute. C'est ainsi qu'il faut prendre la phrase : « Les perfections et beautez de sa façon de dire nous font perdre l'appetit de son subject; sa gentillesse et sa mignardise nous retiennent par tout; il est par tout si plaisant.

Liquidus puroque simillimus amni,
et nous remplit tant l'ame de ses graces que nous en oublions celles de sa fable »[67]

Ainsi s'exprime le refus du discursif pour cette pénétration directe de l'âme que permet la poésie. A travers le vers d'Horace, s'impose la saisie d'un objet, non point directe, mais perçue par la transparence de l'eau, dans une ressemblance qui approche de l'absolu, la saisie augustinienne de cette pureté lointaine.

A travers cet éloge auquel la poésie aussi prête une exigence de vérité, peut-être tout artistique, nous ne pouvons percer la part de spontanéïté dans les goûts de Montaigne. Habité par le charme des vers, il en joue aussi sur le lecteur, et la réussite est justification. Du moins faut-il conclure que Montaigne a trouvé lieu d'exprimer sa prédilection pour Térence dans l'exposé de la pensée d'Augustin, ou qu'une communion plus profonde a entraîné aussi entre eux le partage des mêmes goûts littéraires.

L'appréciation de Montaigne sur deux auteurs anciens, se justifie ainsi par l'appel à Augustin. Sa manière de lire, qui est aussi celle de penser, répond encore à la description que donnent de la pensée humaine les grands traités philosophiques que sont le *De Trinitate* et les *Confessions.* Sous la liberté apparente de l'essai, Montaigne se fonde sur les grands raisonnements de la pensée augustinienne repris en ces ouvrages.

Le plaisir que peut donner la lecture de Térence à qui ne se soucie point de son sujet, ni de la fable, l'émotion subtile provoquée par ses grâces, une illumination de l'âme en somme, qui l'emporte sur un rationnel qu'elle paralyse, correspond à une méthode de lecture que Montaigne sait très particulière, et qu'il nous définit aussi en son essai comme supérieure. Le choix des auteurs est gouverné par la recherche de l'émotion ainsi dépeinte à propos de Térence.

Avant de s'attacher à ses goûts, Montaigne les justifie par cette opposition entre science ou vérité, et jugement. De la science, il n'accepte que la connaissance de soi qui permet de bien vivre, et il définit le plaisir que lui donne le jugement dans la lecture. Son intelligence du livre n'est point discursive. Elle est sans continuation ni obstination. Elle opère « à secousses » « reprinses, et reiterées ».[68] Luisances de l'écarlate, ou attirance vers la transparence du fleuve, Montaigne adopte une théorie de la connaissance qu'Augustin formule non pas dans *la Cité de Dieu*, mais au *De Trinitate*. L'enseignement s'en trouvait diffus dans *la Théologie Naturelle*. Les *Commentaires* de Vivès en donnaient aussi une connaissance plus précise, avec la référence aux passages concernés dans l'œuvre d'Augustin. Distinguant la science de soi de toutes les autres, Montaigne reprend exactement la séparation que marque Augustin, après Platon, entre les objets de connaissance sensible et les vérités intelligibles. Placées dans l'éternel, ces vérités se communiquent par une forme de connaissance qui leur est propre, et reste ponctuelle pour des être établis dans la durée et l'étendue. A la difficulté de ces intuitions directes et immédiates, s'ajoute un

« éblouissement »[69] dû à notre nature finie, et par là incompatible avec les vérités saisies; par suite tout accès aux vérités éternelles est nécessairement discontinu. L'atteinte se fait par retour sur l'objet de la pensée. Ainsi, Montaigne parle de faire « une charge ou deux » aux difficultés qu'il rencontre en lisant. Cette description du jugement, déjà celle qui se trouvait dans l'*Institution des Enfants*, recherche l'apparence de la fantaisie. On veut bien admettre qu'elle dépeint les « facultés naturelles » de l'auteur des *Essais*. S'il ne les a point acquises, il faut reconnaître, par le rapprochement des termes qu'il sait fort bien cependant qu'elles répondent à une forme de pensée supérieure. Augustin avait célébré la valeur privilégiée de cette recherche que Montaigne désigne comme sienne : « si j'estudie, je n'y cherche que la science qui traicte de la connaissance de moy-mesme »[70]. Dès la première rédaction, il fait de la connaissance de soi le but de son livre. le γνῶθι σεαυτόν socratique avant d'être une morale, est présenté comme un moyen d'investigation. Il répond à un désir de vérité poussé jusqu'à l'absolu, auquel Montaigne cède, mais préfère encore le bonheur : « Je souhaiterois bien avoir plus parfaicte intelligence des choses, mais je ne la veux pas achepter si cher qu'elle couste. Mon dessein est de passer doucement et non laborieusement, ce qui me reste de vie. »[71] La passion de la connaissance du philosophe antique trouve ses limites dans l'exigence de douceur. Telle est la marque chrétienne qu'Augustin a imposée à cette philosophie. Pareil sentiment anime le début du livre du *De Trinitate*[72], le plus souvent imité par les bonaventuriens. La poursuite de la science y cède la place à la « chaleur de l'esprit Saint ». Et seule la connaissance de soi peut satisfaire qui éprouve « de la douceur à pleurer ».

Montaigne semble ainsi rappeler l'opposition de l'expression augustinienne, et propose dans la connaissance de soi une satisfaction et une jouissance supérieure. Surtout, comme Augustin, dans le γνῶθι σεαυτόν il ne renonce point à la science, mais préfère à celle qui embrassait le monde jusqu'en ses limites, une introspection qui attachant le bonheur à la poursuite même, opère la pleine réalisation de l'homme. Si la fin de la phrase doublait cette connaissance d'un aspect moral, puisqu'elle enseignait à bien mourir, le verbe vivre, si étrangement placé après son contraire, le vers de Properce aussi, suggéraient qu'avec le galop du cheval, cette nouvelle science s'ouvrait vers un autre infini.[73]

Un appel aux raisonnements des *Confessions* ou du *De Trinitate* dans le paragraphe qui précède, nous renseigne sur la nature de cet infini. Déjà au livre I, la connaissance de soi avait donné d'étranges surprises qui n'appartenaient plus au platonisme. Il s'agissait cependant d'une addition de l'exemplaire de Bordeaux : « Ceci m'advient aussi : que je ne me trouve pas où je me cherche ; et me trouve plus par rencontre que par l'inquisition de mon jugement. »[74] La connaissance de soi, du moins, ne procédait pas par intelligence logique, mais par surprise de l'esprit. L'*Institution des Enfants*, toujours dans l'exemplaire de Bordeaux, retournait en quelques sorte cette quête de soi pour montrer la vanité de toute autre : « qui suit un autre, il ne suit rien. Il ne trouve rien, voire il ne cerche rien ». Désormais, la recherche personnelle pouvait seule assurer la découverte de la vérité, mais aussi la recherche, en soi, de sa propre conviction. L'introspection s'appliquait à l'exercice de la pensée, et par là accédait à l'éternel. Tel est bien l'infini aussi que semblait saisir Montaigne dans l'essai *Des Livres*. Mais dans les deux essais cette quête prend un accent particulier du raisonnement qu'elle comporte. La phrase au moins de l'*Institution est* formule travaillée pour donner l'impression de vérité irrésistible ; elle est calquée sur un autre raisonnement dont elle tire tout son sens. Il suffit, cette fois encore, de la retourner pour retrouver l'argument du « cogito » augustinien. Au *De Trinitate* parlant de l'âme, Augustin affirme : « le fait même de se chercher est donc la preuve qu'elle se connaît plus qu'elle ne s'ignore »[75] et aux *Confessions* : « la femme qui perdit une drachme et la chercha avec sa lanterne ne l'eût pas trouvée si elle ne s'en fût souvenue. »[76] Dans la conscience de la recherche tient toute la découverte. Montaigne avait évidemment lu les *Confessions* quand dans l'exemplaire de Bordeaux, il ajoute que la fidélité à autrui empêche, en soi, toute découverte. L'intérêt de l'essai *Des Livres* est de montrer au contraire ce raisonnement présent en son œuvre dès la première rédaction : « Voire la reconnoissance de l'ignorance est l'un des plus beaux et plus seurs tesmoignages de jugement que je trouve. »[77] Cette ignorance, envers de la recherche de la vérité augustinienne, par sa conscience seule, constitue déjà et la preuve de l'activité du jugement, et une saisie de l'éternel. Le retour de l'homme sur le besoin de son esprit, atteste la certitude de l'existence d'un absolu qui le dépasse, en est l'approche, et déjà l'atteinte. Toute la profondeur de la pensée augustinienne tient en cette affirmation.

Humaniste et philosophe platonicien, par cette passion du vrai qui l'anime, qui le tente après tous les bonaventuriens, Montaigne satisfait encore à cette aspiration en réalisant cette conversion chrétienne qui place avant l'absolu de vérité, la soif d'un bonheur qui se confond avec l'amour. La seule connaissance de soi tournée vers la saisie des aspirations supérieures à notre nature, satisfait cet instinct profond, et réunit dans une même réalisation science et conscience. L'aise de Montaigne est le contentement supérieur de l'esprit, un acte de la pensée où il dépasse sa propre condition dans une atteinte à l'eternel. Il ne saurait se confondre avec une jouissance épicurienne qui, dépossédée du temps, se retourne vers l'instant et la matière. Dans ces aspects, l'essai prend une autre dimension que celle qu'on lui prête d'ordinaire, de l'expression d'une spontanéïté ou d'une causerie d'honnête homme.

Parce qu'il a une source livresque dans les goûts même qu'il exprime, et le fondement philosophique dont il les justifie, l'essai *Des Livres* se présente comme le meilleur témoignage pour nous de l'augustinisme de Montaigne. Les aspirations profondes, les grandes conversions de l'esprit qui ramènent au christianisme les philosophies antiques s'y expriment dans une clarté de style qui laisse croire à la facilité de la pensée. Montaigne y atteint ainsi le comble de l'art en apportant cette exigence d'évidence absolue au raisonnement qui, faisant passer toutes les valeurs d'une civilisation morte dans une religion de l'amour, régénérait le monde. Le problème pour la critique reste cependant entier de savoir par quel commerce livresque ou vécu, l'auteur des *Essais* a pu avoir si profonde connaissance d'une pensée à laquelle le commentaire de Vivès n'apportait qu'une référence.

Les goûts qu'avoue Montaigne dans l'essai *Des Livres* semblent témoigner d'une correspondance profonde avec les pricipes exprimés par Augustin au *De Doctrina christiana*. S'il refuse l'art du langage qu'a illustré Cicéron, et célèbre la valeur de l'histoire, la lecture même de *la Cité de Dieu* a pu éveiller sa sensibilité à la jouissance des vers de Térence. Il se fonde, en fait, sur les raisonnements privilégiés du *De Trinitate* et des *Confessions* pour ravaler la science humaine, au profit de cette illumination de l'esprit que donne l'introspection, dans la connaissance des vérités éternelles.

Montaigne n'a point connu le divorce entre les sciences humaines et la foi que supposeraient des tentations stoïciennes, puis épicuriennes révélées dans ses *Essais* par des maximes et des emprunts, rompant la ligne de sa pensée propre. La lecture de *la Cité de Dieu*, au contraire, et une connaissance de toute l'œuvre d'Augustin beaucoup plus large que n'en pouvait même donner *le Commentaire* de Vivès, lui avaient communiqué, avec ses goûts littéraires, la préférence de la science de l'homme sur celle du monde, et dans sa recherche même, la saisie du divin.

Mais plus largement la vie aussi devait être bonne pour un homme qui unissait à cette pensée participant au divin, un corps créé par Dieu.

CHAPITRE II

LA DECOUVERTE DE L'HUMAIN

L'homme d'Augustin que présente Vivès à Montaigne ne tire pas toute sa valeur de cette introspection platonicienne dont les saisies restent toujours fugitives dans l'illumination. Il est un corps aussi, voulu par l'intelligence divine depuis la création, et comme tel, essentiellement bon. Muable, comme toute chose au monde, porté par les passions qui l'animent, l'homme est libre aussi, qui peut les régir. En cela consiste toute la vertu, si réelle que, avec l'aide de la grâce divine, dès avant la Révélation, elle a pu accéder à la vérité éternelle. Si heureusement doué, l'homme devait accéder à la pleine réalisation de sa condition, dont le privait encore une injustice de l'époque.

La variabilité humaine

Montaigne, en ses *Essais*, exprime la conception de l'homme qui fut celle d'Augustin et que Vivès développait en son commentaire. Inconnaissable dans son comportement toujours changeant, cet homme est gouverné par des passions que la volonté ne peut ni surmonter ni extirper, mais seulement régir avec le concours de la grâce. Ainsi s'expliquent dans l'ouvrage l'importance accordée à la variabilité humaine, et l'affirmation sans cesse reprise de l'impuissance où nous sommes de juger les êtres, Socrate ou Caton; mais l'historien aussi ou le moraliste, se peuvent permettre de leur prêter l'excellence, telle qu'ils la conçoivent pour l'humanité.

Dans sa préface à *la Cité de Dieu*, Vivès avait justifié le procédé de son ouvrage par l'affirmation de son propre changement. La modification de son esprit, conditionnée par celle de son corps s'opposait en la nature de sa pensée à tout dogmatisme : « Il y a beaucoup de choses qui me semblent maintenant vrayes, certaines et asseurees, lesquelles s'il advient que je vive plus long temps, non seulement à raison de l'aage ne me sembleront pas doubteuses, ainsi aussi tresfaulses. »[1] Pour lui l'affaiblissement du corps causé par l'âge se double de celui de l'esprit, et de la réflexion. Sans savoir jamais à quel instant jaillit la vérité, il affirme seulement la transformation d'une pensée dont la progression reste essentiel-

lement mystérieuse, en ses causes contradictoires. Montaigne en
ses *Essais* reprend cette affirmation presque dans les mêmes
termes[2]. Il sait pourtant qu'il ne corrige que bien peu son livre
d'une édition à l'autre, mais il l'approfondit par un retour aux
mêmes sources. Ainsi démenti par l'œuvre, le principe de l'évolution de la pensée se présente comme imposé par la doctrine.

Comme Vivès faisait précéder son commentaire de l'affirmation
du principe qui en avait réglé la forme d'art, Montaigne, refusant
le terme de « leçons » à la mode en son temps, parce qu'il suppose
instruction et dogmatisme, préfère présenter des « essais ». C'est
avouer qu'à la manière que, dans l'*Institution des Enfants*, il
prétend celle de **Plutarque,** il « guigne » le lecteur pour le conduire
du doigt où il lui plaît, se bornant à donner cette atteinte dans
le vif du propos d'où naît spontanément la conviction du jugement[3]. Il ouvre son recueil sur un premier chapitre où il affirme
cette variabilité humaine dont la reconnaissance doit, par avance,
imposer au lecteur la peinture des passions humaines. Les essais
suivants, en fournissent l'explication.

Il faut bien reconnaître avec Villey que ces essais datent des
débuts de la composition littéraire chez Montaigne. La fidélité
dans l'imitation de passages précis de *la Cité de Dieu* et du *Commentaire* de Vivès confirme l'utilisation des lectures alléguées par
le critique. Avec lui on peut admettre que ces essais « puent un
peu l'étranger », par opposition à ceux où Montaigne se livre
à la peinture du moi. Cependant, groupant différents chapitres
par thèmes, et non d'après ces dates de composition que leur donne
très justement Villey, Montaigne n'a point rejeté ni méprisé ceux
qu'il a ainsi destinés au lancement de tous les autres. En chacun,
il part d'une idée augustinienne que l'histoire antique ou contemporaine lui permet de développer. Il en tire une nouvelle vision,
un prolongement parfois plus humain, qui atteste le progrès d'une
civilisation chrétienne dans ses exigences mêmes, à travers les
horreurs de son époque. Etrangers, ils le sont sans doute par un
abandon plus complet à cet ouvrage d'Augustin qui s'appuie sur la
peinture des cités humaines pour imposer l'existence de celle de
Dieu. Comme Sebon aussi dans une première partie de *la Théologie
Naturelle* cultivait, à l'imitation d'Anselme, l'introspection augustinienne pour y retrouver les affirmations essentielles au christianisme, comme Augustin encore, dans les autres ouvrages, *De
Trinitate*, et *Confessions* dont les *Essais* semblent bien refléter une
connaissance sinon directe, au moins très sûre, Montaigne dans les
chapitres postérieurs, a visiblement préféré fonder sa réflexion sur la
connaissance de soi. Ce n'était point mépriser ses essais précédents ;
et il les pouvait sans rupture juxtaposer en son livre comme les deux
pentes du cheminement augustinien vers la connaissance de
l'éternel.

Ainsi justifié par la doctrine du Père de l'Eglise que Montaigne utilise, l'essai *Par divers moyens on arrive à pareille fin*, reprend toute sa valeur de Préface. Il annonce, avec les thèmes du livre, son orientation même. Peinture tout extérieur de l'homme, sa variabilité est bien une idée capitale pour Montaigne, puisque, dit Villey lui-même « d'édition en édition, ce chapitre s'est notablement enrichi. »[4] Pour l'augustinisme, elle permet encore de justifier toute l'analyse des passions humaines, et la conception de l'homme que développe l'ouvrage. L'imitation flagrante de Vivès était aussi nécessité pour celui qui partageait même vision du monde.

Montaigne, dans l'*Institution des Enfans*, se souvient avec précision de la phrase de Vivès, quand il affirme, dès la première rédaction, se livrer de préférence à la connaissance de soi : « Je ne vise icy qu'à découvrir moy mesmes, qui seray par adventure autre demain, si nouveau apprentissage me change. »[5] Le premier essai prétend généraliser cette réserve sur soi-même qui était celle de Vivès, et l'élever en une contemplation largement humaine : « (A) Certes, c'est un subject merveilleusement vain, divers et ondoyant, que l'homme. Il est malaisé d'y fonder jugement constant et uniforme. »[6] Dépeint dans l'essai avec toutes les cruautés de l'assouvissement passionnel des chefs d'armées victorieuses sur les peuples vaincus, l'homme pourtant, de la phrase de Montaigne, reçoit un pathétique irrésistible. C'est une inquiétude profonde sur sa nature qui domine cette observation sur son comportement. Elle mérite bien d'ouvrir l'ouvrage. Récits des historiens antiques et contemporains, confidences sur soi-même, Montaigne a organisé ainsi tous les éléments de son livre en une profonde unité. Par cette angoisse sur la condition humaine, il met sa misère en sa nature même, en ce jeu des passions du vainqueur, toutes puissantes ou susceptibles de changement.

Dès la première rédaction, cette belle phrase qui développait l'inquiétude humaine et devait présider à l'ordonnance de l'ouvrage était justifiée par deux exemples contradictoires et nous laissait sur le regret de la cruauté : « Et l'hoste de Sylla ayant usé en la ville de Peruse de semblable vertu, n'y gaigna rien, ny pour soy ny pour les autres ». Cette mélancolie sur toute violence, sentie pourtant comme inévitable, avouait déjà la source précise de l'ouvrage dans *la Cité de Dieu*. Une addition de la deuxième édition la révèle plus clairement dans les termes : « si est la pitié passion vitieuse aux Stoïques : ils veulent qu'on secoure les affligez, mais non pas qu'on fléchisse et compatisse avec eux. »[7] Dès lors, l'essai présentait cette variabilité comme conséquence des passions humaines, et prenait, sur ce point, position philosophique en réfutant, par l'exemple, les opinions des stoïciens. Cette réfutation, les essais de la même époque l'empruntent sans cesse aux livres IX et XIV de *la Cité de Dieu*. Augustin reprenant à Aulu-Gelle l'anecdote du philosophe stoïcien effrayé par la tempête[8] précisait, choisissant parmi les passions humaines celle de la miséricorde : « Les stoïciens, il est vrai, blâment habituellement la miséricorde ». Augustin leur opposait l'éloge de Cicéron à Cesar : « De tes vertus aucune n'est plus admirable, ni plus agréable que la miséricorde ». Il en déduisait cette distinction qui fonde l'essai de Montaigne entre une miséricorde, compassion de notre cœur, et un secours fondé en raison. Augustin alors, s'autorisait de Cicéron pour affirmer que cet élan du cœur devient vertu quand il sert la raison sans compromettre la justice, à l'égard d'un indigent, ou d'un repentant. La passion constituait ainsi la vertu même.

L'addition de la deuxième édition, par un passage emprunté à *la Cité de Dieu*, dans les termes mêmes de l'ouvrage, en révélait l'utilisation dès la première rédaction. Mais la pensée de l'essai qui fonde la variabilité de l'homme sur la succession ou sur la lutte des passions entre elles, se trouvait riche aussi du commentaire de Vivès qui, au chapitre précédent, exposait la théorie augustinienne à partir de Cicéron, en s'autorisant cette fois des Platoniciens et des Péripatéticiens : « Cicéron aux *Tusculanes*, enseigne combien il y a de passions, et quelles elles sont : desquelles les Stoiciens, veulent que leur sage soit du tout vuide et exempt. Mais les Platoniciens et les Peripateticiens qui sont en plusieurs choses les mesmes, disent qu'elles sont en eux de nature, et qu'on ne les scauroit du tout arracher, mais bien regir et moderer. »[9] Ainsi, s'imposait la psychologie sur laquelle repose dans l'essai, la peinture de toutes les passions ; l'une chasse l'autre, ou la renforce. L'admiration de l'Empereur Conrad ne peut se confondre avec un effort de la raison, elle est « plaisir ». Il pleure d'aise. Il apparaît ainsi que le sentiment échappe au contrôle de la volonté. De même Alexandre, devant le courage du vaincu, ne sent que jalousie et envie. Sa colère redouble, l'amour de soi lui faisant vouloir pour soi-même le mérite de la hardiesse, celle d'autrui ne peut que renforcer sa haine.

Dès ce premier essai, la variabilité de l'homme se justifie ainsi par un rapport de force entre des passions inhérentes à sa nature. Le chapitre utilisé par Montaigne appuie cette psychologie sur une référence donnée par Vivès aux *Lois* de Platon qui les considérait « comme si c'estoit quelques nerfs en l'homme, et comme quelques cordes que nature a mis dedans pour nous tirer »[10]. La philosophie platonicienne encore ne parlait que de gouverner les passions par la raison ; nécessité pour l'homme, elles étaient valeur par elles-mêmes. L'augustinisme substitue sans doute au contrôle platonicien de la raison, une orientation de l'homme vers le bien, cette volonté bonne qui en rend tous les mouvements irréprochables[11]. Tel est aussi le sens profond de la préférence pour la miséricorde dans l'ensemble de l'essai. L'angoisse sur la condition humaine que cause le spectacle des passions, ne connaît d'autre remède que ce détachement de l'amour de soi pour celui d'autrui.

La théorie augustinienne des passions

Le changement sans cesse observé dans le comportement de l'homme atteste les mouvements profonds de sa sensibilité. Dès l'ouverture des *Essais*, le premier chapitre imposait une vision et une explication du monde que ne démentaient pas les essais suivants. L'essai *De la tristesse* exerce, en effet, la même analyse sur cette passion. Si la tristesse que les Italiens nomment malignité est « qualité tousjours nuisible », parce qu'elle est l'effet d'une volonté mauvaise, ni la sagesse, ni la vertu, ni la conscience ne peuvent s'en habiller. Les deuils qui dépassent le seuil de l'endurance humaine n'ont point son expression, et n'en peuvent avoir aucune. Tel Agamemnon que les peintres au sacrifice d'Iphigénie représentent le visage couvert, ou Niobé transmuée en rocher, à laquelle le vers d'Ovide impose le silence supérieur de sa douleur : « Diriguisse malis ». La réalité aussi accomplit la même métamorphose, du moins impose le même silence au capitaine allemand Raïsciac, à la mort de son fils : « l'effort de la tristesse venant à glacer ses esprits vitaux. »[12] Tel enfin, l'illustre exemple de Psamménite dont le silence était jugé par Hérodote un témoignage de dignité, et auquel Montaigne refusant l'interprétation traditionnelle, préfère voir une force supérieure à la patience humaine « qui lui empesche la liberté de ses actions »: tandis que les larmes pour une moindre affliction, marquent ensuite le relâchement de l'esprit saisi et transi auparavant, par une pire. Chaque passion ainsi, s'empare totalement et irrésistiblement de l'âme, avec les effets qui lui sont propres et le soulagement naît de leur excès, ou de leur succession. Le terme de passion dont Montaigne, lors de la deuxième rédaction a voulu caractériser cette tristesse dans une phrase initiale, puis dans la conclusion de l'essai, soulignait sa parenté avec le précédent. Mais aussi, dans l'exemplaire de Bordeaux, le retour aux mêmes sources de *la Cité de Dieu* et du *Commentaire* de Vivès, était attesté par cette reprise du passage déjà cité dans l'essai précédent, lors de la rédaction de 1588 : « C'est une qualité tousjours nuisible, tousjours folle, et, comme tousjours couarde et basse, les Stoïciens en défendent le sentiment à leurs sages. »[13] Ainsi s'explique l'identité de pensée des premiers essais de Montaigne, par le recours à cette source commune que sont les chapitres de *la Cité de Dieu* qu'Augustin a consacrés à réduire le stoïcisme, et le commentaire de Vivès qui en éclaire la portée.

Montaigne n'a placé en tête de son ouvrage les essais qui posent la variabilité humaine, et la justifient par le dynamisme des passions, que parce qu'il fondait aussi toute sa pensée sur cette même théorie augustinienne. Un des essais du IIIe livre lui est consacré sous le titre *De la diversion*. S'appuyant cette fois sur l'événement personnel, et le souvenir peut-être des essais antérieurs, plus que sur le texte de *la Cité de Dieu*, Montaigne y manifeste une fidélité

absolue, dans l'esprit, sinon dans les termes. Ainsi déclare-t-il
l'impossibilité de s'opposer à la passion, et l'impuissance aussi de la
raison sur la volonté : « on exaspere le mal par la jalousie du
debat. »[14] Employé à consoler une dame vraiment affligée,
Montaigne n'entreprend pas de la « guerir par fortes et vives
raisons. »[15] Et il énonce, parmi ces raisons possibles, les arguments
des plus célèbres stoïciens et épicuriens, de Cicéron également. Sa
méthode au contraire, consiste à profiter de la passion pour séduire
l'esprit par le sujet le plus voisin de celui qui tourmente la dame. Il
affirme cependant n'avoir par là amené non plus aucun amendement,
parce qu'il n'avait « pas porté la coignée aux racines ». A ce
souvenir tout personnel d'un effort qui lui a confirmé l'impuissance
de la raison à dominer les passions, Montaigne ajoute des diversions,
d'ordre militaire cette fois, où comme au premier essai, le vaincu
s'efforce d'échapper à la colère du vainqueur. Déjà, au centre de
l'essai, et dès la première rédaction, la diversion du condamné
devant la mort, rappelle les textes les plus enflammés de Vivès
contre la torture. L'effort de la prière sur l'échafaud trahit la
passion violente, insoutenable, que cause l'appréhension de la mort.
Animée d'une humanité profonde, la description, dans la réalité
dépeinte, soulève l'émotion. Parce qu'elle porte sur toute condamnation en soi, sans aucune notion d'injustice, elle s'étend aussi à
toute angoisse devant la mort, et à l'inquiétude de la condition
humaine que sait éviter le soldat au combat, mais non les assiégés
devant leur vainqueur, ni le lecteur surtout que veut saisir
Montaigne : « Ces pauvres gens qu'on void sur un eschafaut, remplis
d'une ardente devotion, y occupant tous leurs sens autant qu'ils
peuvent, les aureilles aux instructions qu'on leur donne, les yeux
et les mains tendues au ciel, la voix à des prieres hautes, avec une
esmotion aspre et continuelle, font certes chose louable et convenable à une telle necessité. On les doibt louer de religion, mais non
proprement de constance. Ils fuyent la luicte ; ils destournent de la
mort leur consideration, comme on amuse les enfans pendant qu'on
leur veut donner le coup de lancette. J'en ay veu, si par fois leur
veuë se ravaloit à ces horribles aprests de la mort qui sont autour
d'eux, s'en transir et rejetter avec furie ailleurs leur pensée. A ceux
qui passent une profondeur effroyable, on ordonne de clorre et
destourner leurs yeux. »[16] Passion par excellence pour l'homme,
la peur de la mort monte ainsi jusques à la furie, elle dépasse la
mesure de la sensibilité. Images et adjectifs soulèvent notre
émotion. Mais comme les passions, et celle là particulièrement, sont
bien inhérentes à la condition humaine, la psychologie augustinienne, dans leur peinture même en présente le remède. Si la
raison est impuissante à les maîtriser, elle peuvent être équilibrées,
et chassées par d'autres passions. Ainsi, Epicurus se console de
sa fin par l'éternité de ses écrits, et Epaminondas par l'assurance
plus noble de la victoire. Par leur force, elles font place à la liberté
humaine. Chacun les peut ainsi détourner, en soi, ou en autrui.

Et Montaigne qui se flatte d'avoir lui-même diverti un jeune prince de la vengeance par l'ambition de la gloire, ou dissipé par l'amour ses propres chagrins [17], généralise dans cet essai, en mettant dans cette variabilité de l'homme, toute la bonté de la Nature : « (B) Tousjours la variation soulage, dissout et dissipe... Nature procede ainsi par le benefice de l'inconstance : car le temps qu'elle nous a donné pour souverain medecin de nos passions, gaigne son effaict principalement par là, que, fournissant autres et autres affaires à nostre imagination, il desmele et corrompt cette premiere apprehension, pour forte qu'elle soit. » [18] Dans cette religion du bonheur qu'est l'augustinisme, ce moyen laissé à l'homme d'équilibrer les passions les unes par les autres, divertissement qui, pour le condamné, ou pour nous mêmes, sur la pensée de la mort, demande tant d'effort, devient l'exercice de notre liberté sur le monde, et un moyen présenté par l'ouvrage pour dompter les passions de vengeance et de cruauté. Il est surtout libération pour l'individu qui trouve l'acceptation dans l'oubli de sa condition, et par delà cet oubli, dans la saisie d'un ordre supérieur de la Nature où toute souffrance humaine parce qu'elle s'inscrit dans le temps, disparaît par sa durée même.

Ainsi, l'essai du Troisième livre reprend-il très exactement cette variabilité de l'homme, fondée sur la succession de ses passions, sur laquelle Augustin et son disciple du XVIe siècle, Vivès, fondaient leur psychologie. Cependant, l'influence de l'ouvrage qui a suscité l'émotion première plus diffuse, se prête aussi à de nouveaux développements. La plainte et l'angoisse sur la condition humaine s'expriment sur un ton plus prenant. Les souvenirs d'une vision personnelle, la furie contre laquelle luttent les condamnés, l'effet de l'art, communiquent une émotion puissante au lecteur, et le préparent à accepter la liberté, qui est laissée à l'homme à l'intérieur de ces passions, comme un remède pour le monde, et à considérer la fuite du temps, comme la certitude d'un dépassement de sa condition dans l'éternel. C'est un ample prolongement que Montaigne a donné à sa pensée initiale. Fidèle aux passages d'où il était parti, il s'élève désormais à une pensée originale, à une vaste contemplation du monde où la variabilité de l'homme atteste la Providence divine.

La notion de vertu

Que le dynamisme augustinien des passions puisse conduire à la vaste contemplation métaphysique des derniers essais n'empêche nullement, puisqu'il fait place à la liberté humaine, de poser une notion de vertu. C'est à établir cette notion qu'au second livre s'attache l'essai *De la Cruauté*. Son titre déjà révèle qu'il traite le sujet des précédents, et part des mêmes passages de Vivès et d'Augustin. Comme Vivès affirmait que pour les Platoniciens et les Péripatéticiens les passions « sont en eux de nature », Montaigne transposait sur le mode personnel : « Ce que j'ay de bien, je l'ay au

rebours par le sort de ma naissance. »[19] De même, il prête à Socrate
« une proprension naturelle ». Comme le chapitre *De la Tristesse*,
De la Cruauté ramène toutes les passions augustiniennes à l'exemple
de cette vertu de miséricorde qui tient plus essentiellement au
système, parce qu'elle suppose cette volonté bonne qui consiste
en l'amour d'autrui. Comme dans le chapitre *De la Diversion*,
l'expression de la psychologie augustinienne, dans cet essai du
second livre, est dépassée par Montaigne en des accents d'humanité
profonde. Il se sépare ainsi des passages bien précis de *la Cité de
Dieu* qu'il a pourtant utilisés par ailleurs, pour se rapprocher du
Commentaire de Vivès. C'est que mieux que les précédents, le sujet
de la cruauté s'inscrit dans les problèmes d'une époque, et prend
intensément l'accent de la lutte politique. Mais auparavant
Montaigne part de la notion de vertu. Le livre où Augustin
condamne, avec toutes les misères de la vie humaine, la torture[20],
débute, comme l'essai, par une recherche sur la nature de cette
vertu à travers les philosophies humaines.

Au premier chapitre, Augustin qualifie la vertu des termes d'« industria » et d'« ars vivendi ». Le chapitre III affirme plus nettement
que l'éducation l'inculque comme un art de vivre[21]. Le commentaire de Vivès dégage alors de cette confrontation de toutes les
philosophies humaines une inquiétude plus précise portant sur cette
notion même. Comme du réglement des passions humaines,
Augustin pouvait en faire un art, et affirmer qu'elle s'apprenait.
Le principe de cette éducation qu'il accepte pleinement suppose
pour lui la liberté humaine et la miséricorde divine[22]. Pour
s'appuyer comme Augustin et Montaigne sur les philosophies
antiques, le commentaire de Vivès nuance sans doute la pensée
du maître. Ainsi en marge de l'expression « qu'on nomme vertu » il
ajoutait : « Il y a une grande dispute entre les anciens, à sçavoir si
vertu s'apprend, les uns affermans que par nature elle est commu-
niquee aux bons, et deniee aux mauvais : les autres, qu'elle se comprend par usage et par doctrine. Platon accorde tantost aux uns,
puis s'accommode aux autres, mais il n'y a aucun doute, que et la
nature n'est pas de soy mauvaise, et les préceptes et l'exercice
instituent la vertu et l'accomplissent : lesquelles choses les anciens
appellerent φύσιν λόγον καὶ ἄσκησιν qui sont en vertu neces-
saires, comme il advient aux arts, et comme aux bleds lesquels ont
besoing de la terre grasse, de bonne semence, et de la diligence du
laboureur. Il y a un petit livre de Plutarque, ou plutost une petite
schedule, intitulé ὅτι διδακτὸν ἀρετή . C'est à dire que vertu
se peut apprendre »[23]. A partir du texte d'Augustin, le commentaire
élevait le débat à la notion de vertu et jusqu'au problème de la
grâce. C'est celui-là même aussi que reprend Montaigne en son essai.

L'autorité d'abord des Stoïciens et des Epicuriens, ou le désir
de mieux différencier sa pensée à partir de la leur, entraîne
Montaigne à leur accorder le premier temps dans la discussion. Il

leur emprunte au moins leur admiration pour la vertu, le sentiment de sa grandeur : « la vertu refuse la facilité pour compaigne ». Et cette affirmation restera posée pour toute la suite de l'essai : « que cette aisée, douce et panchante voie, par où se conduisent les pas reglez d'une bonne inclination de nature n'est pas celle de la vraye vertu. »[24] La suite montre pourtant que cette simplicité naturelle qui est sa forme de vie, est bien proche de la vertu : il s'attribue « une vertu, ou innocence, pour mieux dire accidentale et fortuite »[25] dont le mérite revient à sa race fameuse en « preud' homie », aux humeurs de son très bon père, aux exemples domestiques, à l'institution reçue. Il déclare ainsi n'avoir « essayé guiere de fermeté... pour soutenir des passions si elles eussent esté tant soit peu vehementes ». Cet aveu d'une vertu naturelle qui refuse l'extirpation stoïcienne des passions n'est pas en opposition pourtant avec la théorie augustinienne puisqu'il montre, plus fidèle au maître que Vivès, qu'il a fait effort pour les régir. A ses « desbordemens », il déclare apporter « trop peu de résistance » sauf précise-t-il « pour les regler et empescher du meslange d'autres vices, lesquels s'entretiennent et s'entrenchainent pour la plus part les uns aux autres, qui ne s'en prend garde. »[26] Naturelle alors si l'on veut, humble dans l'aise à laquelle elle prétend, la vertu de Montaigne n'est point sans étude. Fondée sur ces dons de naissance qui forment un caractère, elle suppose aussi, plus exactement que l'apprentissage stoïcien de la volonté, un art de détourner et tromper l'esprit. Montaigne reprend alors la description donnée par Augustin et semble s'y référer. « Je suy quelques vices, dit-il, mais j'en fuy d'autres, autant qu'un sainct sçauroit faire ». Ce savant règlement s'affirme sans fausse modestie. Cependant, Montaigne l'impose comme une première forme de la vertu, pour l'opposer justement au prestige d'un stoïcisme qui, ne trouvant point de limite à la grandeur de la lutte, la pousse par delà les forces humaines et la rend prétentieuse, fausse et irréalisable : « Ils veulent quester de la douleur, de la necessité et du mespris, pour les combatre, et pour tenir leur ame en haleine. »[27] Comme toute grandeur humaine, cette vertu disparaît devant l'excellence où montent le seul stoïcien Caton et le philosophe Socrate. Ce troisème ordre de valeur, par delà l'humain, dans une participation au divin, apporte l'excellence dans tous les arts. Montaigne, qui ne veut ni refuser à la vertu la notion de l'effort, ni abandonner la facilité d'une pente naturelle que permettent les passions sagement gouvernées, réunit l'excellence et la beauté de la lutte dans une habitude qui enlève la souffrance de l'effort. A un degré beaucoup plus grand, l'aise qui est la sienne devient jouissance dans la mort même : « Tesmoing le jeune Caton. Quand je le voy mourir et se deschirer les entrailles, je ne me puis contenter de croire simplement qu'il eust lors son ame exempte totalement de trouble et d'effroy, je ne puis croire qu'il se maintint seulement en cette démarche que les regles de la secte Stoïque luy ordonnoient, rassise, sans émotion et impassible. »[28]

Lui refusant ainsi une vertu de la raison et de la volonté dont la plénitude et la limite se marquent par une possession de soi que traduit le terme « rassis », il lui prête au contraire « une émotion de plaisir extraordinaire », et l'analyse même en sa nature. Causée par la consideration de « son entreprise », et « pour la beauté de la chose mesme en soy », cette mort encore que Socrate « voyoit bien plus à clair et en sa perfection » que nous ne pouvons faire, communique à l'acte une excellence qui est celle de l'esprit. Une admiration pour sa réalisation conduit au sentiment de l'absolu. Comme dans le bonaventurisme, la réunion dans leur perfection du beau et du bien, fait participer la vertu au divin, par cette émotion supérieure qu'il faut bien appeler illumination. Par là peut-être, le texte de Vivès l'avait emporté sur celui de la Cité de Dieu. Montaigne conciliait à la pensée chrétienne son admiration humaniste pour Caton, en lui supposant cette grâce divine qui fait directement accéder au divin. Ainsi, interprétant l'image de Vivès, qui comparant la vertu aux blés, demandait pour sa réalisation, la terre grasse, bonne semence, et la diligence du laboureur, Montaigne plus généreux qu'Augustin a prêté au héros romain, une aide supérieure venue de Dieu. A Socrate bien davantage encore, dont le plaisir plus profond vient d'être « à mesme d'entrer en connaissance des choses à venir. » Augustin avait cependant toujours ramené ce philosophe à la limite des connaissances possibles à l'homme par les seules forces de la raison. Le fossé restait infranchissable entre sa doctrine et la Révélation. Le bonaventurisme des Essais dépasse le texte du maître en prêtant à l'illustre prisonnier, dans cette illumination supérieure à l'heure de la mort, par une grâce suprême, déjà la connaissance du divin.[29]

Ainsi faut-il conclure de cette part du chapitre De la cruauté que Montaigne, reprenant avec fidélité les mêmes passages de Vivès et d'Augustin qui lui ont enseigné, dans les essais précédents cette variabilité humaine fondée sur le dynamisme des passions, la dépasse en une analyse nouvelle de la vertu. Se fondant sur la théorie des trois ordres, il oppose les deux vertus analysées par Vivès chez les anciens. Avec Vivès encore, il concilie la vertu naturelle et l'effort, dans une vertu supérieure où intervient la grâce. Pour être toute chrétienne, pareille interprétation, qui accorde cette vertu supérieure à Caton et à Socrate, s'écartait de la pensée augustinienne. Confondant les valeurs de la Cité terrestre, et celles de la Cité céleste, que l'ouvrage d'Augustin avait voulu séparer, elle s'apparentait davantage à la pensée propre de Sebon et de Vivès qu'au Commentaire de la Cité de Dieu, plus fidèle à la doctrine du Père de l'Eglise. Cependant elle pouvait s'y prêter encore : la cité terrestre préfigure aussi et garantit la cité céleste ; les cheminements de la grâce restent inconnus aux hommes.[30]

L'union de l'âme et du corps

La psychologie des passions affirmée par Montaigne, dans tous ses essais, qu'il blâme la cruauté, ou plaigne l'angoisse humaine devant la mort, s'appuie bien sur les livres IX et XIV de *la Cité de Dieu,* qui s'opposent à la philosophie stoïcienne, et sur le livre XIX qui fonde le désir du christianisme sur l'insuffisance des philosophies, et les misères de la société humaine ; mais le *Commentaire* de Vivès a, pour Montaigne, éclairé au moins, le débat sur la vertu. S'élevant jusqu'au problème de la grâce, l'essai *De la cruauté*, par le biais de la théorie des trois ordres, s'efforce de concilier, dans l'illumination supérieure de l'esprit, avec l'ouvrage d'Augustin, un optimisme plus profond, une philosophie plus largement humaine.

La psychologie augustinienne qui assure à l'homme un chemin vers la vertu suppose également une conception différente de sa personne et de sa nature, et une réalisation nouvelle de l'être. Pour la proposer Vivès se fondait sur les arguments théologiques de *la Cité de Dieu.* Il interprétait très librement la pitié humaine de l'auteur. Marquant en cela les progrès de douze siècles de christianisme, son humanité refusait en son temps ce qu'Augustin déplorait seulement au sien. La plainte s'élevait chez lui jusqu'à l'indignation d'une charité exigeante. La connaissance qu'il avait d'Augustin ne se limitait pas non plus à la seule *Cité de Dieu* ; et d'autres œuvres que son *Commentaire* ont pu communiquer à Montaigne, avec ces grands raisonnements augustiniens du *De Trinitate* ou des *Confessions* qu'il reprend dans les Essais, bien davantage encore la notion d'un homme dont l'âme et le corps indissolublement liés, ne forment qu'une seule nature. Combattant en cela Platon qui dans la *République* distingue dans l'âme de l'individu trois principes, la raison, la colère et la concupiscence[31], et qui place la justice dans la limitation de chacun de ces principes à son ordre, Vivès s'appuie sur la psychologie d'Augustin. Loin d'opposer ainsi la valeur de l'esprit aux appétits charnels, il supprimait le dualisme de l'âme et du corps et ne voyait en l'homme qu'une seule réalité. Refusant encore le platonisme de son époque qui accuse le corps d'alourdir l'âme, et se représente la voie de la perfection morale comme une libération de l'esprit[32], Vivès reprend sur ce point les grandes affirmations d'Augustin.

La Cité de Dieu s'écarte nettement de la psychologie platonicienne pour affirmer une pensée chrétienne, dans des passages souvent repris également dans *les Essais*[33]. Se refusant à accuser la nature de la chair des vices et des péchés de l'homme, ce qui fait injure au Créateur, Augustin affirme : « dans son ordre, la chair est bonne »[34] ; et il réfute ensuite l'opinion des platoniciens selon laquelle « ces organes faits de terre et ces membres voués à la mort impressionnent les âmes au point de faire naître en elles les maladies des désirs et des craintes, du plaisir et de la tristesse ». Des vers de

Virgile, comme un appel à l'opinion commune, lui paraissent imposer, dans le regret de la vie exprimé par les âmes aux enfers, qu'il ne saurait y avoir de purification par aucune séparation du corps. Tout en l'homme est indissolublement lié en une même volonté. Le châtiment du péché originel ne porte point sur le corps, mais sur une volonté qui trahit ce corps, comme elle a trahi Dieu[35]. Connu et utilisé par Montaigne[36], le passage est enrichi par Vivès de ses souvenirs du *De Trinitate* et des *Confessions*. Dépassant l'expression de ce commentaire, dans ses autres ouvrages, il examine l'âme dans sa triple fonction de mémoire, entendement et volonté[37] ; c'est considérer une seule réalité humaine dans toute opération mentale où le corps joue sa part. Dans la mémoire déjà, l'œil de son outil charnel fournit à l'esprit ces images qu'il emmagasine ou rappelle. Vivès aussi établit une différenciation des caractères qui suppose le lien étroit du corps et de l'esprit. Dans l'*Introduction à la sagesse*, il tire du principe de cette union une pédagogie nouvelle qui, outre la préférence accordée au jugement sur l'acquisition des sciences, innove particulièrement par la place réservée au corps. L'apprentissage de la mémoire reste physique, qui sert l'esprit. Elle se prête à des préceptes très matériels, un art de l'exercer sans doute, mais aussi de la reposer avant l'exercice même, de ne point la cultiver pendant la digestion, mais au contraire avant le sommeil[38]. Si par l'importance accordée aux préceptes alimentaires, aux heures des leçons, aux promenades mêmes, dans leur cadre très fixe, ces pages annoncent plus exactement la journée du jeune Gargantua que l'*Institution des Enfans,* Montaigne en conserve cependant des souvenirs précis, généralise cette pensée née de l'augustinisme, et la prolonge en affirmant la réciprocité des rapports de l'âme et du corps.

Dès la première rédaction, l'*Institution des Enfans* tire de l'éducation du corps les principes qui, par une analogie profonde, doivent gouverner également l'âme. Comme Paluël et Pompée, les grands danseurs du temps n'ont appris leur art qu'à force d'exercice, ainsi doit faire celui qui veut confirmer son jugement. Mais immédiatement, parce que cette analogie suppose une identité profonde, une unité de l'âme et du corps, Montaigne prescrit la promenade, puis pour créer l'endurance un exercice physique si pénible qu'il exige que l'éducation soit faite en dehors de la famille. Enfin, une addition de l'exemplaire de Bordeaux précise que cette endurance qui est d'abord l'exercice de l'esprit le rendra apte à supporter la douleur et soulagera l'âme : « Elle est trop pressée, si elle n'est secondée, et a trop à faire de seule fornir à deux offices.» [39] La confusion s'impose entre durcissement et patience du corps, ou grandeur de l'âme. Plus loin, et dès la première rédaction, l'union entre l'âme et le corps est réalisée à ce point que non plus la santé du corps ou son exercice, peuvent soulager l'âme, mais à l'inverse : « l'ame qui loge la philosophie, doit par sa santé

rendre sain encores le corps. Elle doit faire luire jusques au dehors son repos et son aise; elle doit former à son moule le port
exterieur, et l'armer par consequent d'une gratieuse fierté, d'un
maintien actif et allegre, et d'une contenance contente et debon-
naire. »[40] Ainsi, faces différentes d'une même réalité, âme et corps
partagent mêmes souffrances, et s'épanouissent dans une même
réalisation. Montaigne a transformé l'attention accordée par Vivès
au corps et l'intimité de ses rapports avec l'esprit, en une liaison
complète. Plus audacieuse encore que l'exemplaire de Bordeaux, la
première rédaction affirme déjà que la personne extérieure « se
façonne quant et quant l'âme » et précise « Ce n'est pas une ame,
ce n'est pas un corps qu'on dresse: c'est un homme. »[41] Bel idéal
sans doute, et d'une humanité complète, dans la simplicité de la
formule.

Parce que ce principe domine toute la philosophie de Montaigne,
il constitue aussi la leçon de l'essai XX du même livre. La première
interprétation du titre qui appartient à Cicéron se trouve immédiatement rejetée : « l'estude et la contemplation retirent aucunement
nostre ame hors de nous, et l'embesongnent à part du corps, qui est
quelque aprentissage et ressemblance de la mort. »[42] Empruntée
à la philosophie adverse, cette position ne satisfait point Montaigne
autant que l'expression de la même idée sous une forme opposée :
« que toute la sagesse et discours du monde se resoult en fin à ce
point, de nous apprendre à ne craindre point de mourir ». Imposant
dans la suite de l'essai une harmonie de l'âme et du corps, réunis
dans une même réalisation, Montaigne prétend apprendre à bien
vivre. Et s'il craint la douleur, c'est justement qu'à l'inverse, elle
le « desprend et descloue » du corps.[43] L'image est forte pour
exprimer cette réunion totale des deux parties de l'homme dans
une même jouissance du corps et de la pensée, réalisée en l'acte
même de vivre.

Vivès a donc préparé Montaigne à une conception de l'homme
qui, supprimant en lui dualisme et déséquilibre, le réalise pleinement dans sa présence au monde. Dans ces premiers chapitres,
les citations données paraissent bien plus audacieuses dans la
première rédaction que dans les additions postérieures; pourtant,
dans l'introspection privilégiée des derniers essais, la même pensée
s'affirme encore. Si la philosophie n'assure plus la grâce de l'acte
du jeune homme, du moins rend-elle l'aise et la jouissance plus
profondes au vieillard. Regret peut-être, l'essai *Sur des vers de
Virgile* prétend, dans l'exemplaire de Bordeaux, ajouter aux causes
de l'activité de l'esprit la santé même : «(C) Noz maistres ont tort
dequoy, cherchant les causes des eslancements extraordinaires
de notre esprit, outre ce qu'ils en attribuent à un ravissement
divin, à l'amour, à l'aspreté guerriere, à la poësie, au vin, ils n'en
ont donné sa part à la santé; une santé bouillante, vigoureuse,
pleine, oisifve, telle qu'autrefois la verdeur des ans et la securité

me la fournissoient par veneuës. Ce feu de gayeté suscite en l'esprit
des eloises vives et claires, outre nostre portée naturelle et entre
les enthousiasmes les plus gaillards, si non les plus esperdus. »[44]
Au rebours, la conclusion est mélancolique : « Or bien ce n'est
pas merveille si un contraire estat affesse mon esprit, le cloüé et
faict un effect contraire ». Ainsi sur lui-même, par l'âge, est réalisé
cet effet de réciprocité que plus jeune, il prétendait appliquer à
l'éducation d'autrui. Mais dès la première rédaction, plus originale
encore, la fidélité à la pensée de Vivès faisait affirmer comme une
illusion très fausse l'opinion générale que c'est le privilège de
l'esprit « de se r'avoir de la vieillesse ». Il constatait pour sa part,
à son grand regret, que le sien s'était « si étroitement affreré au
corps » qu'il en était abandonné pour la poursuite des nécessités du
corps.

En toutes les rédactions des *Essais*, non sans en souligner toujours
l'audace, Montaigne reste fidèle à cette union profonde des rapports
de l'âme et du corps tirée par Vivès de l'augustinisme. Ce qui
était pédagogie chez l'humaniste espagnol devient chez Montaigne
le fondement de toute une philosophie, la vision nouvelle d'un
homme qui, parce qu'il est un, se réalise aussi pleinement au monde
par la pensée ou l'action. A Vivès assurément, Montaigne doit la
plénitude et la perfection de sa conception de l'homme.

Parce que Vivès dépasse le commentaire d'Augustin, et la
doctrine bonaventurienne par sa présence au monde, et son désir
d'une charité active, il était nécessaire aussi qu'il régénérât l'homme
en sa personne et son destin. Ouvrant une des plus grandes contro-
verses de l'époque, dans cette nouvelle dignité du corps, cet équilibre retrouvé entre les deux aspects de sa personne, il prétendait
aussi conduire l'homme à un nouvel épanouissement dans la vie du
couple.

Augustin avait fait place, dans son œuvre, à la femme dans le
mariage, aux chastes veuves. De la férule, il reconnaissait la nécessité, mais elle semblait aussi réservée au sexe masculin, tandis que,
si l'on en juge par l'éducation de sa mère Monique, la petite fille
était livrée à une éducation domestique. La femme non plus n'était
point l'égale de l'homme, et, juridiquement restait sous sa tutelle.
L'affirmation du christianisme n'avait point fait sentir l'injustice de
cette inégalité.

Le siècle de Vivès au contraire, la devait combattre. Augustin
s'appuyant sur les vers de Térence : « j'ai pris femme ; quelle misère
n'y ai-je pas vue ; j'ai eu des enfants, autres soucis », range l'épouse
et le foyer parmi les misères de la condition de l'homme, seul ici
considéré[45]. Vivès au contraire célèbre, mais comme des exceptions
remarquables, les femmes qui échappent à ce blâme traditionnel.
Le remède est pour lui tout entier dans l'éducation. La reine
Isabelle de Castille refit son instruction pour assurer elle-même celle

de ses enfants. De son temps, comme le dit aussi Erasme dans la *Declamatio*, Thomas More n'a pas dédaigné de se faire lui-même le maître de sa femme et de ses filles[46]. Soulignant ainsi, au moins par l'appel à l'illustre chancelier d'Angleterre la prise de position qu'exige des augustiniens leur pensée chrétienne, Vivès consacre lui-même un de ses plus illustres ouvrages à ce problème. C'est pourtant encore dans les marges de la *Cité de Dieu* que Montaigne est venu prendre l'inspiration de son essai, *Sur des vers de Virgile*.

Ayant longuement utilisé en sa première rédaction[47] les raisonnements d'Augustin des livres XIII et XIV, Montaigne en avait tiré l'argument essentiel au chapitre *De la force de l'imagination*. Il expliquait cette puissance qui s'exerçait sur notre volonté par le châtiment du péché originel. La faute qui incombait à la volonté de l'homme devait être punie aussi d'une défaillance en l'homme de cette volonté. Le curieux récit de la nuit de noces de ce comte qu'il ne veut point nommer, se justifie ainsi pleinement. Pour le théologien « l'indocile liberté de ce membre »[48] était le domaine où d'abord devait s'accomplir la désobéissance du corps à la volonté, sous l'effet de la puissance d'imagination. Au livre III, Montaigne n'a point oublié le long développement d'Augustin, ni particulièrement l'opposition entre l'honnêteté du paradis dans cet acte même, et la honte actuelle dont il se trouve couvert. L'essai paraît consacré à cette volupté qui, après la chute, s'est substituée à la volonté dans l'acte de propagation. Sans doute Montaigne pouvait par lui-même retrouver, sous les termes d'Augustin, un vers de Virgile. Le commentaire de Vivès lui rappelle la phrase entière :
« Optatos dedit amplexus, placidumque petivit,
conjugis infusus gremio per membra soporem. »[49]

L'attention ainsi attirée, Montaigne a dépassé cependant cette émotion initiale. Parce qu'Augustin se place en tous ces chapitres sur le plan du moraliste qui déplore l'impuissance de la volonté humaine après le péché, et en tire la constatation de l'insoumission de la chair à l'esprit, Montaigne qui se plaît pourtant à la peinture de la lascivité, utilise la pudeur comme le contraste qui libère la vérité, et abat tout orgueil en l'homme : « le plus contemplatif et prudent homme, quand je l'imagine en cette assiette, je le tiens pour un affronteur de faire le prudent et le contemplatif ; ce sont les pieds de paon qui abattent son orgueil :
ridentem dicere verum
quid vetat ? »[50]

La vérité que l'essai dégage appartient donc au thème annoncé par les vers de Virgile, le domaine du couple. Et c'est une autre misère que celle qu'Augustin avait déplorée dans l'analyse de la faute originelle que souligne Montaigne. Le père de Léonore qui constate à l'occasion la maladresse de son gouvernement, mais l'abandonne cependant à sa femme pour suivre les usages, accuse

en féministe le malheur de son époque. Rapportant l'idéal placé
par les platoniciens dans une « intelligence toute spirituelle »[51] que
leur dédain du commerce charnel remet en cause, sous l'ironie de
ses termes, Montaigne se reporte à son expérience personnelle. Le
commerce des femmes accuse pour lui une insuffisance profonde
parce que le plaisir de l'esprit ne double jamais celui du corps : le
mal ne touche pas seulement au bonheur individuel, il entraîne
dans la descendance une dégradation de la race ; l'audace des termes
souligne la gravité du problème : « Que ne prend il envie à quelqu'une de cette noble harde (C) Socratique (B) du corps à l'esprit,
(C) achetant au pris de ses cuisses une intelligence et generation
philosofique et spirituelle, le plus haut pris ou elle les puisse
monter ? » La *République* de Platon ensuite sert à imposer cette
identité de nature entre l'homme et la femme. Elle exige pour tous
deux une même éducation : « Je dis que les masles et femelles sont
jettez en mesme moule : sauf l'institution et l'usage, la difference
n'y est pas grande ». La faute est reportée tout entière sur la civilisation qui subit comme nécessairement la conséquence de ses
propres usages. Mais la violence du ton suscite ce réveil de la raison,
pratiqué par la surprise de la pudeur. La prise de conscience
cherchée est déjà le remède.

Sans avoir été précepteur d'une reine comme Vivès, mais par la
seule attention à son époque, Montaigne s'efforce de trouver
remède à la faiblesse de l'intelligence féminine déplorée en son
temps, et à l'insuffisance du bonheur accordé à l'homme. Cette
idée qui préside à l'éloge de l'amitié, que « la suffisance ordinaire
des femmes »[52] n'est pas pour permettre que l'homme s'engageât
tout entier dans le mariage, dans son expression même, affirme le
désir d'un absolu. Le sentiment « extreme »[53] qui ne se rencontre
pas une fois en trois siècles, serait plus fort et plus naturel dans
une « (A) accointance libre et volontaire, où non seulement les
ames eussent cette entière jouyssance mais encores où les corps
eussent part à l'alliance »[54]. La plénitude du bonheur humain,
regrettée dans l'ami perdu, est désormais souhaitée par le livre.
L'abandon des mœurs à l'usage, le regret exprimé sur l'imperfection
des émotions vécues,   assurent ainsi, à travers le détachement
du jugement, dans la cohérence de la pensée, une vérité qui dépasse
l'époque.

L'ensemble des *Essais* se présente comme une découverte de
l'humain, toujours gouvernée par la pensée augustinienne. *La Cité
de Dieu* et *le Commentaire* de Vivès, ont imposé à Montaigne ce
branle de l'homme, animé par des passions profondes. Il en
reconnaît en lui la réalité et la beauté. Ces passions qui sont les
nerfs de l'homme, et se confondent avec la vie même, assurent
encore sa liberté et sa grandeur, par la possibilité qui lui est laissée
de les régir, et de les tromper. Elles révèlent cette union de l'âme
et du corps en quoi consiste la plénitude de l'être. Jugeant alors le

défaut de l'usage commun auquel pourtant il croit devoir sacrifier en sa vie privée, il s'efforce d'étendre les limites de la condition humaine dans un bonheur du couple où les charmes de l'esprit doubleraient ceux du corps.

Non par indécence de vieillard, mais par une volonté délibérée, se fondant sur les passages d'Augustin qui lui ont fourni les vers de Virgile qu'il appelle pour titre à l'un de ses essais, Montaigne utilisait la séduction du sujet, et le scandale qui s'y ajoutait pour combattre une des grandes injustices de son époque. Vivès et Augustin devaient le conduire encore à une plus vaste lutte, pour assurer une politique humaine.

Chapitre III

LES EXIGENCES D'UNE POLITIQUE HUMAINE

L'homme qui, par la dignité de sa nature, et l'illumination de son esprit, accédait au divin, devenu pour Vivès un absolu en soi, pour se réaliser dans l'amour, demandait aussi le respect politique. Faisant éclater la vertu de patience fondée sur la parole du Christ : « Rendez à Cesar ce qui est à César », à laquelle Augustin était toujours resté fidèle, *le Commentaire de la Cité de Dieu* formulait, devant les cruautés de son temps, de nouvelles exigences d'humanité.

Communiant profondément avec la charité qui anime Vivès, Montaigne cherche la paix de l'homme, avant celle de la cité. De sa conception de l'histoire, naît aussi une nouvelle notion de justice, une conscience humaine qui se refuse à la passion, comme à la fourbe politique.

La liberté humaine dans le déroulement de l'histoire

Comme l'homme de Vivès, celui de Montaigne s'inscrit profondément dans l'histoire. Il vit et agit dans le déroulement des civilisations ; et son acte, sa vie même, prennent un sens nouveau de cet exercice d'une liberté humaine sur un monde en marche vers sa perte. A plusieurs reprises dans les *Essais*, Montaigne est revenu sur le devenir du monde. La variabilité humaine a déjà des causes psychologiques, mais elle est plus complexe encore parce qu'elle s'inscrit dans celle du monde. L'essai *Des Cannibales* débute par l'affirmation de cette perversion de la raison humaine établie par l'habitude, que Montaigne emprunte à *la Cité de Dieu* [1]. Il lui donne un sens politique par le terme de « barbares » appliqué par Pyrrhus, puis les Grecs, aux armées romaines ; et la suite de l'essai répondra bien à cette orientation initiale. Pourtant, le premier exemple d'erreur du jugement causé par la coutume étend le raisonnement d'Augustin au plan scientifique. Avant de se référer au *Timée* de Platon, pour attester le mouvement du monde, qu'à une plus petite échelle, et aux dépens de sa famille, Montaigne peut constater sur les rives de la Dordogne, dans la découverte de l'Amérique il signale

déjà l'erreur de tous les savants qui croyaient avoir une science complète : « tant de personnages plus grands que nous ayans esté
trompez en cette-cy »[2] affirme-t-il. Le retour cyclique aristotélicien
et la notion d'identité qui en découle, permettaient à l'homme
d'aspirer à la connaissance. L'augustinien, au contraire, pose une
infinie diversité des êtres dans la variabilité. Le monde lui reste
inconnaissable, qui est en devenir dans la durée. A la source de
pareille pensée, et de tout l'essai de Montaigne, se trouve la peinture
même qu'Augustin donne dans son ouvrage des cités terrestres.
Plus utilisée par Montaigne, l'analyse de la progression de l'empire
romain place au temps des rois un esprit de modération qui peut
se confondre avec la vertu : « Etiamtum vita hominum, sine cupiditate agitabatur, sua cuique satis placebant. »[3] Le commentaire de
Vivès rapportait une citation de Virgile marquant, dans l'humanité
le progrès du mal, puis le début des *Travaux et des jours* d'Hésiode.
Dans la notion d'âge d'or est inclus ce germe du mal qui se développe avec le progrès des civilisations, c'est-à-dire avec les crimes, et
le malheur des hommes. C'est en fonction de ce devenir des peuples,
et en remontant vers leur origine que Montaigne prétend situer
ses *Cannibales*. La variabilité du monde par laquelle avait débuté
l'essai s'est doublée d'une transformation historique nécessaire. La
liberté humaine du Cannibale, ou de l'homme en haut-de-chausses
s'inscrit dans le temps par rapport au déroulement du monde.
Comme il ne peut être connaissable dans son incessante mutation,
la liberté de l'individu se trouve aussi limitée par une marche
nécessaire des civilisations. Si la renaissance de l'augustinisme rend
au XVIe siècle le sens de l'histoire, c'est-à-dire de la transformation
des peuples dans le temps, l'acte humain, senti devant des exigences
nouvelles, prend aussi d'autres résonances.

L'essai *De mesnager sa volonté* marque cette emprise de la
civilisation sur les volontés. Si l'acte politique consiste à conduire
les événements, notre passion, « la violence du desir » dans l'action,
nous « empesche ». «Nous ne conduisons jamais bien la chose de
laquelle nous sommes possedez et conduicts. »[4] Face à cette
puissance complexe qui peut absorber l'homme parce qu'il en fait
au moins partie matérielle, qui s'augmente de sa force même, la
phrase pose aussi, ou du moins fait désirer, celui qui la peut régir
parce que sa raison reste libre. L'événement dans son devenir, le
mouvement des peuples, est accru ainsi de nos propres passions,
mais il est mesuré par l'homme qui s'en sépare par la pensée. Ainsi
Montaigne juge et dépeint lui-même ces mouvements : « (B) De
toutes choses les naissances sont foibles et tendres. Pourtant faut-il
avoir les yeux ouverts aux commencements, car comme lors en sa
petitesse, on n'en descouvre pas le dangier, quand il est accreu on
n'en descouvre plus le remède. »[5] Dans cette lucidité de la raison
ne tient pas toute la liberté humaine. L'homme de Montaigne
n'est pas réduit à bien penser, mais peut réaliser cette pensée même

dans l'acte. Dans l'analyse du déchaînement des forces passionnelles, une place reste à l'action : « Nous guidons les affaires en
leurs commencemens et les tenons à nostre mercy : mais par apres,
quand ils sont esbranlez, ce sont eux qui nous guident et emportent,
et avons à les suyvre »[6] Désormais, la lucidité qui tient essentiellement en un calcul des forces, laisse place à l'action politique lors
de la naissance de l'événement. Le mouvement des civilisations
devient ensuite cette belle force passionnelle, essentiellement
desctructrice aussi que Montaigne décrivait dès le premier livre,
et devant laquelle, aucune action n'est plus possible : « Car, à la
vérité, en ces dernieres necessitez où il n'y a plus que tenir, il seroit
à l'avanture plus sagement fait de baisser la teste et prester un peu
au coup que, s'ahurtant outre la possibilité à ne rien relascher,
donner occasion à la violance de fouler tout aux pied. »[7] Cette
vision de l'impuissance humaine devant les passions des peuples et
des partis avouait son appartenance même à la pensée d'Augustin
par ce vers de Térence prêté, dans la Cité de Dieu, à l'expression
même de la misère de la condition humaine, et signalé par une
référence de Vivès[8] : « Et vaudroit mieux faire vouloir aux loix
ce qu'elles peuvent puisqu'elles ne peuvent ce qu'elles veulent »
Répétée plusieurs fois par Montaigne, cette phrase définissait aussi
toute sa politique. L'acte humain consiste avant tout dans la
lucidité par laquelle l'homme mesure ces forces en marche. Cette
opération du jugement qui l'isole déjà de cette même puissance
passionnelle des partis se complète aussi, s'il est possible, d'une
interférence à la naissance de l'événement, ou, dans l'impuissance
de la lutte, de l'accommodement à l'inévitable. Joignant la pensée
à l'acte même qui la réalise, cette politique répond à une conception très noble de l'homme. Elle ne tend qu'à épargner l'affrontement inutile, et l'effusion de sang. Ainsi, comme un couronnement à son livre, mais aussi à l'action même exercée par lui au
cours de sa mairie, Montaigne pouvait ajouter dans l'exemplaire de
Bordeaux : « l'abstinence de faire est souvent aussi genereuse que
le faire, mais elle est moins au jour et ce peu que je vaux est quasi
tout de ce costé là. »[9]

D'une notion de l'histoire augustinienne, celle même de l'évolution des civilisations vers leur perte qu'exprime la Cité de Dieu,
Montaigne ainsi a tiré l'exigence d'une politique humaine. Si le
cheminement des peuples vers leur ruine s'accomplit par l'effet
de leurs passions, l'exercice premier de la liberté consiste déjà, à
s'en libérer par la pensée, et à bien juger son temps pour n'être pas
entraîné avec lui à une fin inévitable. Mais la lucidité ne laisse pas
l'homme démuni pour l'action. Elle peut préserver le monde du
déchaînement du mal à la naissance de l'événement. Si telle chance
est rarement laissée à l'homme politique, du moins la morale qui
s'impose est de se prêter à l'inévitable pour sauver les vies humaines.

La notion de justice

Un monde qui fait place à la liberté de l'homme, lui pose aussi le problème de la justice. Montaigne n'a pas pu emprunter à l'augustinisme son sens de l'histoire, sans méditer aussi la définition qu'il donne de la justice humaine. Déjà Erasme, et Corneille Agrippa, avaient permis à Montaigne, une approche de la notion de justice. Après eux, et en parlementaire français, il avait pu penser que le droit consistait en l'usage. Avec la lecture de Vivès, il dépasse la notion juridique, en une notion de justice même. L'usage humain, et l'autorité qui s'y attache avaient pu donner dignité à des coutumes accidentelles et imparfaites. L'essai *De l'affection des pères aux enfants* retrouve le divin dans l'essence des lois.

Plus qu'un autre, cet essai paraît né de la lecture de *la Cité de Dieu*. Comme l'essai *Des Cannibales*, il part de l'affirmation de ce passage où Augustin marque l'obscurcissement de notre raison par la coutume, et nous en sauve par l'étrangeté [10]. Cette « estrangeté » aussi est présentée à Madame d'Estissac comme l'esthétique même des *Essais*. Leur visage « esloigné de l'usage commun », peut seul donner passage à la vérité. Mais un tel raisonnement, qui accordait tout son prix à la voix des Cannibales, ne se justifie plus devant le chagrin, très largement humain, du Maréchal de Montluc pleurant son fils et regrettant de ne s'être plus profondément confié à lui, ou devant la préférence accordée à la paternité littéraire sur la paternité charnelle. Même si Montaigne en prend comme exemple « ce bon Saint Augustin », marquant l'ignorance où il est de sa paternité véritable [11] et de sa communion avec ce deuil si propre à l'humanité, il n'a cherché là, il l'avoue, que l'étrangeté par le scandale de l'impiété, un augustinisme plus fort que la connaissance d'Augustin. Si l'essai semble impliquer que Montaigne ne connaît pas directement les *Confessions*, il atteste aussi une utilisation très consciente de *la Cité de Dieu*, et du *Commentaire* de Vivès.

Les notes de Florimond de Raemond nous ont laissé le nom du vieillard soupçonneux que son entourage s'est entendu pour tromper. Le vers des *Adelphes* de Térence qui conclut l'anecdote, nous ramène à la source de la pensée autour de laquelle s'organisent tous les exemples. Addition de la deuxième rédaction, ce vers venait confirmer l'emprunt de la première, qui en comportait trois, pris à la même pièce des *Adelphes*. Augustin, aux premiers livres de *la Cité de Dieu*, utilise lui aussi un vers de cette pièce dans une recherche de la justice possible pour les hommes [12]. Après avoir parcouru les siècles de l'histoire romaine pour montrer qu'aucun des grands hommes n'avait été animé de la vertu véritable, après avoir montré que la grandeur de la cité avait consisté en une passion de la gloire et une ambition qui avaient été récompensées par les événements, pour l'achèvement de son ouvrage, il revenait sur la notion de justice, montrant les fragiles fondements laissés pour établir la paix entre les hommes. Ces chapitres qui déplorent toutes les misères de la condition humaine ont été les plus utilisés par Montaigne en ses *Essais,* et dans celui-ci précisément.

La pensée d'Augustin, en matière de droit, s'élève à partir de celle de Cicéron qui fait reposer le droit dans la justice [13]. A travers cette affirmation du plus grand des juristes, Augustin met en défaut toutes les justices humaines, dans le plus magnifique raisonnement, et marque tout le progrès de son ouvrage. Si la République se fonde par le consentement du peuple à un droit, et si ce droit repose sur la justice, il n'y a jamais eu de République romaine, parce qu 'elle n'a point connu la vraie justice [14]. Déjà, dans cette disparition de l'accompli, par l'argutie verbale, Augustin impose le désir d'une autre réalité. La Cité céleste s'affirme à travers cette recherche de la vraie justice. Le processus est essentiel à l'œuvre d'Augustin. Il est double en ce qu'il joue à la fois sur le plan logique par cette reprise du raisonnement du « cogito », où toute recherche constitue déjà une affirmation, et sur l'intuition, par cet usage subtil de la mélancolie, où à travers la recherche, le sentiment de privation donne du prix à l'objet absent, tandis que la réalité perd toute valeur, de cette privation même. L'analyse qu'Augustin prétend faire de la *République* de Cicéron « avec toute la concision et la clarté possible », est ainsi renforcée de ce procédé d'art qui la rend la moins objective possible. Les insuffisances sont seules précieuses parce qu'elles permettent l'affirmation du divin : « quand l'homme n'est pas soumis à Dieu, quel semblant de justice reste-t-il en lui ? » [15] et le dieu digne d'exiger que les Romains lui obéissent, finit par s'imposer comme seule réponse à toutes les interrogations : « Quel aveuglement que de se demander encore : quel est ce Dieu ! C'est le Dieu dont les prophètes ont prédit ce que nous voyons. C'est le Dieu de qui Abraham a reçu cette réponse : En ta descendance seront bénies toutes les nations. » [16] Ainsi s'établissait l'existence de Dieu et de la justice divine par l'imperfection des sociétés humaines. Montaigne, en son essai, s'est sans doute souvenu de l'affirmation, mais autant peut-être du procédé d'art.

Vivès éclairait pour ses contemporains la nature du débat. Il développait l'opinion de Cicéron en se référant au livre *Des lois* : « La loy n'a pas esté excogitee par les entendemens des hommes : ny aucune ordonnance des peuples, ains cestoi je ne sçay quelle chose eternelle qui gouverneroit tout le monde par une sagesse de commander et prohiber et defendre. » [17]. A cette position qui identifiait la loi avec la volonté divine, et qui avait au seizième siècle un prolongement dans la doctrine thomiste, Vivès opposait la doctrine d'Epicure : « qui dit qu'il n'y avoit rien juste par nature, ains par crainte ». Cette peur du châtiment, dépourvue de toute idéologie, qui fonde le droit sur la force, était ensuite opposée à l'« aequum et bonum » des jurisconsultes, un art d'équité qui suffisait « au temps passé que les gens estoient encores bons et

sans meschanceté », pour mettre fin aux procès et faire régner
la paix parmi les hommes, « de laquelle chose il n'y a rien de quoy
nature se resjouisse plus ». Au droit même Vivès préférait ainsi
un art d'accommodement. Quoiqu'il rapportât cet art des jurisconsultes à la dangereuse affirmation de Sénèque d'une « loi
naturellement engravee en nos ames » il n'en retenait que l'opposition aux « fraudes, tromperies, et finesses de ce monde ,esmeües
et nourries par les professeurs de droict et d'equité de ce temps ».
Le terme d'art qui supposait effort humain, dépossédait cette équité
de toute aspiration à un absolu, que le rappel de Sénèque pouvait
autoriser. Cette équité, en fait, était préférence du jugement humain
sur la science des lois qui se prêtait à la fourbe et à la tromperie.
Si le droit invoqué par Vivès n'était point appel à une loi naturelle,
cette sagesse humaine du moins, se fondait sur une exigence absolue
d'honnêteté dans les rapports humains.

Montaigne, en son essai, semble avoir puisé à cette double
source que représentent le père de l'Eglise et son commentateur.
Ou plutôt, comme Vivès, il adapte la pensée de *la Cité de Dieu*
aux problèmes de son temps. Son affirmation de l'amour paternel
met en doute l'existence d'une loi naturelle : «(A) S'il y a quelque
loy vrayement naturelle, c'est-à-dire quelque instinct qui se voye
universellement et perpétuellement empreinct aux bestes et en nous
(ce qui n'est pas sans controverse), je puis dire, à mon advis,
qu'apres le soing que chasque animal a de sa conservation et de fuir
ce qui nuit, l'affection que l'engendrant porte à son engeance, tient
le second lieu en ce rang. »[18] Pareil début, avant l'examen des
questions juridiques (condition faite aux enfants par leur père,
de leur vivant, ou testament après la mort), refuse au sentiment
naturel jusque dans l'évidence apparente, son existence même. Et
Montaigne précise, en effet, immédiatement sa préférence pour la
raison sur ce sentiment dont il a voulu dépasser la réalité. « (A)
Puisqu'il a pleu à Dieu nous doüer de quelque capacité de discours,
affin que, comme les bestes, nous ne fussions pas servilement
assujectis aux lois communes, ains que nous nous appliquassions
par jugement et liberté volontaire, nous devons bien prester un peu
à la simple authorité de nature, mais non pas nous laisser tyranni-
quement emporter à elle ; la seule raison doit avoir la conduite de
nos inclinations. »[19] Ainsi revient ce qui était peut-être, chez Vivès,
un compromis entre droit naturel et art humain, mais aussi dans
l'accommodement, le choix de la raison. De même Montaigne refuse
le sentiment ; la vraie paternité sera pour lui celle qui se fonde
sur estimation, et, confirmant « la propension naturelle », se rend
à la raison. Si le jugement commande au sentiment des pères, à
plus forte raison doit-il gouverner leur conduite. L'art du jurisconsulte, pour Vivès, consistait justement à ne pas recourir aux
lois pour éviter toute tromperie ; la morale de l'essai aussi fonde sur
la raison la distribution de la fortune. Au père déjà vieux, il

convient de laisser ses biens, tandis que l'homme de trente cinq
ans ne saurait agir de même. Surtout, le vieillard dont la tyrannie
est châtiée du vers de Térence, nous vaut, dominant toute police
domestique, le principe de l'honnêteté. C'est l'avarice de la vieillesse qui engendre la piperie de l'entourage. Et Montaigne cite
l'aveu de ce jeune homme de bonne maison habitué aux larcins par
la rigueur de son père. Il généralise le vice de son entourage et
marque l'horreur qu'il en a dans la deuxième rédaction : «(B) Je
suis Gascon, et si n'est vice auquel je m'entende moins. Je le hay un
peu plus par complexion que je ne l'accuse par discours. »[20] Ainsi
se formulait sa réprobation avant ces exemples destinés à imposer la
générosité aux pères envers les enfants : «(A) quant à moy, je treuve
que c'est cruauté et injustice de ne les recevoir au partage et société de
nos biens, et compaignons en l'intelligence de nos affaires domestiques, quand ils en sont capables, et de ne retrancher et resserrer
nos commoditez pour pourvoir aux leurs, puisque nous les avons
engendrez à cet effect. »[21] Le sentiment désormais fondé en raison
se double d'une notion de justice, et cette justice tient toute,
comme le voulait Vivès, à éviter non plus seulement la fourbe
exercée par le moyen de la loi, mais le vol même, et la dégradation
morale qu'elle entraîne par son défaut.

Il ne faudrait pas conclure, pourtant, que Montaigne n'ait médité
que les refus de Vivès, en les confrontant aux problèmes de son
époque. La pensée juridique d'Augustin, plus profonde, reste
présente aussi dans l'essai. Cet aspect de la paternité, que représente
le droit d'héritage, en est l'occasion.[22] Si l'imperfection des lois est
préférée à la raison humaine, la cause en est immédiatement donnée.
Les biens dont nous jouissons, comme les civilisations qui les
régissent, s'inscrivent dans une durée qui dépasse la nôtre ; leur possession véritable par suite ne nous appartient pas. Dans l'incertitude
du droit de tester se fait place progressivement une certitude qui
est notre dépossession même par une raison supérieure, la saisie
du néant de l'homme devant une durée qui lui échappe, un infini
qui n'appartient qu'à Dieu. Ainsi Montaigne se targue d'abord de la
prescription civile, pour opérer sur nous ce dépouillement. Par la
voix de Platon, il reprend ensuite : « Et vos biens et vous estes à
vostre famille, tant passée que future. Mais encore plus sont au
public et vostre famille et voz biens »[23] La progression du texte
a substitué le temps à la loi ; les biens, la famille même disparaissent
dans la durée devant l'intérêt du public. Le détachement complet
s'accomplit dans une générosité supérieure pour «l'interest universel».
Montaigne a joué à son tour de la recherche augustinienne, il a
imposé à travers l'injustice humaine, non point les théories de
Cicéron, mais par le mince détail du testament, la certitude d'une
justice supérieure qui s'affirme par son caractère universel. Le
législateur devient providence qui dit aux hommes : « Allez vous en
doucement, et de bone voglie où l'humaine nécessité vous appelle.

C'est à moy, qui ne regarde pas l'une chose plus que l'autre, qui, autant que je puis, me soingne du general, d'avoir soin de ce que vous laissez. »[24]

La dédicace à Madame D'Estissac, ni la citation des *Adelphes* n'étaient trompeuses qui ramenaient tout l'essai *De l'affection des pères aux enfants,* à la lecture de *la Cité de Dieu.* Repris lors des rédactions successives, sans aucune dissonance avec la pensée primitive, les vers de Térence attestent l'influence profonde de Vivès sur l'auteur des *Essais.* Ce sont les *Commentaires de la Cité de Dieu* qui ont suggéré à Montaigne d'affronter la théorie du droit naturel qui sert à déchirer son époque par les guerres de religion, ou l'assassinat des souverains. Montaigne, après Vivès, plutôt que de la réfuter, cherche à la concilier avec un droit fondé sur le jugement qu'il lui préfère et lui substitue. Cette conception juridique pose une justice entre les hommes qui exclut la tromperie comme la pire perversion morale. Par là, Montaigne après Vivès devait atteindre une autre théorie politique de son époque, l'immoralité du machiavélisme. Animé d'un détachement humain plus profond encore, le texte même de *la Cité de Dieu* a apporté davantage à l'essai : le sentiment de l'imperfection de toute justice humaine et, dans le regret même que nous en avons, et l'inquiétude de nos actes, le dépassement de toute possession matérielle, dans l'abandon à une providence que représentent le législateur mythique de Platon, ou cette éternité augustinienne, où viennent se perdre toutes les réalités qui s'inscrivent dans le temps. Comme à la paternité temporelle, l'essai substitue une paternité littéraire qui échappe au temps, les biens matériels aussi et les passions humaines disparaissent dans l'ordonnance supérieure de l'éternel.

Il faut admettre alors que d'Augustin, Montaigne a imité, plus que tout, l'art savant des substitutions. De l'insatisfaction des rapports humains dans la famille, ou la cité, il a tiré la préférence pour l'éternel et sa saisie même. A Augustin du moins, et très consciemment sans doute, il a laissé la supériorité du grand sujet, de l'affirmation générale de la justice, et de l'existence de Dieu. Mais il nous les rend plus présentes en appliquant le raisonnement non plus à l'histoire romaine mais à l'humble sentiment personnel de la paternité, et à ses obligations civiles. A travers un appel aux sentiments familiaux et à la vie quotidienne de leur époque,' les *Essais* imposent la pensée la plus contraire aux grandes orientations d'une religion engagée dans la guerre, ou d'un matérialisme athée.

Le désir de paix que communique Vivès à Montaigne reste une position de lutte. Il suppose l'option pour certains principes fondamentaux, la soumission à la justice établie, mais également l'honnêteté politique, et la préférence accordée à la victoire morale sur toute passion de dominer l'adversaire.

La paix de l'homme dans la cité repose sur l'obéissance à l'ordre établi. Montaigne ne restreint pas le principe au problème, érasmien déjà, du testament. Il le généralise. Dans l'essai VIII du livre II, il dépasse la pensée de son époque. En revenant au texte d'Augustin, il élève le débat jusqu'à une affirmation supérieure. L'ordre établi qui prend sa dignité de l'humain qui le fonde, par la recherche dont témoigne l'homme qui s'y soumet, atteste l'existence d'un absolu, et par là accède au divin. Donnant ainsi une nouvelle signification à la soumission aux lois et à l'honnêteté politique, Montaigne dépasse tout l'érasmisme en ce qu'il fait appel à cette quête de l'absolu que poursuit sans cesse *la Cité de Dieu*.

Le chapitre *De l'utile et de l'honneste* après un court lancement qui avoue le lieu commun, reprend la lutte de l'essai précédemment étudié contre la fourbe, sur le plan de la morale personnelle, mais aussi de l'action politique : «(B) A qui ne doit estre la perfidie detestable » [25] s'exclame Montaigne, avec son expérience de parlementaire; il blâme ensuite les juges qui attirent « par fraude et fauces esperances de faveur ou pardon le criminel à descouvrir son fait. » [26] Il constate la même attitude dans les négociations que l'on entreprend pour les Princes et se défend de l'avoir jamais partagée. Et comme le machiavélisme se justifie par la pratique, c'est aussi sur le plan du résultat que Montaigne affirme la supériorité de l'honnêteté : « la naifveté et la verité pure, en quelque siecle que ce soit, trouvent encore leur oportunité et leur mise ». [27] Il se refuse à servir dans les négociations la tromperie des Princes : « Si je dois servir d'instrument de tromperie, que ce soit aumoins sauve ma conscience. » [28] Il n'excuse les princes eux-mêmes d'aucun mensonge en raison du but poursuivi. Quand ils y sont forcés par les événements, cela doit paraître châtiment de Dieu. Ainsi s'élève un antimachiavélisme qui, sur le plan individuel, place le respect de la morale avant tout autre, et sur le plan politique y connaît peu de dérogations. « Aucune utilité privée n'est digne pour laquelle nous façions cet effort à notre conscience : la publique, bien, lors qu'elle est et tres-apparente et tres-importante. » [29] Toutes ces citations semblent libres affirmations de Montaigne. Cependant, l'essai *De la Vanité* est plus clair. Dans un addition de l'exemplaire de Bordeaux, il allie la soumission à l'ordre établi au souvenir de Varron [30]. L'essai suivant reprend la même allusion, sans aucune équivoque, pour le sens de la citation, puisqu'il conclut, quelques pages plus loin, sur une condamnation des chefs de parti qui, pendant les guerres de religion, ont rivalisé dans l'art de convaincre les masses par le mensonge et la déformation; et Montaigne proteste: « (C) On faict tort aux partis justes quand on les veut secourir de fourbes. » [31] La constatation précédente, qui renvoyait à Varron, mais après lui à tous les machiavélistes, sous l'ironie portait l'accent de la réprobation : « (B) car il n'est pas nouveau aux sages de prescher les choses comme elles servent, non comme elles sont. » [32]

Pour la réfutation du paganisme, Varron constitue la source

privilégiée où Augustin puise ses exemples. Il lui importe de le confondre comme le plus sûr défenseur de la religion romaine ; aussi ne manque-t-il pas de souligner les conséquences de ses affirmations. Formulant pour les peuples l'avertissement d'honorer les dieux, Varron marquait la réserve de son jugement personnel. Augustin analyse alors et condamne cette tromperie, justifiée par le souci de l'utilité publique. L'intérêt du débat dépasse de bien loin celui que peut susciter pour nous une religion morte : « En parlant ainsi, cet homme si pénétrant laisse suffisamment entendre qu'il garde le silence sur bien des choses que non seulement il méprise, mais que le vulgaire même jugerait dignes de dédain sans ce voile jeté dessus. On me soupçonnerait de formuler de simples conjectures, si parlant des formes du culte, Varron ne déclarait ouvertement dans un autre passage qu'il y a maintes vérités dont il n'est pas utile que le peuple soit instruit, et des mensonges dont il est avantageux que le peuple ne se doute pas. »[33] Et Augustin appuyait avec une ironie que Montaigne a reprise : « Varron a trahi ici toute la tactique des prétendus sages par lesquels les cités et les peuples devraient etre gouvernés. » Montrant encore que pareille duperie politique est l'œuvre du diable, Augustin souhaitait une grâce toute spéciale du Christ pour en délivrer les peuples. C'était assez marquer sa réprobation, à Varron sans doute, mais à un usage politique vieux comme le monde, dont les historiens antiques ont fourni assez d'autres exemples aux *Essais*. Montaigne aussi trouvait dans pareil jugement la réprobation des deux partis engagés dans les guerres de religion, les Thomistes comme les Réformés, qui, comme le machiavélisme, en dépit de toute morale chrétienne, justifiaient la tromperie par le but poursuivi. Avant même d'attaquer le machiavélisme, Montaigne condamnait ainsi toute guerre contraire à la morale chrétienne ; et le recours direct au texte d'Augustin autorisait cette position.

Le principe d'honnêteté politique

Si la morale chrétienne de Montaigne refuse la fourbe, elle constitue aussi une pensée cohérente et pour cela renonce à cette philosophie de l'action qui est celle du thomisme afin d'user d'autres armes. La victoire que Montaigne prétend assurer n'est point la victoire de fait, mais la victoire morale. Reprenant une ancienne querelle qui remonte à la naissance de notre littérature en langue vulgaire[34], antérieure à ces siècles mêmes où les théologiens cédèrent à l'influence aristotélicienne, Montaigne au nom du profit, enseigne après Roland à renoncer à la victoire de fait pour la victoire morale. La querelle entre Roland et Olivier qui paraissait insoluble, tragique comme la présence de la mort même entre deux valeurs d'ordre différent[35], paraît au contraire aisément résolue dans la pensée de Montaigne. Le Cannibale déjà donne cette leçon aux Portugais et aux civilisés que nous sommes : « (A) Si leurs voisins passent les montaignes pour les venir assaillir, et qu'ils emportent la victoire sur eux, l'acquest du victorieux, c'est la gloire, et l'avantage d'estre demeuré maistre en valeur et en vertu ; car autrement ils n'ont que faire des biens des vaincus. »[36] Et Montaigne durant deux pages analyse « C'est en ce seul point que consiste la vraye victoire ». Tous les avantages corporels, ceux que donne le hasard, de faire broncher l'ennemi ou éblouir les yeux, sont empruntés, « (C) le vray vaincre a pour son roolle l'estour, non pas le salut ; et consiste l'honneur de la vertu à combattre, non à battre. »[37] L'affirmation est essentielle et reprise souvent par Montaigne. Le chapitre « *Couardise mere de la cruauté* » l'énonce deux fois[38]. Encore Montaigne refuse-t-il même la science militaire, du moins l'escrime. Et son entourage aussi paraît partager cette notion du courage et de la guerre ; Un de ses amis pousse la conviction jusqu'à refuser au péril de sa vie les armes qui lui donnent l'avantage. Mais assez tristement, comme s'il constatait le progrès du machiavélisme ou du thomisme pour lesquels seul compte le résultat, Montaigne note que la noblesse désormais ne partage plus si généralement ces sentiments qui l'animaient au temps de son enfance.

Opinion de classe chez lui, parce que la noblesse ne connaît d'autre prix que l'honneur, cette conception politique semble aussi, à travers son ouvrage, plus largement partagée par tout un parti. Vivès l'a suggérée en dénonçant la perversion accrue de son époque, et en donnant la responsabilité aux jurisconsultes qui justifient les exigences des princes. De fait, il accusait ainsi les souverains, responsables de leurs actes. Ce n'est point Augustin qui a pu orienter Vivès vers une pareille opposition politique. Pour lui, qui se place sur le plan de l'éternel, la succession des empires n'importe guère. Et leurs possessions ne sont jamais que celles que Dieu leur a concédées. Devant la volonté divine aucun droit humain n'existe. Pourtant, à la fin du cinquième livre de *la Cité de Dieu*, la disparition de l'empire romain par une succession de vengeances, désirées seulement ou pleinement réalisées, qui déchaînèrent meurtres et guerres, a suscité le commentaire de Vivès[39]. Elle lui montre, dans un paragraphe très audacieux, l'inutilité pratique de cette politique de la victoire matérielle. Le même droit de conquête dont les empereurs romains se targuaient sur le monde, était offert en retour aux ennemis qui voudraient les combattre, et autorisait les guerres à l'infini. Une telle politique entraînait « desconfiture d'hommes et furies de la guerre ». C'étaient « torches et flambeaux pour brusler le monde et la peste de tout le genre humain. »[40] Le passage, maintes fois utilisé par Montaigne, était beau par sa violence croissante. Prudent, dans la mesure où il rapportait la condamnation à l'ancien empire romain, Vivès visait en fait toute politique de conquête, niait la prétention des princes à légitimer leurs possessions par aucun titre : Son jugement devait être aussi étendu au déchirement de l'époque devant les continuelles revanches des partis engagés dans les guerres de religion. Le succès matériel ne fondait nullement en droit le parti vainqueur, ni non plus en durée. Telle victoire restait éternellement illusoire.

Ainsi, politique de parti si l'on veut, ce refus de battre, dans le combat même, marquait l'adhésion de Montaigne à une des pages les plus audacieuses de Vivès. L'art des *Essais* avait consisté sans doute en la reprise obsédante de la même pensée, en une sage dissimulation, sous la morale individuelle, d'une morale politique qui condamnait les princes et leurs conseillers.

La morale individuelle, exprimée par les *Essais,* à travers ce procédé de prudence, ne se dissocie plus guère du plan plus largement politique pour lequel Vivès l'avait d'abord exprimée. Liberté de l'homme dans le déchaînement des événements, notion de justice, d'honnêteté, ou désintéressement dans le courage et l'affirmation de soi, toutes ces notions morales sont en fait pensées par Montaigne, après Vivès, et dans un même contexte politique. La paix de l'homme engage déjà celle de la cité.

La condamnation de toute violence exercée au nom de la religion

Si le pacifisme de Vivès représente toujours une position de lutte, du moins par ses revendications il affirme, dans une nouvelle politique, les plus grands principes d'humanité. Refusant le droit de tuer et la torture, Montaigne ainsi suivant Vivès, se montrait l'ennemi de la guerre en soi, à plus juste titre encore, de la guerre de religion. Dépassant toujours la vertu de patience augustinienne, dans une violence au moins de l'expression, parce qu'il avait placé toute la dignité au monde dans la pensée individuelle, il œuvre en tous ses *Essais* pour la sauver, contre le déchaînement des passions en son temps.

De tous les « articles d'animadversion »[41] adressés à Montaigne par la censure romaine, le pire semble bien avoir été d'excuser l'empereur Julien. La prudence, ou la malice de Montaigne étaient grandes; mais les Dominicains jugeaient bien. Intitulé *De la liberté de conscience,* l'essai dès l'ouverture ne dissimule point ses intentions : l'admiration pour Julien l'Apostat constitue une condamnation des guerres de religion. « Bonnes intentions » prête-t-il avec indulgence aux Chrétiens dans la première phrase, mais déjà, il ajoute « effects tres vitieux ». La phrase suivante, dans une large parenthèse, devient injurieuse par l'affirmation, qui n'est pas isolée chez Montaigne, des passions personnelles que couvrent les motifs invoqués[42]. Elle s'achève encore, oubliant la sincérité même du zèle des meilleurs, en mettant l'accent sur la passion qui guette ceux qui participent à la guerre, sur les actes injustes, violents et téméraires qu'elle leur arrache. A travers les crimes du christianisme des premiers siècles, Montaigne condamne la religion de son époque,

du moins la perversion de ceux qui s'engagent dans la guerre. Face
à ces passions qui détruisirent l'œuvre de Tacite, l'Empereur
Julien fait figure de philosophe, conduit par la raison. Refusant
qu'il ait été apostat, Montaigne veut bien admettre sa grande superstition, c'est-à-dire une conviction sincère en sa propre religion.
Tout l'éloge qu'il en fait, face aux violences passionnelles chez les
Chrétiens, consiste justement à montrer qu'il avait voulu établir
cette liberté de conscience que souhaite l'essai : « ayant rencontré
en Constantinople le peuple descousu avec les prelats de l'Eglise
Chrestienne divisez, les ayant faict venir à luy au palais, les amon-
nesta instamment d'assoupir ces dissentions civiles, et que chacun
sans empeschement et sans crainte servit à sa religion. »[43] Toute
la politique de Montaigne devant les troubles de son époque, se
trouve en quelque sorte éclairée par cette phrase, sa haine des
passions populaires, le blâme sur des prélats divisés qui par là se
montrent si éloignés de la morale chrétienne. La seule action
possible, celle que propose le livre, un rôle d'accommodement et
d'apaisement entre les partis, est celle aussi qu'accomplit Julien.
Pareille politique était encore celle de Vivès, ou du moins s'en
pouvait autoriser. Quand, dans la phrase suivante, Montaigne
expliquait sa conduite par un vieux proverbe latin, il traduisait
assurément un passage du *Commentaire de la Cité de Dieu*. Mais
son audace, cette fois, dépassait bien celle de Vivès qui, comme les
anciens, étendait le sens de la maxime très largement à tous les
hommes. Montaigne la vérifie par les violences du Christianisme
qu'a expérimentées l'empereur; mieux, il la fait sienne par le
rappel d'un événement très proche : « ayant essayé par la cruauté
d'aucuns Chrestiens qu'il n'y a point de beste au monde tant à
craindre à l'homme que l'homme ». Où Vivès avait marqué le
tort de l'humanité, pour l'en préserver[44], Montaigne attaquait le
christianisme engagé dans les guerres de religion.

Si le prix de l'audace revenait bien à Montaigne dans l'essai
condamné, il faut reconnaître pourtant que, imitant terme à terme
un passage d'une morale plus largement humaine, il reprenait aussi
les reproches formulés, et le ton de bien d'autres commentaires.
Pour Augustin, pour Vivès qui en accuse la pensée, les bêtes vivent
mieux ensemble que l'homme. La guerre est contraire au Christianisme. « Jésus-Christ, écrit Vivès, vouloit oster ceste guerre d'entre
les hommes, et planter une autre ardeur, non pas de discorde, mais
de concorde et d'une charité mutuelle ». Le commentaire surtout se
termine sur un avertissement de prudence générale « il ne faut
pas aussi irriter et provoquer les courages des hommes qui sont
d'eux mesmes assez enclins à meurtres, fortaitz et meschancetez ».
Le dernier paragraphe de Montaigne est chargé de prudence et
d'ironie. Il retourne l'éloge de Julien en lui prêtant la responsabilité
de la dissension civile par l'usage « de cette mesme recepte de
liberté de conscience » que les Rois viennent d'employer pour

l'éteindre. En réalité, sans illusion sur la volonté royale dans la paix de Monsieur, Montaigne l'attribue à la nécessité des événements par une reprise du vers de l'*Andrienne*. [45] L'accusation ainsi de Julien est à prendre par antiphrase, comme l'éloge royal. La liberté de conscience n'a pas pu exciter les passions. Feignant de prendre le parti des historiens qui l'accablent, Montaigne met dans la conduite de l'Apostat, le conseil même par lequel Vivès termine son commentaire. La dureté de l'ironie sur la piété engagée des rois de France le renouvelle encore.

Ainsi la politique de Montaigne dominée par ce grand principe de la liberté de conscience, n'innove point, mais suit les avertissements d'Augustin dans la *Cité de Dieu* que Vivès en son commentaire, avait renforcés pour répondre aux nécessités des guerres civiles. L'exigence de la morale chrétienne doit l'emporter sur la fin poursuivie; et la guerre est la chose la plus injustifiable dans une morale de charité.

Le refus du droit de tuer

Le principe de la liberté de conscience s'oppose directement à cette politique, chrétienne aussi, qui justifie la guerre par la fin qu'elle poursuit, en laquelle Montaigne reconnaît avec amertume le gouvernement de ses rois. A l'inverse, loin de sacrifier jamais l'individu au général, il refuse le droit de tuer.

Dans l'essai *Coustume de l'ile de Cea,* Montaigne annonçait en préambule à ce qu'il appelait son doute, qu'il le soumettait comme cathédrant à « l'authorité de la volonté divine, qui nous reigle sans contredit et qui a son rang au dessus de ces humaines et vaines contestations ». [46] C'était en avouer la source religieuse. Présenté comme un débat sacrifiant d'abord à la pensée stoïcienne qui admet le suicide, l'essai s'oppose ensuite à pareille position. Montaigne utilise, en fait, le livre I de la *Cité de Dieu*. Le chapitre XXIII lui fournissait l'exemple de Regulus, les chapitres XXV et XXVI ces « violences qui se font à la conscience » [47], cas extrêmes où il pourrait être permis de se tuer; et les noms mêmes de Pelagia et Sophronia étaient précisés par le commentaire de Vivès. L'humaniste espagnol donnait la citation de Saint Paul qui précède immédiatement celle qu'a choisie Montaigne. Elégance dans l'imitation, ou preuve d'une méditation personnelle sur les textes utilisés, ce souci de variété révèle encore l'autorité du cathédrant. Le chapitre XXII également apportait à Montaigne l'exemple antique de Cléombrote et le désir de Dieu qu'il suppose. Vivès référait le passage au *Phédon* et à la *République* de Cicéron et donnait même la phrase [48] qu'a pu développer Montaigne dans une belle image militaire [49].

Que Montaigne ait ainsi cherché, dans une pensée chrétienne, les exemples qui s'opposent au suicide ne doit point surprendre.

Mais l'utilisation de ce groupe de chapitres d'Augustin est particulièrement révélatrice, et correspond aux inquiétudes profondes d'une époque[50]. Dans le premier livre de la Cité de Dieu, Augustin s'efforce de rassurer les Chrétiens affligés, eux aussi, par les persécutions[51]. Montaigne s'attache particulièrement à la fin d'un chapitre où, dans le cas des Chrétiennes outragées, ce cas extrême signalé par Montaigne, est étudié le droit de tuer. Mais le passage est immédiatement précédé du rappel de l'exception légitime, celle seulement d'Abraham parce qu'il en avait reçu l'ordre de Dieu. Augustin fait allusion encore à Jephté, pour se demander s'il a bien répondu en son acte à la même volonté divine[52] ; marquant l'importance accordée au passage par tout le siècle, deux des plus grands tragédiens de la Renaissance se sont attachés à la peinture de ces obéissances douloureuses et inquiètes[53]. Dans cette soumission de la souffrance humaine à la volonté divine, tient aussi toute l'angoisse des Chrétiens devant les guerres de Religion. En dépit de ces cas extrêmes où l'obéissance était encore sentie comme un effort sur la nature et l'humanité, la conclusion du chapitre était formelle : « tout homme qui se tue lui-même, ou en tue un autre, est tenu pour coupable d'homicide. » Ainsi s'explique sans doute le chapitre entier de Montaigne : la pensée du Père de l'Eglise ne fait aucune différence entre le meurtre d'autrui et le meurtre de soi-même. Sur le refus du suicide, seul affirmé, se projetait aussi le droit de tuer autrui. Pour l'auteur des Essais, Vivès avait prolongé le texte du commentaire le plus bref et le plus violent. Si les Juifs peuvent être tenus pour pieux parce qu'ils ont fait la guerre sur l'ordre de Dieu, assurément il est impossible que ne soient pas au comble de l'impiété ceux qui tuent tant de milliers d'hommes et des Chrétiens mêmes, en dépit de l'interdiction de Dieu[54]. Gentian Hervet avait omis, dans sa traduction, le passage condamné. Montaigne le lisait sans doute dans le texte latin; il s'en souvient en son essai. Cette coutume légendaire qui lui prête son titre, n'exprime que l'amour de la vie. « La douleur insupportable et une pire mort » lui semblent « les plus excusables incitations. »[55] Il faut noter que si pareille conclusion interdit de donner la mort à autrui, elle exclut cependant la peur des supplices et des armées victorieuses. Moins violent en apparence que Vivès, Montaigne partage ainsi la même haine du sang versé, la même réprobation sur les assaillants fautifs, mais accorde son indulgence aux souffrances des vaincus.

Les emprunts faits à Augustin et à Vivès, donnent ainsi à l'essai Coustume de l'isle de Cea son sens véritable. Ayant sans doute lui-même joué la Jephté de Buchanan, Montaigne a vécu profondément avec les augustiniens de son époque l'angoisse devant la soumission à Dieu qu'imposaient les chapitres qu'il utilise. Limitant encore la portée de son essai au droit de se tuer soi-même, il projette pourtant sur son œuvre le sens des passages utilisés, la protestation des victimes devant les horreurs des luttes religieuses. Cet appel à la sensibilité du lecteur soulevait peut-être plus efficacement l'opinion contre une guerre qui n'était point nommée, que la violence d'expresion de Vivès.

Le refus de la souffrance

Le refus du droit de tuer qu'il faut bien étendre, avec Vivès et Augustin, au droit de guerre, dans l'exception consentie d'une pire mort, expression d'un pacifisme profond, était bien une revendication d'humanité. Non plus devant Dieu, ou devant sa conscience, mais devant les hommes, Montaigne à la suite d'Augustin, et plus encore de Vivès, refuse tout droit encore à ce qui est au-delà de la mort simple, à la dégradation humaine par la souffrance. Désormais, il ne présente plus sa pensée comme « doutes » soumis à l'autorité du « cathédrant », mais comme des principes judiciaires et politiques qu'exige, plus que la morale chrétienne la sensibilité humaine.

Comme déjà dans *les Cannibales,* Montaigne admirait que leurs guerres fussent sans passion d'ambition ni de cupidité, tout ce qui, dans la conduite humaine, dépasse le seul devoir, répond à une passion personnelle, à un amour de soi blâmable en son essence. Ainsi, bien éloigné du mépris pascalien pour les affaires humaines, il précise cependant qu'« il ne faut pas appeler devoir (comme nous faisons tous les jours) une aigreur et aspreté intestine qui naist de l'interest et passion privée; ny courage, une conduite traistesse et malitieuse.» [56] Tout ce qui outrepasse la seule raison, trahit ainsi une perversion. Avec ce principe, Montaigne pouvait condamner, et l'individu dans sa conduite, et la justice de son temps, et de tous les temps peut-être, la guerre aussi, fléau éternel, particulièrement la guerre de religion, qui, de sa seule existence, dénonce la justification qu'elle allègue.

Dans la page que l'on avance le plus souvent pour montrer le scepticisme religieux de Montaigne [57], ce sourire sur la prière de la vieille capable de porter une chandelle à Saint Michel, l'autre à son serpent, il ne se marque ni égoïsme ni indifférence; mais la critique usée peut-être, sur toute superstition, se nuance d'une indulgence pour cette forme de spiritualité des simples. Evitant la passion érasmienne, Montaigne, par sa sympathie humaine, dépasse toute critique. Sa modération se justifie par l'exemple d'Atticus qui se sauva par là de la colère d'Auguste dans le parti même de la justice. Comme lui, Montaigne affirme la supériorité en droit du sien : « je suivray le bon party jusques au feu, mais exclusivement si je puis ». Cette réserve ne va pas sans un dévouement complet, mais conduit par l'utilité, et non par la passion : « Que Montaigne s'engouffre quant et la ruyne publique, si besoin est ». Pareille affirmation marque assurément une générosité totale, mais celle de l'esprit qui se fonde toute en raison. Le paragraphe précédent éclairait encore, s'il était possible, l'affirmation. Dans cette mesure apportée à la charité, Montaigne mettait toute la fierté de soi. Dans une addition de l'exemplaire de Bordeaux, à l'égard des Rois dont il a été le sujet, mais dès la première rédaction, à l'égard de la cause générale et juste qu'il sert, il déclare avoir toujours refusé « les engagemens penetrans et intimes » : « la colère et la hayne sont au delà du devoir de la justice, et sont passions servans seulement à ceux qui ne tiennent pas assez à leur devoir par la raison simple : toutes intentions legitimes et equitables sont d'elles mesmes equables et temperées, sinon elles s'alterent en seditieuses et illegitimes ». Devant cette tentation pour l'homme de toutes les passions personnelles dont Vivès avait si bien signalé le danger, Montaigne aussi fait de la mesure la marque même de la raison. Tout dépassement pour lui, tombe dans l'injustice.

Ce qui fait en l'édition de 1588 la fierté de l'auteur des *Essais*, revenant sur sa conduite dans les charges qu'il a remplies et sur sa vie tout entière, est aussi une exigence fondamentale pour la politique à l'intérieur d'un pays, ou entre les peuples. Certain de la justesse du principe de mesure sur le plan personnel, il était nécessaire aussi qu'il en demandât l'application sur le plan général. Dès la première rédaction, travaillant sur les *Commentaires* de Vivès, il avait manifesté cette revendication.

Dès l'essai *Couardise mere de Cruauté*, Montaigne, confondant les thèmes du respect de la vie humaine et de mesure de la raison dans toute justice, déplorait qu'il n'y eût plus en son temps de mesure à la vengeance personnelle, autre que la mort. Il analysait dans cet abandon de l'équitable, un amour de soi, celui qui donne son titre à l'essai[58]. La page suivante condamnait en expliquant. C'est le doute de soi qui engendre l'obstination. Elle est l'aveu d'une impuissance : « Si nous pensions par vertu estre tousjours maistres de nostre ennemy et le gourmander à nostre poste, nous serions bien marris qu'il nous echappast, comme il faict en mourant. »[59] L'exemplaire de Bordeaux avouait-il encore la source de la pensée par l'anecdote d'Asinius Pollion? Augustin a souvent exprimé cette morale de mesure, mais Montaigne a utilisé le plus souvent aussi ce livre V de *la Cité de Dieu* qui condamne la démesure de l'héroïsme romain, comme étrangère à la vertu véritable. Sur un autre plan, celui de la controverse littéraire, Augustin achève le livre en réfutant par cette morale ceux de ses adversaires qui, ayant écrit leur réponse, attendent le moment favorable pour la lancer. Cette attente suppose l'injustice des arguments. Avant de se prêter à la pensée de Montaigne, le passage a été enrichi. Le *Commentaire* de Vivès justifie Augustin par la réplique de Plancus à Asinius Pollion[60]. Montaigne a emprunté à ce commentaire cette expression dont il a lui-même aiguisé les sonorités « que ce n'estoit qu'aux lutins de luitter les morts »[61] et un raisonnement plus profond : « Celuy qui

attend à veoir trespasser l'autheur duquel il veut combattre les
escrits, que dict-il, si non qu'il est foible et noisif ? » De fait, Vivès
montrant que le combat littéraire, s'il est juste, doit se prêter à la
réponse, et par là se faire avant la mort, avait bien, comme Augustin,
élevé cette réflexion à une affirmation générale, capable de conclure
un livre qui poursuivait la recherche de la vertu véritable. Le vrai
courage aussi, le courage militaire particulièrement, suppose le respect, et la conservation de l'adversaire contre lequel on prétend
combattre : « Quel courage a celuy qui pense que l'erudition ou les
facultez ou de l'ame ou du corps, ont esté baillees pour la ruine des
autres ? » Toutes les exigences politiques de Montaigne se trouvent
comme justifiées et préfigurées déjà par cette conclusion du cinquième livre de *la Cité de Dieu*.

Déjà, et dès la première rédaction, l'essai avait formulé « tout ce
qui est au delà de la mort simple, me semble pure cruauté .»[62] Le
principe, si fermement exprimé, trouvait immédiatement une application dans le domaine juridique : « nostre justice ne peut esperer
que celuy que la crainte de mourir et d'estre decapité ou pendu
ne gardera de faillir, en soit empesché par l'imagination d'un feu
languissant, ou des tenailles, ou de la roue ». L'attaque était
justifiée par la morale du christianisme : « en quel estat peut estre
l'ame d'un homme attendant vingt-quatre heures la mort, brisé
sur une roüe, ou, à la vieille façon, cloué à une croix ? »[63] Cet
accent religieux n'était pas le dernier dont jouait Montaigne pour
soulever l'opinion contre la torture, il avouait pourtant une fois
encore la source de sa pensée.

Ancien parlementaire et augustinien, Montaigne était, par sa
classe, comme par la nature de sa pensée, voué au conservatisme,
opposé à toute nouvelle loi qui ne suivît pas une exigence absolue
des mœurs, et à leur multiplication même par les rois de France.
Mais il semble que l'usage de la torture, que le passage cité fait
remonter à l'histoire des Juifs, ancien donc comme la perversion
de la nature humaine, naît avec toute civilisation. La question
judiciaire, instituée par l'édit de Villers-Cotteret près d'un demi-
siècle auparavant, ne pouvait plus pour l'auteur des *Essais*,
constituer une innovation qui justifiât son opposition conservatrice.
Au contraire, l'essai l'indique, le refus de Montaigne pour toute
souffrance au monde, se fonde sur une pensée plus profondément
religieuse qui s'élève par delà la morale de son temps, jusqu'à des
principes largement humains, et, en cela, fort nouveaux. Augustin
avait bien parlé de cette même pratique autorisée par toute l'antiquité, du moins sur les esclaves. Mais il la déplorait comme une
de ces misères de la cité terrestre qui doivent faire désirer la cité
céleste. Comme l'esclavage, fruit du péché, elle ne suscitait qu'une
prière : « Combien plus considerément, et ainsi qu'il appartient à
l'homme, recognoist-il l'homme en ceste necessité, et hait en soy-

mesmes ceste misere : et s'il est sage selon Dieu et la pieté, il crie à Dieu : Delivre moy de mes necessitez. »[64]

Pour s'être écarté sur ce point de la vertu de patience prêchée par *la Cité de Dieu*, Montaigne n'en conserve pas moins les arguments utilisés par Augustin contre la question judiciaire. Dès la première rédaction, il formulait « c'est une dangereuse invention que celle des gehenes, et semble que ce soit plustost un essay de patience que de vérité. »[65] Après cette affirmation première, d'une addition sur l'autre, et dans les trois étapes que l'on veut généralement discerner dans l'élaboration de son ouvrage, Montaigne en empruntait la justification au chapitre d'Augustin dont il refusait pourtant l'esprit profond. La question est injuste qui, par sa nature, est opposée à cette recherche de la vérité dont elle se réclame. Parce qu'elle fait « pis que de tuer », déjà elle est excès injustifiable et contraire à la raison, mais Augustin avait affirmé aussi que, selon la philosophie antique, l'homme préférait s'évader de la vie plutôt que d'endurer plus longtemps les tourments de la question. Il avouait, en dépit de son innocence. La question devenait injustice, et Montaigne reprend après lui « (C) qu'il soit ainsi : voyez combien de fois il ayme mieux mourir sans raison que de passer par cette information plus penible que le supplice, et qui souvent, par son aspreté, devance le supplice, et l'execute. »[66] « Quo damnato et occiso, utrum nocentem an innocentem judex occiderit, adhuc nescit, quem ne innocentem nesciens occideret torsit; ac per hoc innocentem et ut sciret torsit, et dum nesciret occidit »[67], avait encore écrit Augustin. L'exemplaire de Bordeaux traduisait « D'où il advient que celuy que le juge a gehenné, pour ne le faire mourir innocent, il le face mourir et innocent et gehenné. »[68] Mais déjà la première rédaction, plus librement, avait exprimé la même pensée en refusant de fonder la pratique de la question sur la recherche de la vérité, et en feignant de la vouloir justifier par la croyance en la conscience. Au moins, Montaigne restait proche du passage de *la Cité de Dieu,* en concluant alors : « Pour dire vray, c'est un moyen plein d'incertitude et de danger... Mais tant y a que c'est... le moins mal que l'humaine foiblesse aye peu inventer ». Les additions de l'exemplaire de Bordeaux avaient bien atténué cette réserve et poursuivaient encore « Bien inhumainement pourtant et bien inutilement à mon avis ». C'était reprendre le cri d'Augustin proche de la révolte par l'excès même : « quod est intolerabilius magisque plangendum rigandumque, si fieri possit, fontibus lacrimarum. » Le ton de Montaigne dans la deuxième rédaction, plus mesuré dans les termes, est donné par la réflexion finale : « condemnation instructive ». L'ironie sur un exemple d'inhumanité insoutenable manifeste le refus de la raison. Tel était aussi celui de Vivès qui, dans son commentaire, avouait dépasser sciemment la pensée du maître : « Qui ne veoit, disait-il, qu'il parle avec les Gentils, et suyvant l'opinion des Gentils. »[69] La torture, ensuite, était présentée au lecteur comme une chose à laquelle il participait d'abord comme complice : « Sans point de faute, nous avons cœur de bourreaux », ensuite comme patient même : « Si nous ne leur donnonz pas noz vies qu'ils desirent à tout le moins ce qui vient après ». Imposée si intensément au lecteur, elle pouvait justifier cette révolte contre les pleurs d'Augustin : « Nous qui sommes, c'est à sçavoir, douez de toute humanité ». Une autre morale, en effet s'impose à une civilisation formée au Christianisme depuis tant de siècles, qui s'en réclame jusque dans sa politique, et l'autorité des souverains. La brève incise pourtant, soulignant l'écart de la réalité appelle la réflexion. La raison tout entière de l'ouvrage est dans cet effort pour établir une morale chrétienne, dans une exigence largement humaine qui en est l'accomplissement. Ainsi, Montaigne, dans l'exemplaire de Bordeaux, ne s'en tient plus à la résignation. Comme Vivès par le réalisme des détails, il s'efforce de soulever la sensibilité.

Si la question judiciaire qui se réclame pourtant du besoin de vérité et d'une exigence de justice, noble peut-être en sa nature, est dénoncée comme fautive devant la raison et la religion, intolérable est aussi pour l'humanité, à plus forte raison, toute torture en soi que rien ne justifie plus. Le châtiment judiciaire ne peut non plus aller au-delà de la mort seule. Tout le spectacle des tourments destinés à effrayer les foules et à les préserver du crime, comporte cette erreur de raisonnement que commet une politique où l'on immole le particulier pour le profit du général. Montaigne la détruit aussi par la pratique. Son voyage à Rome lui a montré que la violence sur les cadavres produisait auprès du peuple, le même effet que si elle était exercée sur les vivants. « (A) Nous devons la justice aux hommes, affirme-t-il[70], et la grace et la benignité aux autres creatures qui en peuvent estre capables ». C'est dire que sa justice est toute bonté mais fondée en raison. Ainsi précise-t-il : « (A) Quant à moy, en la justice mesme, tout ce qui est au delà de la mort simple, me semble pure cruauté, et notamment à nous qui devrions avoir respect d'en envoyer les ames en bon estat ; ce qui ne se peut, les ayant agitées et desesperées, par tourmens insupportables. »[71] Le commentaire de Vivès déjà à propos de la torture parlait de ce qui vient après la mort. L'expression était peu claire. Vivès reprenait-il cette morale de mesure qui interdit, sous peine de tomber dans la passion, d'aller au delà de la mort, ou bien parlait-il aussi, comme Montaigne, du danger pour le salut éternel, de ces souffrances qui dépassent la patience humaine ? Parti sans aucun doute du même passage, Montaigne a désormais le prix de la clarté et de l'énergie dans la protestation, et cela dès la première rédaction. Ajouté en 1582, l'exemple de Catena n'apporte que cette pratique que Montaigne voudrait substituer à l'usage établi. Mais quelle lumière aussi sur les mœurs de son temps, dans la peinture de cette foule qui assiste au supplice et qui, comme il le dit, ne perd pas un détail de l'exécution, la suivant « d'une vois pleintive et d'une exclamation comme si chacun eut presté son sentiment à cette charongne. »[72] A cette attirance de son temps pour le spectacle de la souffrance, même comme ici sans haine et dans la compassion, se mesure et l'importance de la réserve de Vivès sur le christianisme de son époque, et la grandeur de la lutte entreprise par Montaigne après lui.

La condamnation de la guerre

Les principes d'humanité de Montaigne appliqués ainsi aux coutumes judiciaires de son temps s'élèvent contre les condamnations des sorciers dont il met en doute la culpabilité[73]. Contre toute erreur judiciaire assurément. Mais déjà elles atteignent la guerre dans ses cruautés. Les souffrances de la torture ne diffèrent point, qu'elles soient exercées par la justice, ou par les horreurs de la guerre. Leur condamnation aussi se fonde sur le même principe. Et pour la morale chrétienne, et pour une âme sensible à la souffrance d'autrui, une exigence profonde s'oppose à l'exercice des violences qui dépassent la force de la volonté humaine.

Montaigne, sur ce point, préfère parler des guerres lointaines. L'essai Des Cannibales s'attache à la conquête du Nouveau Monde par les Portugais; celui Des Coches concerne les Espagnols. Le supplice de ce pauvre roi de Mexico qu'ils finirent par pendre par un reste d'humanité appelle le commentaire : « (B) Nous tenons d'eux-mesmes ces narrations, car ils ne les advouent pas seulement, ils s'en ventent et les preschent. Seroit-ce pour tesmoignage de leur justice ou zele envers la religion ? Certes, ce sont voyes trop diverses et ennemies d'une si saincte fin. » [74] Et Montaigne justifie cette accusation de l'inhumanité de leurs procédés par la morale de la religion qu'ils allèguent : « S'ils se fussent proposés d'estendre nostre foy, ils... se fussent trop contentez des meurtres que la necessité de la guerre apporte, sans y mesler indifferemment une boucherie, comme sur des bestes sauvages, universelle, autant que le fer et le feu y ont peu attaindre ». Provoquées alors par les guerres qui lui sont contemporaines, écho peut-être aux protestations de Las Casas, celles de Montaigne se justifient par une exacte fidélité au texte de la Cité de Dieu. C'est Augustin, le premier, qui oppose la conduite humaine dans la guerre à celle des bêtes sauvages, et la trouve bien pire. Le commentaire de Vivès en fait un fléau universel pour le genre humain.

Pour Augustin, l'homme dans la guerre viole plus profondément que la bête l'ordre du monde.[75] Dieu l'a créé seul pour fonder entre ses descendants une concorde plus étroite, les liant ainsi plus que par une ressemblance de nature, par un sentiment de parenté. Mais le chapitre suivant oppose à ce dessein du Créateur la réalité contraire : ni les lions, ni les dragons n'ont jamais déchaîné entre eux des guerres semblables à celles des hommes. Vivès commentant le passage, autorisé par le livre du péripatéticien Dicéarque compare la guerre à tous les fléaux qui ont pu assaillir l'humanité, « Combien plus d'hommes ont esté destruictz par l'assaut des hommes. »[76] Ailleurs encore[77], c'est l'opinion de Cicéron aux *Offices* qui, par étymologie, veut voir dans la guerre bestialité; mieux même, Saint Cyprien montre le monde « tout arrousé du sang l'un de l'autre » et tire la racine du mal du caractère collectif de toute guerre qui fait vertu de ce que, dans la morale particulière, on juge encore crime. La guerre devient le fléau des sociétés et des peuples organisés. Ainsi s'explique, dans l'essai *des Coches*[78] l'audace de ce qualificatif de « boucherie universelle » que lui donne Montaigne.

Cependant, face à Vivès, à Augustin, ou à Cyprien, Montaigne raisonne sa condamnation avec les principes qu'il a tirés de leur morale. Il dénonce la conquête des rois de Castille, comme injustifiable moralement parce qu'elle a poursuivi des biens matériels. Sa religion est adhésion des cœurs, et se défend de toute puissance temporelle, à plus forte raison de toute guerre de conquête : « ce n'est pas en **possession** de terres qu'elle s'amplifie, mais en possesion d'hommes ». Ainsi, poussant plus loin la politique augustinienne, Montaigne n'en reste pas à une charité de la sensibilité. S'il la partage profondément, il la raisonne aussi en un système, opposé aux passions qui déchirent son temps. Augustin n'a point blâmé la participation du pouvoir temporel au triomphe du christianime; avant de les regretter, il a admis les persécutions contre les donatistes[79]. La prise de conscience, au contraire, du danger que représente l'usage de la force en matière religieuse, s'impose à Montaigne qui vivait en un siècle où la vulgarisation des théories exprimées dans le *De regimine principum* avait justifié l'engagement militaire entre les deux partis du christianisme. Catholiques et Réformés défendaient leurs lieux de culte et la possession des terres par les chefs de l'une ou l'autre religion. Ainsi, dépassant celui de Vivès, le pacifisme de Montaigne affrontait le thomisme dans sa doctrine, et refusait à la foi ce domaine temporel où elle prétendait. Le désir d'étendre le christianisme ne pouvait fonder aucun droit à la guerre. Parce qu'il affrontait aussi directement dans ce refus, les théories politiques thomistes, comme il les dépassait en richesse de pensée, Montaigne l'emportait aussi sur la politique chrétienne d'Erasme. Nommer si ouvertement l'adversaire, même en ses actes de l'autre côté du globe, était renouveler la portée de la pensée. Entre s'opposer à la seule guerre de conquête et dénoncer la fausseté de toute guerre entreprise pour un motif religieux, il n'y avait point commune mesure. La pensée était autre. Et ce n'était point l'auteur du « monachatus non est pietas » qui ramenait le christianisme à cette intériorité et ce détachement d'une religion du cœur, mais le philosophe engagé dans la politique de son temps, le traducteur de la *Théologie Naturelle*.

Sans cesse Montaigne dénonce « les nouvelletez », en apparence pour des raisons de conservatisme et de sagesse politique, mais il sait aussi manifester de violentes protestations contre les atrocités de toute guerre chrétienne. Avec une force d'autant plus grande qu'elle prend l'apparence de la discrétion, à propos du spectacle des Cannibales, il rappelle un même festin plus proche de lui, pratiqué par ses semblables, sur un vivant[80], et les atrocités qui font déchirer « par tourmens et geénes, un corps encore plein de sentiment, le faire rostir par le menu, le faire mordre et meurtrir aux chiens et aux pourceaux ». Mais tous ces souvenirs, qui parlent sans doute puissamment à ses contemporains, ne visent pas seulement à l'arrêt de la guerre. Par delà tout appel à la sensibilité, et aux principes d'humanité, Montaigne cherche, dans un affrontement très conscient à la pensée thomiste, à édifier l'augustinisme en un véritable système politique. Non seulement pacificateur, mais théoricien religieux, il lutte pour cette liberté de conscience qu'on lui a reprochée à Rome, à travers le personnage de Julien l'Apostat. Querelle de théologiens à mots couverts, les Dominicains du Saint Office, avaient bien reconnu, sous la prudence de Montaigne, la doctrine la plus opposée à la leur : dans le respect de l'individu, une religion du cœur. Le philosophe le plus mêlé aux événements politiques de son temps, était justement celui qui refusait à la religion tout engagement, toute justification par la fin poursuivie, tout acte en somme qui ne répondît pas à la morale la plus exigeante.

Par là, la sévère morale de mesure que Montaigne tirait de la Cité de Dieu et de son plus passionné commentateur, travaillait à établir un pacifisme politique par des revendications chrétiennes et humaines. Parce que tout ce qui dépasse la seule raison se trouvait refusé à l'homme, il n'avait non plus aucun droit sur la vie d'autrui. Davantage se trouvait condamné ce qui, pour la sensibilité humaine, dépasse la mort seule, la torture dont ni la victime ne peut supporter les apprêts, ni les assistants le spectacle, ni les lecteurs de Vivès ou de Montaigne le récit. Avec un art puissant sur notre sensibilité, l'auteur des Essais suit les intentions profondes de ceux qui l'on inspiré. Il nous fait refuser, avec la souffrance, ses causes principales en son temps, plus que les coutumes judiciaires, ou la dureté de son époque, l'éternelle nécessité des guerres.

Dépassant déjà la vertu de patience et la compassion, seules exprimées par la Cité de Dieu, Vivès plus audacieux que Montaigne contre la logique scolastique et l'obscurité des théologiens, condamne les guerres de religion par les seuls critères de la morale de charité et de la limite de la sensibilité humaine. Pour cette raison, son ouvrage fut prohibé. Il est dépassé pourtant en audace, et en profondeur de pensée par Montaigne qui édifie sur ses protestations une véritable politique augustinienne. Prolongeant le principe fondamental qu'il faut rendre à César ce qui est à César,

Montaigne refuse à la possession des cœurs, qui est le seul domaine du Christianisme, tout droit à celle du sol. C'est séparer le principe religieux de tout pouvoir temporel. Et la pensée était audacieuse en un temps où un pape avait porté la cuirasse à la tête d'une armée[81], où le christianisme aussi avait hérité de plusieurs siècles de théologie thomiste, et au nom de ce droit naturel que représente la loi divine, imposé sa volonté aux princes et aux peuples.

Les exigences d'une politique humaine que Montaigne a exprimées en ses *Essais* font écho à ce dépassement de la sagesse politique augustinienne que Vivès a prétendu imposer à son temps.

Affirmant les grandes idées qui doivent établir la paix entre les hommes, la notion de la liberté humaine à l'intérieur du devenir des civilisations, la notion de justice contraire à toute passion politique, Montaigne suit le *Commentaire de la Cité de Dieu*. Après Vivès, il refuse la tromperie dans la vie publique, aussi bien que personnelle, il affirme la supériorité de la victoire morale sur le résultat pratique. Par là, il fonde le principe de la liberté de conscience.

Dépassant la compassion seule exprimée par *la Cité de Dieu*, Vivès se fait, pour son temps, l'apôtre d'un augustinisme plus exigeant, et plus profondément humain que celui d'Augustin. Aussi son ouvrage fut-il l'objet des prohibitions de l'Eglise. Montaigne, à son tour, connaissait son audace en édifiant les protestations du philosophe espagnol en un système politique. Faisant place à la liberté humaine dans l'histoire, ramenant toute justice à la raison et au soin du législateur, dans un complet désintéressement de soi, il porte à l'homme un respect absolu. Imposant la supériorité de la victoire morale sur le résultat pratique, il affirme qu'aucune cause n'est digne qu'on lui sacrifie la vie, moins encore, par l'exercice de la torture, le salut éternel. La guerre qui immole le particulier au nom du général ne saurait connaître aucune justification. Elle est aussi sentie comme une violence insoutenable pour la sensibilité humaine.

C'est en lecteur d'Augustin que Vivès, dans son *Commentaire de la Cité de Dieu*, a suscité la prise de position de Montaigne devant les malheurs de son époque. A travers sa philosophie personnelle, rappelant les grandes exigences de Roger Bacon, il lui a communiqué une nouvelle connaissance du monde.

TROISIEME PARTIE

MONTAIGNE, LECTEUR DU DE TRADENDIS DISCIPLINIS, OU LE RENOUVELLEMENT DE LA PENSÉE SCIENTIFIQUE

En lui confiant le commentaire de *la Cité de Dieu*, Erasme savait trouver en Vivès le meilleur vulgarisateur de la doctrine d'Augustin. Le Père de l'Eglise fondait la prise de position bonaventurienne face à la philosophie thomiste. Il répondait à l'inquiétude des humanistes qui n'avaient su intégrer dans la foi leur passion pour les lettres humaines, et bien davantage au tourment des esprits en période de lutte religieuse. Par son œuvre personnelle Vivès apportait plus encore à son temps. A travers Sebon et Lulle, mais aussi peut-être par une lecture directe, il se faisait l'héritier de Roger Bacon dont Bonaventure avait voulu laisser les écrits sous le boisseau. C'est sans doute que le franciscain d'Oxford joignait à une fidélité certaine envers Augustin, un respect égal pour cet ancien chrétien dont l'Eglise avait admiré l'éloquence, mais non reconnu la conformité de la pensée à la Tradition, Lucius Cecilius Firmianus, surnommé Lactance à cause de la douceur de son langage. Admirateur de Ciceron, il reprend sa pensée, ses tournures, et, parfois, dans de longs passages, ses termes exacts. Par *les Divines institutions* seules, nous connaissons aujourd'hui la plus grande part des œuvres perdues de l'orateur, *la République*, ou *les Académiques*. Héritier encore de Sextus Empiricus, et, dans son propre ouvrage, opposant toutes les philosophies humaines pour le service de la foi, il a permis d'intégrer le scepticisme dans la pensée chrétienne. Si son admiration pour les sciences humaines lui fait concéder ce que refusera formellement Augustin : avec l'aide de la grâce divine, l'accès des grandes âmes à la connaissance de la vérité avant la Révélation, il est animé d'une conception toute platonicienne de la divinité de la science, et affirme sa pleine possession par l'homme avant le péché, dans le livre de la nature. Par suite, dans un optimisme profond, il croit à sa redécouverte illimitée à travers les temps, et manifeste une foi inébranlable dans la puissance de l'esprit humain.

C'est parce qu'il est soulevé par cet optimisme fondamental que Vivès, par son œuvre propre, ou à travers celle de Montaigne, renouvelle la pensée européenne. Son influence devait être capitale sur le développement des sciences, en rendant, après Lactance, l'intérêt à la pensée sceptique, aux œuvres de Galien et de Sextus Empiricus. Face à la scolastique, il élève l'expérience et le jugement en principes d'investigation scientifique. Le peuple, par la pratique, ou le savant, par une illumination supérieure, développeront les arts jusqu'à la fin du monde. Une telle affirmation l'oppose absolument au courant d'esprit italien né de *l'Examen vanitatis* de Pic[1], fondé sur une lecture directe des auteurs anciens, et animé d'un scepticisme authentique. Le monde, ni l'esprit humain ne sont vanité pour qui invite à leur découverte.

Vivès se présentait ainsi à Montaigne comme l'auteur d'un système cohérent, un chef de parti dans la lutte philosophique, et un chef d'école pour la redécouverte du monde.

CHAPITRE I

L'OPPOSITION A LA SCOLASTIQUE

Entamée au XIIIᵉ siècle par Roger Bacon, au nom d'une méthode d'investigation scientifique, l'opposition à la scolastique prend un regain d'actualité au début du XVIᵉ siècle. C'est que Vivès commence sa carrière philosophique par cette prise de position qui lui paraît nécessaire avant toute affirmation de doctrine. C'est qu'en Italie, aussi, sous l'influence du dominicain Savonarol, Pic de la Mirandole, pour avoir mis tout son espoir dans la logique humaine, devant la confusion de la science médiévale, qui se voulait complète et définitive, ne trouvant plus en l'homme cette illumination platonicienne qui communique au divin, doute de toute chose au monde. La renaissance des lettres antiques lui donnant une connaissance directe des textes sceptiques, il attaque la pensée scolastique en raison de la faiblesse du jugement humain. Cependant qu'il protège encore sa foi propre des efforts de la raison, il peut bien conduire ses disciples au pire scepticisme. Les deux philosophies les plus opposées, un optimisme confiant dans l'esprit humain, comme un thomisme détrompé, qui désespère du monde se rencontrent, sans pour autant se confondre, dans les mêmes arguments antiaristotéliciens. Montaigne les suit, mais sa naissance, son éducation, les sources mêmes de son ouvrage ne laissent aucun doute sur l'orientation de sa pensée.

Autorisant également deux philosophies contradictoires, l'antiaristotélisme sévissait dans la pensée européenne. Mais des raisons historiques et géographiques lui avaient offert un terrain privilégié au port de Bordeaux. L'auteur des *Essais*, la critique l'avait signalé[1], s'est rencontré d'abord sur ce point avec celui du *Quod nihil scitur*. On leur a prêté en raison de cette parenté spirituelle un cousinage et des rapports personnels. Il faut au moins penser qu'ils appartiennent tous deux, comme Vivès lui-même, à ces familles d'origine juive dont l'Inquisition surveille en Espagne la fidélité à la conversion, et sur lesquelles elle exerce, à l'occasion, les pires supplices. Sur l'œuvre de Vivès, aussi, se fonde leur antiaristotélisme.

Les origines familiales

On a pu douter de l'origine juive de la mère de Montaigne, comme aussi bien de celle de la famille de Francisco Sanchez, parce qu'aucun document ne l'atteste. *Le Livre Vert* espagnol[2] ne donne en effet les noms que des Juifs ou Convertis, illustrés par leurs charges, ou par les condamnations qui leur furent infligées par l'Inquisition. Les intéressés, pour leur part, se gardent bien d'aucune affirmation qui, même en leur refuge de Bordeaux, pourrait faire soupçonner leur religion. Parce que ces noms sont très fréquents en Espagne, ce *Livre Vert* révèle bien des unions entre des Sanchez et des Lopez, sans que l'on puisse ramener la filiation de tous jusqu'à l'illustre ministre de Ferdinand d'Aragon[3]. Du moins savons-nous qu'une tante du médecin Sanchez fut mariée à un Antonio Lopez à Valence. S'il y a eu cousinage entre les deux auteurs, la fidélité de Montaigne à l'égard de sa famille maternelle l'a sans doute rapproché de ces parents nouvellement arrivés à Bordeaux. C'est de cette manière qu'il a reçu le Jésuite Del Rio, et s'est lié avec lui, durant son séjour prolongé dans cette ville. Mais, sans entrer dans aucune supposition, nous savons par des documents, irréfutables ceux-là, que Louis XI commença d'enrichir le port de Bordeaux par une politique d'accueil des étrangers[4]. Après que furent accordés les privilèges de 1494, plusieurs membres de la famille Lopez dite de Villeneuve s'y installèrent. Il est vrai qu'en dépit de tous les édits d'expulsion antérieurs, une famille Lopez y était établie depuis longtemps, et avait conservé la religion juive. Si ce fut Jean de Ciret qui fut responsable du choix d'André de Gouvéa comme principal du Collège de Guyenne, le père de Montaigne, du moins, en sa qualité de jurat, dut l'approuver. Si Gouvéa prit d'abord pour régents ses amis espagnols et portugais Jacques de Teyve, Jean da Costa, Gélida, il attira aussi comme élèves beaucoup de ses compatriotes. La tradition veut que ce soit sous son influence que soit venu s'installer à Bordeaux le père de Sanchez. Auparavant, Pierre Eyquem, alors sous-maire de la ville, avait soutenu cette politique et sollicité de François Ier, pour le principal du collège de Guyenne, des lettres de naturalité qu'il lui remit en avril 1537[5]. Maire ensuite, il usa de ses protections à la cour pour obtenir, sur sa demande, ces lettres de Saint Germain en Laye, qui ne furent édictées qu'après son départ en 1550, et donnaient le même droit de naturalité à tous les Portugais convertis qui viendraient s'installer dans la ville[6]. Montaigne n'était plus membre du Parlement de Bordeaux quand, en 1574, un arrêt de cette cour étendit le privilège des lettres patentes également à tous les convertis espagnols. Du moins son père leur a bien témoigné pour sa part sa sympathie, s'il n'a pas été lui-même l'instigateur du mouvement. Une affinité profonde, la reconnaissance de sa filiation espagnole, unissait ainsi l'auteur des *Essais* à celui du *Quod nihil scitur*.

Pierre Eyquem, et son fils après lui, semblent bien avoir pro-

tégé à Bordeaux l'installation des fugitifs espagnols, nouveaux
convertis. C'est la preuve la plus sûre que nous ayons des origines
juives de l'auteur des *Essais*[7]· La famille Lopez, dite de Villeneuve,
à laquelle appartenait sa mère se trouve bien connue par la correspondance du Cardinal de Granvelle. Elle révèle, en particulier
l'énergique prosélytisme exercé à Anvers, par Ursule Lopez, mariée
à Marcus Perez, chef du consistoire, et ami du libraire Plantin[8]. Son
père, le banquier Martin Lopez, fut son hôte, après le sac de la ville
par les Impériaux, et paya sa rançon ; et si ce furent les Bernuy de
Toulouse qui commanditèrent l'imprimerie, ils étaient commercia-
lement liés avec Antoine Lopez, le plus grand négociant du port de
Bordeaux[9]. Il est difficile alors de penser que les vaisseaux qui
avaient déchargé leurs cargaisons à Anvers, ne ramenaient pas,
dans leurs cales vides, les précieux ouvrages du libraire de l'humanisme. Antoine Lopez, à Bordeaux, travaille avec un Jacques de
Castro qui peut être le dédicataire du *Quod nihil scitur* de Sanchez,
et à Londres, avec son parent Alvaro de Castro, qui fut l'hôte de
Vivès, et le dédicataire du *De officio mariti* en 1529. Le renom de
Vivès, ses ouvrages mêmes, arrivèrent peut-être jusqu'à Antoine
Lopez. Ce fut lui, selon la tradition, qui arrangea le mariage de sa
nièce et filleule, la toulousaine Antoinette, avec Pierre Eyquem. La
critique veut qu'elle n'ait apporté en dot qu'une fortune suffisante.
Elle assurait du moins à sa nouvelle famille un commerce et une
ouverture d'esprit avec l'humanisme chrétien. Estimés à leur juste
prix par Pierre Eyquem, ils expliquent sa protection à l'égard des
espagnols arrivant au port de Bordeaux, et bien davantage l'installation des amis de Vivès au Collège de Guyenne.

Le Collège de Guyenne et l'antiaristotélisme à Bordeaux

Le scandale de la lutte contre l'aristotélisme fut ouvert en 1519
par la lettre de Vivès à son ami Juan Fort, publiée l'année suivante
à Sélestat, sous le titre *Adversus Pseudodialecticos*. La même année,
faisant écho à la polémique contre toutes les philosophies, et en
particulier celle d'Aristote, Jean François Pic de la Mirandole, dans
l'Examen vanitatis, impose une doctrine toute différente, le refus
de toutes les sciences, et un fidéisme qui conduira ses adeptes au
scepticisme. Le manifeste de Vivès devait influencer rapidement
son condisciple à l'Université de Valence, puis à Paris, son ami
Juan Gélida. Il devait montrer une pleine identité de vue avec lui
dans un *De Quinque Universalibus*, publié en 1527. Surtout, avec
son domestique Guillaume Postel[10], il devait vivre cet antiaristotélisme, en remettant en question la valeur de l'enseignement reçu,
et en recommençant tous deux leurs études sur de nouvelles bases,
attitude qui sera célébrée à la fin du siècle par Sanchez, dans cette
image violente du vomissement, par laquelle il commence et achève
son ouvrage. Dans ce refus de l'autorité des maîtres, il fait consister
le principe fécond qui ouvre la science aux esprits audacieux.

C'était bien aussi aux amis de Vivès, ainsi marqués par leur refus de l'aristotélisme que les jurats bordelais prétendirent s'adresser pour la réorganisation du Collège de Guyenne en 1534, après le départ de Tartas. André de Gouvéa venait de se compromettre dans l'affaire du recteur Copp. Jean de Ciret sut le trouver dans la retraite où il se cachait[11]. Il se rendit à Bordeaux accompagné de Gélida qui y professa quelques mois, et appela ensuite ses autres amis et compatriotes, Jacques de Teyve, Jean de Costa, et son frère Antoine. Celui-ci défraya plus tard la chronique bordelaise comme champion de l'aristotélisme contre Ramus. Illustre déjà par le sujet choisi pour sa maîtrise ès arts en 1536 : que tout ce qu'avait dit Aristote n'était que billevesées, Pierre de la Ramée fait paraître en 1543 ses *Dialecticae partitiones ad Academiam Parisiensem*, et ses *Aristotelicae animadversiones*. Après une réponse de Joachim de Perion, et d'Antoine de Gouvéa, l'affaire est portée devant le Parlement. François Ier la lui retire pour organiser une « disputatio » entre Pierre de la Ramée et Antoine de Gouvéa, devant cinq arbitres. Au bout de deux jours, Pierre de la Ramée dut s'avouer vaincu. François Ier le frappa d'une interdiction de parler et d'écrire en philosophie, qui ne fut levée qu'en 1547 par Henri II. Ce roi, en 1551, créa en outre pour lui une chaire d'éloquence et de philosophie au Collège Royal[12]. Pierre de la Ramée avait cherché l'éclat, mais connaissant les œuvres de Vivès, il les pillait à l'occasion. L'usage de la langue française, dans sa dialectique, correspond au même courant européen que la *Défense et illustration de la langue française*[13], mais plus justement aux exigences de Vivès qui refuse l'obscurité du latin scolastique, et pense qu'à chacun sa langue est bonne[14]. On lui a reproché comme une incohérence d'avoir voulu remplacer la logique d'Aristote par la sienne propre, fondée sur des exemples pris chez les poètes et les prosateurs antiques. C'est la preuve qu'il ne s'opposait à la scolastique que pour libérer le jugement, bien éloigné d'affirmer son impuissance définitive. Ce ne fut peut-être pas à l'orientation de la pensée de Ramus, ni à sa parenté avec celle des maîtres du Collège de Guyenne que les bordelais furent sensibles; mais l'aristotélisme d'Antoine de Gouvéa leur parut désormais indésirable[15]. Si bien que, lorsqu'il fallut, en 1547, donner un successeur à André, chargé par le roi de Portugal, d'organiser un collège des Arts à Coimbre, ils refusèrent la personne d'Antoine, pour accorder leur préférence à Gélida. Les jurats de Bordeaux manifestaient ainsi le désir de conserver la même ligne de pensée dans leur collège, et une fidélité délibérée à l'antiaristotélisme. Sans doute, les élèves étaient-ils aussi soutenus par leur famille lorsque, par deux fois, ils refusèrent des maîtres, qui, incapables de poursuivre le commentaire d'Aristote en grec, comme l'avaient fait Nicolas de Grouchy, Mathieu Béroalde et Salignac, pour l'enseignement de la dialectique, prétendirent revenir au commentaire latin traditionnel[16]. L'anti-aristotélisme, à Bordeaux, était alors un levain qui soulevait les

esprits. L'autorité des jurats, et du Parlements était à peine capable
de les apaiser.

Ainsi Montaigne, Sanchez, comme tous leurs condisciples du
Collège de Guyenne, non seulement avaient fait, personne ne le
conteste, d'excellentes études, sous les meilleurs maîtres, mais,
il faut l'ajouter, ils avaient vécu la lutte idéologique dans laquelle
leurs maîtres, et la ville tout entière s'étaient engagés. Acceptant
dans ses murs les convertis espagnols, les habitants de Bordeaux
avaient aussi partagé leurs orientations religieuses et philosophiques,
et défendaient énergiquement un antitaristotélisme pour lequel
ils avaient délibérément opté.

La fidélité de la ville à cette orientation de pensée qui gouverna
le choix d'André de Gouvéa, puis de Gélida pour diriger le Collège
de Guyenne, semble s'être maintenue encore jusqu'à l'arrivée,
gouvernée cette fois par l'archevêque, de trois Jésuites qui
fondèrent en 1564 un établissement rival, qui ruina le Collège de
Guyenne[17]. La même prédilection, les jurats l'avaient peut-être
déjà manifestée auparavant, dès 1532, sous le principalat même de
ce Tartas, un ambitieux qui ne nourissait, ni ne payait des maîtres
trop nombreux. C'est ainsi que passa à Bordeaux, et repartit rapidement, fort mécontent, un régent, qui devait siéger plus tard parmi
les théologiens du Colloque de Poissy, et du Concile de Trente,
mais, surtout, un augustinien convaincu qui devait, par ses
traductions, et ses prises de positions propres, faire figure de chef de
file devant les amis de Vivès. Gentian Hervet avait déjà travaillé
en Angleterre à la traduction de Galien par Thomas Linacer, publiée
en 1528, et été à Rome, comme précepteur du frère du Cardinal
Polus[18], quand, en 1533, il fut engagé par Tartas. Il retourna
rapidement à Rome, comme secrétaire du Cardinal Marcel Cervin[19].
Lié aussi avec le Cardinal de Lorraine, il fut le traducteur du
Commentaire de la Cité de Dieu de Vivès, en français, et de
l'*Adversus Mathematicos* de Sextus Empiricus, en latin. Il fit précéder cet important ouvrage d'une préface qui lui fait place dans sa
carrière de réfutation des erreurs religieuses, non à titre de divertissement seulement, mais comme preuve de la religion. Reprenant
l'argumentation même de Lactance, il déclare que l'opposition des
philosophies antiques les unes aux autres, ne peut conduire ni au
dogmatisme, ni au scepticisme, mais comme l'œuvre de Galien déjà,
amener les esprits à un retour aux faits et au jugement, et à
l'abandon de tout système. La critique de toutes les philosophies
que présente le livre appuie, selon Hervet, la pensée la plus
chrétienne, en démontrant la faiblesse de la raison humaine. Si les
arguments sont aussi forts des deux côtés, il ne peut rien y avoir
de certain. La faute en est à l'homme, bien souvent aveugle en
pleine lumière, mais ne peut être imputée ni aux dogmatiques,
ni aux sceptiques, qui soutiennent leur pensée autant qu'il est
possible[20]. Sans doute pareil éloge des deux doctrines, accompagné

de cette accusation majeure de l'homme, est bien proche de l'éloge de Sebon par lequel Montaigne commence son Apologie[21]. Mais déjà Hervet l'avait séparé de celui de l'utilité véritable du livre. Il devait réfuter toutes les querelles des hérétiques en leur montrant la vanité de leur entreprise, par cette faiblesse de la raison humaine dont ils se réclamaient. La destruction même des philosophies les unes par les autres, apportait la preuve de vérité à une religion qui prétendait se fonder sur une révélation. Gentian Hervet qui, dans une première rédaction, avait cru pouvoir s'autoriser du nom de Pic, comme de celui d'un défenseur de la pensée chrétienne, mieux éclairé, sans doute, sur la portée de ses ouvrages, ensuite l'omettait pour dénoncer la nouvelle erreur apparue dans la doctrine de certains nouveaux Académiciens, qui se font gloire de mépriser la religion chrétienne, pour suivre la fausseté d'une nouvelle hérésie. Le livre ainsi ne s'adressait plus au parti réformé, mais aux purs sceptiques dont on dénonçait l'irréligion. Telle préface, en 1569, attestant la marche de la doctrine, est très révélatrice de son époque. Elle se ramène à la prise de position de Vivès, pour qui l'impuissance de la raison était compensée par l'adhésion du jugement, une illumination divine qui laissait tous les espoirs à l'homme pour la découverte du monde.

Le hasard avait-il amené à Bordeaux ce régent dont les œuvres devaient dominer celles des disciples de Vivès? Les jurats l'avaient-ils appelé ? Il est certain, du moins, qu'il entretint ensuite une correspondance avec ses anciens collègues restés au Collège de Guyenne[22]. Il est difficile de ne pas admettre que ses successeurs plus tard n'aient pas conservé son souvenir, comme une illustration de leur établissement, et suivi attentivement les publications de ses œuvres. Peut-être même les ont-ils signalées à leurs élèves. Et Francisco Sanchez, était encore à Bordeaux lors de la parution du Sextus Empiricus. Il ne faut point chercher ailleurs sans doute la source de son antiaristotélisme constructif, de sa quête du vrai par l'expérience et le jugement, et de ses recours constants à Galien et à Sextus Empiricus.

Le Collège de Guyenne ainsi, par la volonté des jurats de Bordeaux, depuis le début du siècle, et d'une manière constante, avait abrité des maîtres d'un antiaristotélisme fondamental. Utilisant les œuvres des anciens au service de la défense du christianisme, ils dénonçaient d'autres adversaires que ceux qui s'appuyaient sur la raison humaine, ceux aussi qui en doutaient. Et ces derniers, pour être nouveaux venus, n'en paraissaient pas moins redoutables. Il devait appartenir aux élèves du Collège de Guyenne de convertir cette arme forgée pour la défense de la religion, en un outil au service de l'édification de la pensée humaine et de l'investigation scientifique.

L'antiaristotélisme de Vivès

Bastion   de l'antiaristotélisme chrétien, le Collège de Guyenne avait été gouverné par des amis de Vivès. La pensée du philosophe espagnol dominait leurs esprits, et commandait leurs ouvrages. C'est son influence seule, et non aucune parenté supposée, qui permet d'expliquer les rencontres entre la première rédaction des *Essais* et le *Quod nihil scitur* de Sanchez, d'un an postérieur, ou les rapprochements, plus nombreux encore, entre la dernière édition de l'ouvrage de Montaigne, et l'œuvre de son cadet, depuis longtemps oubliée[23]. Tous deux, fidèles à l'éducation reçue, sont manifestement revenus au *De tradendis disciplinis*, où le philosophe espagnol donne l'achèvement de sa pensée[24].

Vivès est une grande figure de son époque, profondément originale. Il n'est pas un isolé cependant, et avait eu des précurseurs. La ville de Toulouse, du vivant encore de la mère de Montaigne, avait connu des rivalités entre les deux couvents des Bonaventuriens, et des Dominicains, si rapprochés pourtant dans ses rues étroites. Le XIIIᵉ siècle les avait vécues plus intensément. Venus d'Italie ou d'Angleterre, les maîtres des deux doctrines s'affrontèrent à la Faculté de Théologie de Paris.   Le Franciscain Roger Bacon, de vingt ans l'aîné de Bonaventure, de seize ans celui de Thomas d'Aquin, et leur survivant vingt ans à tous deux, de grand renom, mais isolé en son temps, semble avoir été un initiateur pour Vivès au XVIᵉ siècle. Maugréant sans cesse contre les hommes et son temps, prétendant redresser les esprits et les mœurs, il avait eu le mérite, le premier, de s'élever contre la logique aristotélicienne, et de lui attribuer la sclérose de la pensée scolastique. Orienté vers les sciences, il voulait les libérer d'une argumentation qui n'avait de valeur que formelle. Il pensait que toute la certitude de l'esprit naît de l'expérience. Pareil système se soutenait par la théorie bonaventurienne de la connaissance. Son *Opus Majus* refusait de considérer le savoir comme le fruit d'un artifice humain ; effet de la révélation divine, transmis par une tradition ininterrompue, il irait se développant jusqu'à la fin du monde parce que l'esprit humain est incapable d'atteindre jamais à la perfection absolue.

Vivès, à son tour, après deux opuscules de piété sur le Christ et la Vierge, débute dans la littérature à vingt huit ans par un ouvrage qui reprend l'idée maîtresse de Roger Bacon, comme l'annonce le titre : *Adversus pseudodialecticos*. Déjà, Erasme dans l'*Eloge de la Folie* de 1511, Thomas Morus dans l'*Utopie* de 1516, avaient engagé l'attaque contre la philosophie scolastique. Le mérite de Vivès consiste à l'avoir systématisée et fondée sur une analyse profonde, à l'avoir étendue aussi bien à l'aristotélisme athée contemporain qu'à la pensée scolastique. Lorsqu'en 1531, dans le *De Tradendis Disciplinis*, il reprend la lutte, l'ouvrage ainsi préparé touche un grand public. Il se trouvera pillé durant tout le siècle par tous les novateurs, qui en prennent les idées sans en avouer la source, ainsi Francis Bacon en Angleterre, en France, Ramus. Tous cependant n'auront pas, vis-à-vis de la pensée, qui soutient l'ouvrage, la fidélité qui anime les disciples du Collège de Guyenne.

Sanchez et Montaigne sont fidèles à la pensée du grand ouvrage de Vivès, même encore lorsqu'ils la dépassent en une conversion originale vers les sciences. Et, puisque l'auteur des *Essais* a pu s'inspirer du *De Tradendis disciplinis,* avant de puiser les mêmes idées dans le *Quod nihil scitur,* l'identité de pensée entre les deux ouvrages paraît absolue. Du moins Sanchez abrège, donne une présentation dramatique et dialoguée à un ouvrage beaucoup plus étendu, dont il a su pourtant garder la force des raisonnements, la profondeur et l'exactitude de la critique philosophique.

La première partie du *De Tradendis disciplinis*, sept livres intitulés *De causis corruptarum artium*, est certainement la plus célèbre parce que, reprenant cette grande idée augustinienne de l'évolution des civilisations, elle traduit l'inquiétude si souvent exprimée à l'époque devant l'infériorité des modernes sur les anciens[25]. Elle y répond aussi par cette histoire de la civilisation grécolatine, détruite par les Goths, qui entraîne la perte des langues anciennes et l'incompréhension des textes des philosophes dont elles assuraient l'expression. La véritable pénétration de la pensée d'un auteur ne se peut faire qu'à travers la langue qu'il a utilisée. Cette analyse, qui sert de préambule à tout l'ouvrage, est aussi l'occasion de lancer les principaux thèmes et les grandes affirmations philosophiques : jamais les arts ne sont arrivés à la perfection, ni ne peuvent y prétendre. Si la matière, les ressorts, l'usage en ont été placés et établis par Dieu dans la nature, l'esprit humain parvient difficilement à les acquérir, privé qu'il est de clarté et de force[26]. Le moyen employé n'est point la raison logique, mais cette lumière bonaventurienne à laquelle l'homme atteint par la raison supérieure et que l'on désigne du nom d'« acumen mentis »[27]. Elle suffisait à leur indiquer les moyens qu'il fallait prendre, et la direction à suivre. Une telle affirmation entraînait une pédagogie précise : l'esprit est l'inventeur de tous les arts et de toutes les disciplines, doué et pourvu de cette pointe, et d'ingéniosité (acumine ac solertia praeditum). Mais aussi, il est fortement aidé par le zèle et la pratique. Par l'usage, l'esprit se perfectionne et s'aiguise[28], mais n'acquiert ainsi qu'une intensité plus grande. Une pareille conception des arts en retire tout le mérite à la raison purement humaine : elle en fait une grande œuvre collective de l'humanité par laquelle elle pénètre au divin, à cette raison mise par Dieu dans la nature.

Cette ouverture de l'ouvrage qui évoquait le progrès de la civilisation était l'occasion d'analyser les causes de sa décadence. Elles tenaient dans la fausseté de la science scolastique. Parce qu'ils poursuivaient l'argent ou l'honneur, au lieu de la seule vérité, les savants ont corrompu ces sciences, en prétendant savoir ce qu'ils ignoraient[29]. Pour cacher leur insuffisance, ils recherchent l'obscurité, détruisent l'adversaire au lieu de justifier leurs affirmations. La critique ensuite des hommes porte sur le maître de toutes ces sciences qui forment la civilisation scolastique. Vivès célèbre l'importance de ses ouvrages; mais elle a entraîné aussi bien des contradictions. Animé de vanité, le Stagirite a cherché l'obscurité pour toujours sortir vainqueur d'une réfutation en niant l'interprétation donnée à ses paroles. Et Vivès cite une lettre à Alexandre où Aristote se vantait, en effet, que personne ne comprendrait ses commentaires[30]. Ses manuscrits ont subi bien des accidents; nous avons perdu la compréhension de la langue dans laquelle il s'exprimait. Plus durement encore que le maître sont frappés les disciples et leur philosophie. Le principe de l'autorité qu'ils appliquent est opposé à l'esprit de tous les anciens et d'Aristote même, qui a prétendu pour justifier ses innovations, que la vérité lui était plus chère que son maître Platon. La logique aristotélicienne ne peut non plus sortir de son domaine d'abstraction pour s'appliquer aux réalités. Enfin, leur méthode d'enseignement qui ne laisse point de place au jugement personnel est contraire à la nature de l'esprit. Vivès alors développe toutes ces critiques dans la peinture des malheurs du débutant qui, livré à l'enseignement scolastique dès le premier jour, doit pratiquer les « disputationes », suivre les maîtres, et tourner le dos à la vérité.

Les emprunts de Sanchez au De Tradendis Disciplinis

Préambule à tout le *De Disciplinis*, le premier livre, le *De Causis corruptarum artium* lance les grandes critiques qui donneront lieu à des analyses plus complètes dans la suite du volume. Mais il donne déjà le ton, et presque l'ébauche de tous les développements du *Quod nihil scitur* de Sanchez. Les rapports des deux ouvrages dans le détail sont également probants.

Il serait trop long de s'attacher aux rencontres de mots ou d'exemples qui n'entraînent pas des raisonnements essentiels à l'ouvrage. L'iris et le cou changeant de la colombe servent, chez les deux auteurs, à illustrer l'idée de variété[31]. L'emprunt est manifeste; pourtant, c'est l'identité des idées qui importe surtout. Ainsi, Aristote reçoit les mêmes accusations, celle d'avoir cherché l'obscurité[32], celle d'avoir enseigné par ses syllogismes à dresser des pièges qui écartent de la vérité[33]. Allusion est faite à la décadence des civilisations qu'entraînent les guerres et les invasions qui causent la destruction des livres[34]. Les principales causes d'erreurs sont attribuées aux passions, à l'amour, à la haine, à l'envie[35], mais aussi au désir de l'argent. Plus importante est l'autorité des anciens[36].

Comme Vivès, Sanchez a déploré les méthodes d'enseignement scolastique, l'inefficacité des « disputationes », mais aussi la violence qu'elles engendrent[37]. A toutes ces perversions, tous deux opposent la connaissance de chacun dans son art, et particulièrement les connaissances pratiques du peuple[38]. Le critère aussi de toutes les recherches semble être le même : il n'y a qu'une seule route qui mène à la vérité[39]. Cette poursuite suppose une même philosophie : non point la preuve logique, mais une atteinte immédiate de l'esprit à une vérité qui reste imparfaite, la seule sagesse étant en Dieu[40]. La connaissance humaine est fondée sur les sens, mais elle ne nous renseigne que sur les accidents[41]. Cette affirmation justifie la critique de la théorie platonicienne de la réminiscence[42], et un retour sur les erreurs des sens[43]. Une théorie des contraires est esquissée à partir de l'affirmation de l'imperfection des connaissances qui sont les nôtres. Sanchez en tire un grand principe esthétique et moral que le milieu toujours est contraire aux deux extrêmes, et, comme les choses belles, inconnu[44]. Il s'éclaire de la même pensée exprimée par le *De Disciplinis* qui confère à Dieu seul l'infini, dans sa puissance et son action[45]. L'affirmation de Sanchez prend alors tout son sens de son fondement théologique révélé par l'ouvrage de Vivès. Une même incompatibilité métaphysique, entre l'homme et l'infini, s'affirme dans les deux ouvrages[46].

De cette philosophie chrétienne, les deux auteurs déduisent ensemble les conditions d'une science véritable[47]. Toute connaissance suppose une conversion vers la réalité. Cette réalité que tous deux célèbrent est la même : la puissance du soleil d'où le monde tire toute sa vie[48], la variété de l'univers et des êtres[49]. Les procédés de tous deux aussi sont identiques ; ce sont l'expérience et le jugement[50].

Cependant, l'originalité de Sanchez éclate particulièrement à la fin de son ouvrage. Vivès affirmait que l'expérience était partout difficile par suite des erreurs et des insuffisances des sens[51] ; il n'y trouvait d'autre remède que de pratiquer une description systématique de la nature, ce qui ramenait sans doute à un enseignement traditionnel des sciences où Aristote tenait encore le premier rang. Sanchez, plus cohérent avec la première partie de son livre et sa violente opposition de principe, apporte une nouvelle méthode de connaissance : un doute absolu sur toute affirmation antérieure, semblable à celui qui assure l'affirmation métaphysique du « cogito » augustinien, préside à l'élaboration de toute expérience. Et la science renaît alors du doute, comme la connaissance de soi et de Dieu même pour Augustin. Le retour de Gélida et de Postel sur leur éducation après qu'ils eurent rompu avec l'enseignement scolastique n'est pas sans préparer pareille méthode. Cependant, il n'en est que l'approche. Son caractère génial tient tout entier dans ce renouvellement des sciences qu'y apporte l'application du processus du doute préalable qu'Augustin avait exercé sur les connaissances métaphysiques.

Ainsi, l'imitation de Vivès par Sanchez dans la composition générale de son ouvrage, et l'adoption des mêmes idées laissaient place au génie. La révolution apportée par l'élève du Collège de Guyenne, empruntée aux sources mêmes de la pensée bonaventurienne, peut paraître une exigence profonde de la doctrine. Encore a-t-il fallu, pour qu'elle se manifestât, le lent progrès de la philosophie médiévale, les ouvertures scientifiques de la Renaissance, et la libre réflexion d'un homme qui apportait, aux exigences nouvelles de son temps, les raisonnements d'une pensée féconde. L'augustinisme, manifeste dans l'œuvre de Sanchez, hérité de Vivès et de la tradition bonaventurienne, assure le triomphe de l'homme sur la nature affirmé aux siècles suivants.

Les emprunts de Montaigne au De Tradendis disciplinis

Sans méconnaître l'originalité de Sanchez, il a été possible de montrer l'ampleur de sa dette envers Vivès. Il paraît plus difficile de distinguer qui, des deux auteurs, Montaigne imite directement dans des essais qui comprennent des additions successives. Certains emprunts du moins que Sanchez n'a point faits en son œuvre, attestent une connaissance au moins de seconde main du *De Disciplinis*

L'institution des enfans reprend, on l'a vu, cette idée essentielle de la communauté de la pensée universelle qui fait le savant citoyen du monde. Dès la première rédaction, donc antérieurement à la publication du *Quod nihil scitur*, cette affirmation est imposée par plusieurs métaphores. Elle appartenait au *De Disciplinis* [52]. A l'inverse, l'essai *De l'Expérience* que l'on sait nourri de citations de Sanchez, répond davantage encore à la pensée bonaventurienne. Une addition, entre autres, de l'exemplaire de Bordeaux renvoie à une anecdote de Diogène Laerce rapportée par le *De Disciplinis*, et omise par le *Quod nihil scitur* : « ce qu'un Crates disoit des escrits de Heraclitus, qu'ils avoient besoin d'un lecteur bon nageur, afin que la profondeur et pois de sa doctrine ne l'engloutist et suffucast. » [53] Montaigne assurément fidèle au procédé qu'il a employé dans l'utilisation même d'Augustin, illustre la pensée du *De Disciplinis* par l'exemple même de Vivès [54]. Ou plutôt, revenu à l'œuvre de Diogène Laerce il corrige l'inexactitude, et rend à Crates l'épigramme que Vivès avait attribuée au philosophe Socrate, mieux connu. L'ironie cependant marquée par l'humaniste espagnol sur l'obscurité des anciens est bien conservée. La fidélité de Montaigne se trouve donc par delà l'exactitude même ; connaissance de seconde main, orale peut-être, elle suppose la plus profonde identité de vue, une méditation personnelle poursuivie par un retour aux sources. L'enseignement des maîtres se trouve ainsi repris par Montaigne avec une exigence d'authenticité qui le corrige et le confirme. De ces deux exemples, du moins, l'on peut conclure que, jusqu'à la fin de sa vie, il s'entretient et communie avec de fervents lecteurs du *De Disciplinis*. S'il ne l'a point en mains lui-même, il en trouve dans son entourage une connaissance détaillée et profonde.

Dès lors fondé sur le grand ouvrage de Vivès[55] dont la pensée a pu lui être communiquée par des entretiens familiers avec Sanchez lui-même, les maîtres du Collège de Guyenne, ou tout autre dont nous ignorons la personnalité, Montaigne, dans ses *Essais*, a poursuivi la lutte contre l'aristotélisme scolastique qui, après le *De Disciplinis* et le *De quinque universalibus*, anime encore le *Quod nihil scitur*. A ce dernier ouvrage, à partir de la deuxième édition, il emprunte anecdotes et idées, les arguments surtout par lesquels il justifie sa lutte contre l'aristotélisme matérialiste.

Montaigne n'a point suivi Erasme, ni même Vivès dans le *Commentaire de la Cité de Dieu*, quand ils attaquaient l'Eglise et les théologiens sous le rapport des mœurs, fût-ce dans cette colère qui dans l'*Eloge de la folie* leur faisait déformer les textes sacrés pour exterminer l'hérésie. Refusant de s'opposer aux persécutions autrement que dans le refus général de toute torture et cruauté, il suit au contraire l'élève de la scolastique qui, dans le *De Disciplinis*, utilise toute sa connaissance de la logique aristotélicienne pour en montrer l'insuffisance. Du moins faut-il dire sur ce point, puisqu'il est difficile de discerner parmi plusieurs possibles quelle est la source véritable, que la pensée exprimée par le *Quod nihil scitur* de Sanchez anime l'œuvre entière de Montaigne.

Après Vivès, Gélida, puis Sanchez, Montaigne attaque les principes de la logique aristotélicienne qui fondent la scolastique. La critique porte d'abord sur l'obstination qui anime les discussions; leur pratique dans la pédagogie, la dépendance des arts entre eux, la préférence de chacun pour le sien, font encore obstacle à toute connaissance. Il est vrai que nous ignorons les premiers principes et l'enchevêtrement des causes, et la langue même dont a usé le philosophe. Par suite est remise en cause l'autorité d'Aristote qui domine toute la pensée scolastique. Mais l'augustinisme de Montaigne ne conclut pas, comme le pessimisme allemand de Corneille Agrippa, au désespoir intellectuel. Déjà guidé par ses maîtres ou son condisciple espagnol, il affirme la valeur de la science du peuple, et opère ainsi une première conversion féconde de la pensée.

Corneille Agrippa avait terminé sa *Vanité des Sciences* en louant l'âne très longuement. Reprenant l'idée annoncée par le titre, il imposait cette faiblesse de la raison humaine, affirmée comme le châtiment du péché originel. Dans une religion qui laissait place pour une liberté, cette perversion de l'esprit marquée par la puissance de la coutume portait en soi son propre remède; elle atteignait aussi la société entière d'une manière très générale; fidèle à l'œuvre d'Augustin, l'érasmisme espagnol peut se livrer à l'éloge traditionnel de l'âne sans faire porter la condamnation d'ignorance sur l'humanité entière, mais en accablant les seuls théologiens scolastiques. L'âne de Sanchez a pris existence de la tradition populaire. Le rire qu'il attire porte sur le public par la lourde complicité d'un acquiescement ancestral. Ce rire aussi n'est plus vengeance personnelle, il libère de la haine. Ainsi la fable d'Esope le fait plaindre « Que peut faire un âne avec une lyre ? »[56] Si la métaphore du pont aux ânes, plaisanterie de grimaud, est élevée à la réalité et prend une dimension magnifique au centre de l'ouvrage, les tribulations aussi de l'enseignement scolastique attirent la plainte autant que le rire. Le passage qui revient sous la plume de Montaigne dans l'exemplaire de Bordeaux peut être celui où, par le caractère de l'animal, Sanchez condamne l'obstination des philosophes qui prétendent que tout est dans tout[57]. Ils se trompent « d'abord, répond-il parce qu'ils affirment qu'il y a en nous un âne, c'est en eux, peut-être, qu'il y en a un, ajoute-t-il ». Le caractère de l'âne, ainsi, sert à condamner l'esprit de système que l'auteur refuse, pour sa part. Dans son chapitre *de l'art de conférer*, Montaigne à son tour faisait place à pareille critique. Dès la publication, sa satire, plus largement humaine en ce qu'elle ne nommait point l'objet de ses critiques, était plus profonde. Le travers de l'esprit qui réduisait les philosophes de Sanchez à l'ignorance, s'étendait encore à la société qui les acceptait. La présence aussi des personnages prenait une vérité nouvelle du geste que n'oublieront ni Pascal ni La Bruyère. « C'est aux plus mal habiles de regarder les autres hommes par dessus l'espaule, s'en retournans tousjours du combat plains de gloire et d'allegresse. Et le plus souvent encore cette outrecuidance du langage et gayeté de visage leur donne gaigné à l'endroit de l'assistance, qui est communément foible et incapable de bien juger et discerner les vrays avantages. »[58] L'addition de l'exemplaire de Bordeaux venait en quelque sorte révéler l'emprunt, par le souvenir du *Quod nihil scitur* : « l'obstination et ardeur d'opinion est la plus seure preuve de bestise. Est il rien certain, resolu, desdeigneux, contemplatif, grave, serieux comme l'asne ? » Comme le philosophe, l'âne de Montaigne vit aussi par les attitudes. Par là, il n'appartient plus à la tradition populaire, le rire est dur, qui retombe sur une philosophie et un monde pleins de vanité.

De l'âne aussi, chez Sanchez, comme chez Montaigne au même essai, les discussions scolastiques empruntent la sottise. Sanchez pouvait se souvenir de la longue critique des « disputationes » auxquelles étaient soumis les « tirones » dès leur arrivée au collège, dans le premier livre du *De causis corruptarum artium*, mais aussi de l'analyse de la valeur de chaque syllogisme, et de la critique de leur insuffisance que Vivès poursuivait longuement dans la suite du *De disciplinis*. Fort de cette science, dans un dialogue avec les philosophes, il reprend leurs arguments, et en montre les faiblesses. Ainsi, avant même de mettre son débutant aux prises à son tour avec ces difficultés, il détruit cette logique qui fonde toutes les « disputationes » des élèves, mais aussi des maîtres. Il refuse toute valeur de preuve au syllogisme, et ridiculise l'adversaire avec lequel il vient de dialoguer : « selon la ligne de ton raisonnement, tantôt descendant, tantôt montant..., tu as toi, grandement risqué et à moi grandement fait craindre qu'une chute ne te brisât, et moi avec, au cas où tu me tomberais dessus »[59]. Danseur de corde, chez Sanchez, le dialecticien est bateleur dans les *Essais* de 1588 : « Il me semble, de cette implication et entrelasseure de langage, par où ils nous pressent, qu'il en va comme des joueurs de passe-passe, leur souplesse combat et force nos sens, mais elle n'esbranle aucunement nostre creance ; hors ce bastelage, ils ne font rien qui ne soit commun et vile. Pour estre plus sçavants, ils n'en sont pas moins ineptes. »[60] Si Montaigne dépasse ici la peinture du jeu syllogistique en une condamnation dont on trouve de trop nombreux exemples dans le *Quod nihil scitur*, il l'a précédée aussi du travers des différents auteurs, de celui qui cherche les formules, ou de celui « qui vous assourdit de prefaces et digressions inutiles. »[61] La satire lui était offerte également par Sanchez[62], qui l'empruntait lui-même à Vivès. Après tous deux encore, Montaigne reprochait à ces « disputationes » scolastiques d'être une école de violence. Loin d'apporter aucune conviction à l'esprit, la logique aristotélicienne se condamne elle-même quand elle descend jusqu'à la force pour imposer ses arguments : « Ayez un maistre és arts, conferez avec luy : que ne nous faict-il sentir cette excellence artificielle et ne ravit les femmes et les ignorans, comme nous sommes, par l'admiration de la fermeté de ses raisons, de la beauté de son ordre ? que ne nous domine-il et persuade commme il veut ? Un homme si avantageux en matière et en conduicte, pourquoy mesle-il à son escrime les injures, l'indiscretion et la rage ? »[63] Dès les premières pages du *De causi corruptarum artium*[64], Vivès portait l'obstination des philosophes et des dialecticiens jusqu'aux coups et aux meurtres, avant de montrer les mêmes extrémités chez les débutants, entraînés ainsi comme par la nature des études auxquelles on les livrait[65].   Sanchez, peut-être, ne porte point jusqu'au crime les violences de la scolastique. Il est, en cela, plus proche de Montaigne qui ne descend pas jusqu'à peindre dans leur réalité les effets de la rage, mais, suivant le plan de Vivès, montre encore l'acharnement des discussions en deux étapes successives, celle des maîtres qui deviennent bêtes brutes[66], puis celle des débutants dont le malheur est surtout d'être trompés[67]. Proche peut-être de la satire morale d'Erasme, cette critique de l'enseignement scolastique s'en sépare pourtant en ce que la violence est présentée, non tant comme le tort de l'homme, que comme celui d'un système. L'artifice des raisonnements appelle la vigueur de l'affirmation. Ainsi, Montaigne suit Vivès et Sanchez dans une opposition de principe à la science aristotélicienne.

Cet affrontement, nettement formulé dans l'*Apologie de Raymond Sebon* porte d'abord sur l'enchevêtrement des faits dans la nature : Cela rend toute connaissance impossible. Comme tout syllogisme repose sur des « fondemens avouez »[68] c'est-à-dire sur des postulats gratuitement admis, et des définitions empruntées à toutes les disciplines, la science en est aussi illusoire, parce que « nous avons pris pour argent content le mot de Pythagoras, que chaque expert doit estre creu en son art ». Sans contrôle, le dialecticien se rapporte aux maîtres de chaque science pour ces définitions d'où partent les syllogismes. C'est faire chacun d'entre eux « nostre maistre et nostre Dieu » que de l'en croire, et « il nous pourra monter s'il veut jusques aux nuës ». Mais rapidement Montaigne abandonne l'ironie sur cette envolée du dialecticien, pour conclure avec gravité : « Car chasque science a ses principes presupposez par où le jugement humain est bridé de toutes parts. Si vous venez à choquer cette barriere en laquelle gist la principale erreur, ils ont incontinent cette sentence en la bouche, qu'il ne faut pas debattre contre ceux qui nient les principes. » L'affirmation se retrouve dans le *Quod nihil scitur*[69]. Montaigne la développe davantage en faisant appel à plusieurs arts, ceux du poète, du musicien, du géomètre, de l'arithméticien, tandis que Sanchez, au passage considéré, s'attache à la seule métaphysique fondée sur la physique. Cependant le terme de « concatenatio » suppose bien le même enchevêtrement de tous les arts accusé par Montaigne. Pour Sanchez, également, la nature des choses écarte l'homme de la connaissance véritable, mais plus ardent que Montaigne dans la polémique, il trouve de bonne guerre de faire imposer cette ignorance où nous sommes des premiers principes par Aristote lui-même, détruisant ainsi l'édifice de ses disciples et lui retirant toute valeur. Appelant cette connaissance intellection et non science, le Stagirite remettait en cause toute la scolastique. Sanchez ainsi plus catégorique, dénonce comme fausse toute la science aristotélicienne[70]. Chez Montaigne cependant, le procédé ne différait guère : le dialecticien refusait de débattre contre ceux qui niaient les principes ; il se condamnait en avouant lui-même son insuffisance.

Déjà, dans ce passage de l'*Apologie*, Montaigne au paragraphe suivant prolongeait la pensée en opposant à ce dieu que devenait le dialecticien, par son syllogisme, auprès de celui qui le suivait, le Dieu véritable, source de toute connaissance : « Or n'y peut-il avoir des principes aux hommes, si la divinité ne les leur a revelez ». L'essai *Des Boyteux* reprenait l'affirmation ; mais désormais ce n'était plus seulement la connaissance des principes qui manquait aux hommes, mais celle des causes. Sur une constatation de 1588 que « les hommes aux faicts qu'on leur propose, s'amusent plus volontiers à en cercher la raison qu'à en cercher la verité »[71], Montaigne ajoutait sur l'exemplaire de Bordeaux « Plaisants causeurs. La cognoissance des causes appartient seulement à celuy qui a la conduite des choses, non à nous qui n'en avons que la souffrance, et qui en avons l'usage parfaictement plein, selon nostre nature, sans en penetrer l'origine et l'essence ». Sanchez, parti de cette définition aristotélicienne du savoir que c'est connaître un fait par ses causes[72], arrivait à conclure que si l'homme avait cette connaissance parfaite, il serait semblable à Dieu. Mieux, il serait Dieu même, car personne ne peut connaître parfaitement ce qu'il n'a pas créé[73]. Mais si une science assurée est ainsi refusée à l'homme, du moins Montaigne après Sanchez insiste sur le tort des adeptes de la logique aristotélicienne. Dès la publication, l'essai affirmait : « nostre discours est capable d'estoffer cent autres mondes et d'en trouver les principes et la contexture. Il ne luy faut ny matiere, ny baze ; laissez le courre : il bastit aussi bien sur le vuide que sur le plain et de l'inanité que de la matiere. »[74] Si un vers de Perse servait à passer ensuite du domaine logique à l'affectif, du moins Montaigne retrouvait la ferme critique de Sanchez. Leur science, disait le *Quod nihil scitur*, consiste à bâtir le syllogisme de rien, c'est-à-dire de A, B, et C ; mais s'il fallait en bâtir un sur une réalité, ils se tairaient comme des gens qui ne comprennent pas la plus petite affirmation proposée[75]. Ainsi, Montaigne, sans désespoir pourtant sur les connaissances humaines, concluait de l'incertitude de cette science du discours : « Suyvant cet usage, nous sçavons les fondemens et les causes de mille choses qui ne furent onques ; et s'escarmouche le monde en mille questions, desquelles et le pour et le contre est faux ». Plus ferme, l'exemplaire de Bordeaux précisait la pensée par un jugement de Cicéron qui donne existence à la vérité dans la proximité même où elle se trouve de l'erreur : « Ita finitima sunt falsa veris, ut in praecipitem locum non debeat se sapiens committere ». La science du syllogisme seule est bien fausse en son processus, mais le sage cherche encore une vérité.

Sensible, après Vivès, à la faiblesse du syllogisme aristotélicien, Sanchez lui reproche encore d'être un obstacle sans cesse renouvelé, à la recherche de la vérité. Le verbalisme de cette science, joint à l'obstination de ceux qui la pratiquent, l'enchevêtrement aussi de toutes les causes les unes aux autres, l'ignorance où nous restons toujours de la première, la rendent non seulement vaine mais dangereuse pour cette connaissance véritable qu'il voulait édifier. Il résume toute sa critique en une formule imagée : cette même discussion du philosophe ressemble à l'Hydre de Lerne qu'Hercule a vaincue. Quand on lui coupe la tête, il en sort cent toujours plus féroces[76]. Montaigne utilise la même métaphore à propos de la plus grande querelle du temps, le schisme luthérien. « Nostre contestation, dit-il, est verbale. Je demande que c'est que nature, volupté, cercle, et substitution. La question est de parolles, et se paye de mesme. Une pierre c'est un corps. Mais qui presseroit : Et corps qu'est-ce ? — Substance, — Et substance quoy ? Ainsi de suitte, acculeroit en fin le respondant au bout de son calepin. On eschange un mot pour un autre mot, et souvent plus incogneu. Je sçay mieux que c'est qu'homme que je ne sçay que c'est animal, ou mortel, ou raisonnable. Pour satisfaire à un doubte, ils m'en donnent trois : c'est la teste de Hydra. »[77] La définition traditionnelle de l'homme offerte comme nécessairement par Sanchez à la critique du lecteur au début de son ouvrage[78], montre comment les termes du syllogisme, A, B, C, animal, mortel, ou raisonnable, ne sont jamais définis; toute la science scolastique achoppe justement par suite de l'impossibilité de définir ces prémisses. Appliquée ainsi aux contestations religieuses et aux guerres qu'elles déchaînèrent, l'image de Sanchez pleine de signification déjà, prend un visage de férocité. L'ennemi devient dangereux. Moins technique peut-être dans ces analyses des faiblesses des syllogismes, Montaigne du moins conserve l'essentiel des critiques de Vivès et de Sanchez. Comme déjà en peignant l'attitude d'assurance en quoi réside toute la force du dialecticien, Montaigne s'attachant ici aux théologiens, donne une puissance nouvelle au texte de Sanchez. Il y ajoute l'horreur de la cruauté, non plus le reproche seul de la vanité, mais celui du sang versé et de la menace. La puissance d'erreur est destructrice de la société. La conclusion de Sanchez, propre au domaine de la logique, prend chez Montaigne une dimension politique.

Librement, Montaigne étend la critique de la logique aristotélicienne à ses propres fins politiques. Il convertit aussi les accusations d'ignorance que Sanchez adresse sans cesse à son dialecticien scolastique, en un optimisme plus conforme à la fin de son ouvrage. Confiant dans le progrès des arts, le *De Disciplinis* devait aussi conduire Sanchez à ce modernisme profond qui l'animait. Dès les premières pages[79], dépassant les critiques sous lesquelles Vivès accablait les aristotéliciens, le *Quod nihil scitur* affirme la puissance des facultés humaines à travers cet apologue d'Esope vendu entre un grammairien et un rhéteur que fournissait, dans une édition des fables d'Esope donnée à Lyon en 1554, une vie de l'auteur par Planude[80]. Cette déclaration d'ignorance du poète devant les affirmations de science de ses compagnons portait déjà, avec l'accusation de la fausse science, l'affirmation qu'il en existe une véritable. En cela, consistait toute la conclusion apportée par Montaigne à son essai *Des Boyteux*. Qu'il n'existe point de science parfaite, ni de science infinie, suppose aussi en retour que celle dont l'homme dispose se mesure à ses forces.

Déjà, dans l'*Institution des enfants*, Montaigne, confiant en la nature de l'esprit humain, avait rappelé l'inquiétude de son père cherchant « la cause pourquoy nous ne pouvions arriver à la grandeur d'ame et de cognoissance des anciens Grecs et Romains. »[81] Il faisait écho aux premières pages du *De Disciplinis* où Vivès analysait « les raisons de la décadence des lettres et des arts ». Erasmienne, l'explication trouvée par son père, la difficulté de l'apprentissage du latin, n'était point celle que proposait Vivès ; et Montaigne avait marqué immédiatement sa réserve : « Je ne croy pas que ce en soit la seule cause ». Dans l'exemplaire de Bordeaux, l'essai *De l'Expérience* complète enfin la pensée, en nous ramenant à une métaphore très révélatrice, qui est passée de Vivès à Sanchez, puis à Montaigne enfin. Refusant pour sa part « le principal et plus fameux sçavoir » de son siècle : ces commentaires et gloses scolastiques qui tuent la pensée et font en son temps « grand cherté »[82] d'auteurs, Montaigne ajoute : « (C) Nos opinions s'entent les unes sur les autres. La premiere sert de tige à la seconde, la seconde à la tierce. Nous eschellons ainsi de degré en degré. Et advient de là que le plus haut monté a souvent plus d'honneur que de mérite ; car il n'est monté que d'un grain sur les espaules du penultime ». Il reprenait ainsi une image médiévale qui faisait des modernes des nains montés sur l'épaule des géants, mais en la déformant, il en refusait la signification, puisque le dernier recevait tout l'honneur, et l'apparence du mérite, et qu'il fallait lui en disputer même la réalité. L'optimisme de Montaigne le rendait décidément partisan des modernes. Vivès avant lui, toujours dans le *De causis corruptarum artium*, avait refusé la figure traditionnelle de la métaphore pour affirmer que tous les pays produisaient également de grands esprits, et tous les temps. Rompant avec le respect des anciens, il avait fortement affirmé l'égalité des modernes, faisant porter toute la faute de leurs échecs sur l'autorité du passé et sur l'esprit de tradition de la scolastique. La comparaison usée, il l'affirmait sotte et inepte[83]. Nous ne sommes pas des nains disait-il, et les anciens ne sont pas des géants. Nous sommes tous de même stature. Seule nous manque la passion qui était en eux, l'amour de la vérité. Sanchez ensuite avait repris dans l'œuvre de Vivès, la comparaison traditionnelle ; le nain, devenu enfant, se dressait bien sur l'épaule du géant. Cependant, il ne l'appliquait qu'aux mauvais auteurs qui ne méritaient pas d'avoir stature humaine. Pillant les œuvres d'autrui, ils ne produisaient rien par eux-mêmes, et Sanchez concluait[84], que le procédé n'apportait aucun avantage pour le perfectionnement des sciences. Ainsi, se retrouvait cet optimisme fondamental qui dans l'opposition à l'autorité des anciens, cherchait, affirmait l'ouverture vers une science véritable. Les deux sources possibles à la phrase de l'essai manifestent un même esprit de confiance en l'homme ; on peut se demander seulement si Montaigne lorsqu'il ramène tous les auteurs à la taille humaine, n'est pas plus proche du *De causis corruptarum artium*   que du *Quod nihil scitur* qui a préféré la métaphore ancienne pour sa portée satirique.

Qu'on leur dispute avec Sanchez la taille humaine, ou qu'on accorde mérite égal au premier venu, avec Montaigne, ou avec Vivès, cette vérité cherchée, pressentie, déjà célébrée n'est point dans les livres. Aux artifices de la scolastique, les trois auteurs opposent le jugement du peuple. Déjà le chapitre de *l'art de conferer* accusait la science du théologien de n'être que grimace, soutenue par sa gravité, sa robe et sa fortune[85]. L'art au contraire du chirurgien était fondé sur l'expérience qui l'avait rendu meilleur : « Je leur dirois volontiers que le fruict de l'experience d'un chirurgien n'est pas l'histoire de ses practiques, et se souvenir qu'il a guery quatre esmpestez et trois gouteux, s'il ne sçait de cet usage tirer dequoy former son jugement, et ne nous sçait faire sentir qu'il en soit devenu plus sage à l'usage de son art. »[86] A la fausseté du savant aristotélicien s'oppose l'expérience de l'artisan. Riche de la vie personnelle, non de la science d'autrui, il accède à cette sagesse bonaventurienne où la morale rejoint la connaissance. Ainsi, cette vérité humaine perdue par la scolastique se retrouve au niveau de l'homme de l'art ; c'est dire que chacun vaut pleinement par l'exercice du métier qui est le sien. Le chapitre de *l'Experience* témoigne de l'emprunt dans une image que Montaigne reprend à Sanchez. Avant lui, Ramus l'avait trouvée chez Vivès. Le principe qui justifiait l'exemple précédent, se retourne pour condamner le ridicule de tout art fondé sur une science livresque et non sur la pratique. Par opposition au médecin qui « faict profession d'avoir tousjours l'experience pour touche de son operation »[87], « les autres nous guident comme celuy qui peint les mers, les escueils et les ports, estant assis sur sa table et y faict promener le modèle d'un navire en toute seureté. Jettez-le à l'effect, il ne sçait par où s'y prendre ». Vivès au début du *De Disciplinis* avait bien affirmé qu'il y a plusieurs domaines comme dans l'agriculture, la navigation, le transport des marchandises étrangères dans lesquels il faut croire au peuple, à tout homme enfin remarquable en son art[88]. Il ajoutait que, pour toutes les connaissances pratiques de la vie courante, il fallait bien avoir recours au peuple et lui faire confiance. L'affirmation n'allait pas au-delà de l'éloge du jugement droit des simples, et du mérite de l'expérience, elle n'avait point le sens que lui prêtait Montaigne qui niait par là l'autorité des savants et des livres, comme opposée à la véritable science et à la sagesse. Elle répondait seulement à une division des arts empruntée à Galien qui permettait ensuite de s'interesser de préférence aux arts libéraux. Après Vivès, Ramus qui lui emprunte entre autres choses sa haine des « disputationes » auxquelles il a été rompu comme lui [89], dans un avertissement sur la réforme de l'université envoyé au roi en 1562, pour imposer la sagesse de Platon, avait repris avec beaucoup de fidélité l'expression[90].

L'originalité, au contraire, de Sanchez se marque dans la trans-formation qu'il lui fait subir: Il se fait un devoir même de l'ex-pliquer par un appel à Galien. « Autrement, comme dit Galien, il deviendra matelot au sortir du livre, celui qui assis tranquillement sur son tabouret, décrit le mieux, les ports, les écueils, les promon-toires, Scylla et Charybde, et conduit enfin le mieux son bateau au travers de la cuisine, ou par dessus la table. Mais s'il monte sur mer, qu'on lui confie la barre de la trirème, il heurtera contre les écueils et Charybde et Scylla qu'il connaissait si bien auparavant. »[91] Un autre courant alors, fort compatible avec l'augustinisme de Vivès, est venu dans l'œuvre de Sanchez le féconder. Le recours à l'expérience apporté par Galien fait triompher sur la science et l'autorité des doctes, la valeur pratique, mais aussi morale des simples. Il est remarquable que, sur ce point qui manifeste si clai-rement le renouvellement de cette pensée religieuse venue d'Espagne ce soient Sanchez et Vivès que, dans l'essai qu'il a choisi pour conclure son ouvrage, Montaigne ait suivis. La pensée aussi de l'auteur des *Essais* se fonde sur la charité, une charité agissante qui, par cette affirmation même, retourne au monde.

L'antiaristotélisme que Montaigne et Sanchez ont puisé avec la science de leurs maîtres, au Collège de Guyenne, se rattache à une exigence ancienne de la pensée bonaventurienne. Après Roger Bacon, Vivès, Sanchez, et Montaigne accusent l'esprit d'autorité comme le processus syllogistique du raisonnement de fermer les esprits à toute découverte.

Si l'attaque porte d'abord sur la scolastique, et l'aristotélisme chrétien, elle se retourne au XVIe siècle contre l'aristotélisme padouan.

Chapitre ii

LA LUTTE CONTRE L'ARISTOTÉLISME PADOUAN

Que Montaigne attaque la pensée scolastique, pour suivre un auteur qui fonde son ouvrage sur ceux de Sextus Empiricus, et de Galien, n'autorise pas à conclure à son scepticisme. Et refuser l'aristotélisme chrétien n'est point suivre l'aristotélisme padouan. Entre ces deux positions très fortes au XVIe siècle, s'imposait la pensée augustinienne. Le mérite du courant bonaventurien espagnol qui la prolonge, est d'avoir affermi la pensée chrétienne dans cette double lutte. Assurément l'évêque Tempier qui, en 1277, confondait volontairement dans la condamnation des thèses aristotéliciennes, certaines propositions de Saint Thomas, avait montré, au moins, que l'aristotélisme chrétien était mal placé pour s'opposer à l'aristotélisme matérialiste. Au XVIe siècle, le disciple du dominicain Savonarol, Jean François Pic de la Mirandole, croyant détruire toute philosophie fondée sur la raison humaine, ouvre au contraire la voie au scepticisme. La pensée bonaventurienne, parce qu'elle assure à l'homme une atteinte à la vérité, était mieux placée pour combattre le matérialisme aristotélicien.

Plus que le processus d'analogie qui fonde la pensée aristotélicienne, Vivès, Montaigne, et Sanchez, refusaient une vaste conception philosophique où le particulier disparaît devant le général, où toutes les religions se confondent dans une même loi du monde, une morale enfin d'harmonie au vaste déroulement de l'univers, où se perd la liberté humaine. *L'Apologie de Raymond Sebon* montrait l'impuissance de l'esprit humain à vérifier pareil système, et, dans une esthétique de la mesure, la plus opposée à cette vaste ambition, une saisie possible de la vérité.

Le respect d'Aristote

Jamais, dans la lutte livrée contre la scolastique, Vivès n'attaque l'œuvre de Saint Thomas, mais seulement cette logique aristotélicienne qu'il a adoptée pour fonder sa théologie sur les certitudes de la raison humaine. Le *Commentaire de la Cité de Dieu* avait révélé les divergences profondes de la pensée augustinienne avec cette doctrine. Mais, par souci de méthode, pour plus d'efficacité

ou par prudence, c'est à la base de l'édifice, au niveau de l'argumentation que dans le *De Disciplinis* Vivès a fait porter la lutte ; et
Montaigne, avant Sanchez l'avait sans doute plus généralement imité
en cet ouvrage que dans certaines critiques plus osées de *la Cité
de Dieu*. De même aussi, l'attaque contre l'aristotélisme matérialiste porte d'abord sur le processus de la pensée. Mais elle s'attache
aussi à l'ensemble de la doctrine. Les grandes affirmations chrétiennes sont sans cesse opposées aux principes matérialistes. Vivès
désigne ses adversaires, non point le philosophe ancien, mais ses
disciples contemporains.

Ouvrant le livre, le *De Causis corruptarum artium* est consacré
à l'analyse des faits qui nous rendent l'œuvre d'Aristote difficilement intelligible. Le premier chapitre s'achève sur cet apologue
significatif qui donne au philosophe un nez de cire que chacun
tourne à son gré, pour lui prêter nouveau visage, et celui qui
convient à sa propre doctrine[1]. Par là, Vivès condamne d'erreur
tout aristotélisme en son temps. Cependant, il épargne le maître
de la doctrine comme le chaînon indispensable au progrès des arts[2] ·
Affirmant que son obscurité et ses contradictions sont volontaires,
que son œuvre comprend beaucoup d'erreurs à côté d'opinions
droites, il lui accorde le plus grand éloge pour la justesse de son
esprit[3]. Aristote a indiqué les erreurs des autres comme des passages
dangereux, et mérite par là la gloire immense qu'on lui accorde.
Il reste bien le génie supérieur, celui dont la vue est la plus profonde
et la plus large. Sanchez, à son tour, reprenant les mêmes critiques,
l'appelle aussi l'observateur le plus pénétrant de la nature[4]. Ainsi
la logique aristotélicienne reste condamnée pour la vanité de sa
nature. Au contraire, dans ce patrimoine universel de la science,
à partir duquel le savant de Vivès élaborait sa propre pensée,
l'œuvre du philosophe, et tous ses ouvrages scientifiques ainsi
soumis à la critique, s'affirmaient valables et fondamentaux pour
l'humanité. Tirant peut-être aussi sur le nez de cire, Vivès faisait
d'Aristote un maître du jugement. La description de la nature que
dans la suite de son ouvrage l'humaniste espagnol proposait comme
science du monde, c'était parmi quelques autres, l'œuvre du péripatéticien qui l'enseignait[5]. L'antiaristotélisme de Vivès et de
Sanchez portait ·au contraire sur les disciples du philosophe en
leur temps. La lutte aussi était violente parce que la doctrine
connaissait un nouvel essor au XVIᵉ siècle.

Le développement de l'aristotélisme padouan

Enseigné d'abord dans les facultés des arts, l'aristotélisme antique
avait été ensuite cultivé en France, dans les universités de Paris,
puis de Toulouse. Il s'était maintenu en Italie, depuis le XIIIᵉ *siècle,
dans la* Faculté de Padoue. Tandis que Saint Thomas et Albert le
Grand utilisent les ouvrages d'Avicenne qui déjà tentent une conciliation entre aristotélisme et platonisme, et permettent ainsi le

passage de la pensée antique au christianisme, l'Italie s'appuie sur l'œuvre d'Averroès. Depuis le XVe siècle, la doctrine connaissait un grand renom si bien qu'en 1512, elle avait été condamnée par le concile de Latran[6]. Busson rapporte comment, au début du XVIe siècle, elle s'est aussi introduite en France. Non seulement les habitudes de l'époque voulaient que chacun allât étudier d'une université à l'autre, sans doute pour se former à des maîtres différents, mais dans bien des cas, la nécessité entraînait les étudiants au-delà des Alpes. Les études de droit ne pouvant se terminer à Paris, les familles parlementaires envoyaient leurs enfants soit en province, soit à l'étranger. Bologne était célèbre pour l'enseignement de cette discipline, mais pouvait représenter aussi une première étape vers cette faculté de Padoue, illustre par l'étude des humanités et de la philosophie[7]. Dans le premier tiers du XVIe siècle, les étudiants y vinrent nombreux, et de Toulouse en particulier, ce Pierre Bunel qui donna la *Théologie Naturelle* au père de Montaigne. Ils résidaient plutôt à Venise que dans cette ville où, au dire de Montaigne lui-même[8], on pouvait contracter pour sa vie entière de déplaisantes manies sous l'effet du bruit des cloches. Si à Padoue les logements offerts aux nouveaux étudiants n'étaient pas tous situés dans des clochers, du moins, avec quelque recommandation, à Venise, on était fort bien accueilli par l'Ambassadeur de France, Lazare de Baïf. C'est ainsi qu'il prit Bunel pour secrétaire, et se lia avec tous les humanistes de son époque. Lorsque Montaigne, en 1580, visita l'Italie, il trouva encore en cette université une centaine de gentilshommes français, très peu à la Faculté de Droit, davantage à l'école d'escrime. Lui-même se rend en pèlerinage à ces lieux où a soufflé cet esprit contre lequel il lutte. A Pise même, il visite cet aristotélicien si convaincu qu'il fut quelque temps inquiété par l'Inquisition[9]. L'aveu dans l'*Institution des Enfans* est exempt d'équivoque, et condamne comme sottise pareille fidélité à la doctrine.

Avec Bunel, avec les autres hôtes de Lazare de Baïf rentrés en France, la philosophie aristotélicienne avait ensuite passé les Alpes. Auprès de certains, dont le rois François 1ᵉʳ, elle se parait de ce prestige d'élégance et de supériorité que prenait alors tout ce qui venait d'Italie. Peut-être aussi, libérée de la contrainte scolastique par l'énoncé d'un aristotélisme contradictoire, les esprits retrouvaient-ils ce libre jugement, en quoi tient toute la pédagogie de Vivès, par l'effet de cette rupture avec la coutume qui, dans l'*Institution des Enfans*, fait la valeur du commerce du monde. On peut, avec Busson, s'inquiéter des sentiments religieux des jeunes gens qui avaient subi pareil enseignement contradictoire. La voie qui s'offrait à eux, s'ils avaient quelque originalité, pourrait bien n'avoir point été de poursuivre une idole après avoir brûlé l'autre. L'intelligence paraît plutôt dans le choix d'un moyen terme. Non point un fidéisme qui ne semble pas convenable pour des gens qui, dans l'une ou l'autre philosophie, avaient tant sacrifié à la raison humaine, mais plus probablement cette religion qui, réconcilie la foi avec cette partie de l'esprit qui, propre à l'homme seul, communique au divin. L'augustinisme paraissait la voie du bon sens, comme aussi celle de la réalisation profonde de toute recherche de l'esprit à travers des philosophies si opposées. Ainsi déjà, le doute et le refus, apportaient la certitude et l'harmonie.

Si, pour le premier tiers du XVIe siècle, nous pouvons supposer que l'enseignement des padouans suggère aux esprits doués de quelque originalité l'augustinisme comme la philosophie qui convient à une pensée libérée des erreurs de la raison humaine, du moins faut-il laisser à Dieu le soin de sonder les reins et les cœurs, en un temps où les premières poursuites vont inviter à la dissimulation, et les passions humaines déformer le sens des mots qui désignent d'ordinaire les différentes nuances de la religion et de l'incrédulité. Enfin, comme le rediront sans cesse, avant Montaigne, les augustiniens, parce que l'homme entre la naissance et la mort change sans cesse, sa pensée aussi se modifie sans cesse. Opposant un enseignement de la raison à une adhésion du cœur, il arriva peut-être aux étudiants qui passèrent les Alpes de glisser vers une philosophie occulte ou l'athéisme. Si l'on peut dire avec Busson[10] que les humanistes du Collège de Guyenne sont peu suspects d'être restés fidèles au thomisme, du moins il est bien difficile de préciser la nature de la pensée de chacun. Tous, sans doute, sont liés par la communauté que créent une amitié de jeunesse, mêmes réflexions sur les problèmes de l'époque, mais non toujours même prise de position.

Au contraire, la première publication à Lyon, en 1529, des œuvres d'Averroès marque véritablement l'arrivée en France de la pensée aristotélicienne. En l'espace de dix ans, presque toute l'œuvre d'Aristote commentée par les Averroïstes de l'école padouane se trouve publiée en cette ville. C'est dire que cette philosophie y a pris droit de cité, et désormais par toute la France, suscite l'opposition[11]. En 1530, aussi, Vicomercato maître de philosophie à Pavie, puis à Padoue vient à Paris, appelé pour y être médecin ordinaire du roi. La faveur du souverain lui est témoignée par sa nomination à l'archevêché d'Aix en 1533[12]. Il enseigne ensuite la dialectique au collège du Plessis. Conseiller du roi, il publie un commentaire sur le troisième livre du *De anima*. En 1542, son mérite et l'intérêt porté à ses idées est consacré par une chaire de philosophie, créée pour lui, au Collège royal. La même année, Postel, le condisciple de Gélida, dénonce à Paris la présence des disciples de Pomponazzi. L'année suivante Gentian Hervet, dans deux préfaces dont une très justement adressée au roi, pouvait signaler le danger de cette philosophie. L'avertissement resta vain; et Vicomercato poursuivit avec son enseignement au Collège royal, ses publications aristotéliciennes. Roger Trinquet veut que

Montaigne l'ait entendu lui-même, du moins est-on sûr par les
Essais [13], qu'il a écouté cet autre averroïste auquel François Ier
accorda la chaire de médecine : Vidus Vidius. Désormais, il n'est
plus nécessaire d'avoir passé par Padoue pour être instruit des
doctrines matérialistes : elles sont enseignées en France comme le
sommet du savoir, non peut-être le dernier mot de la vérité. Ainsi
Gentian Hervet se consacre à la traduction d'une réfutation du
De Anima d'Aristote. Lors de la publication, son intention est
encore précisée par une préface où il manifeste son désir de lutter
contre l'incrédulité. Il traduit encore, et dédie à François Ier dans
le même but, le *De Fato* [14]. La lutte désormais était ouverte par
les augustiniens contre la doctrine aristotélicienne [15].

Le déterminisme

Le premier point sur lequel les augustiniens engageaient la lutte
portait sur la nature de la pensée. Ils ne respectaient Aristote que
pour dépouiller les matérialistes de leur temps de l'autorité qu'ils
prenaient de ses ouvrages. La doctrine d'Averroès à laquelle se
référait Pomponazzi était, en réalité, très imprégnée de stoïcisme ;
et le jeu des commentaires sur l'œuvre du Stagirite avait permis
d'en dénaturer la pensée, au point de confondre les deux philosophies en un nouveau matérialisme. Ainsi Montaigne avait repris
les passages de *la Philosophie Occulte* où Aggripa exprimait le
principe de l'analogie aristotélicienne, et imposait à l'homme une
appartenance complète au monde, pour leur opposer l'analogie que
Sebon avait tirée du *De Trinitate*. L'homme, dans l'augustinisme
occupe une place centrale, et, dans une symétrie parfaite, entre
l'infiniment grand et l'infiniment petit, comprend le monde, et use
de sa liberté pour en rendre gloire à Dieu. Dans l'image aristotélicienne, à l'inverse, se réalise tout le système. Elle suppose, dans
un monde sans liberté, où les lois de la nature ramènent éternellement des êtres identiques, l'usage du raisonnement analogique.
Comme Aristote l'avait indiqué dans *les Parties des animaux*, d'une
des parties du monde peut se déduire la nature du tout [16]. Au
contraire, la science bonaventurienne qui refuse le principe
d'identité, et prétend s'élever au-dessus d'un niveau purement
rationnel, n'accorde aucune valeur à l'analogie. Dans l'opposition
à l'aristotélisme padouan, elle affirme ainsi l'originalité et la puissance de sa pensée.

Avec les souvenirs du *De disciplinis* et du *Quod nihil scitur*,
Montaigne, dans les *Essais*, affronte les autres aspects de la pensée
de Pomponazzi, et de ses disciples. Et s'il leur consacre tant de
place en son ouvrage, c'est aussi qu'il reconnaît en eux une des
grandes tentations philosophiques de son époque. L'introduction
de Busson au *De Incantationibus*, en marque l'importance,
rappelant les ressemblances de tous les écrivains qui ont exprimé les
mêmes idées, et surtout utilisé les mêmes exemples. Cependant,

quoique chaque auteur s'autorise de Saint Augustin, ou interprète
les miracles par la puissance de l'imagination, sous les mêmes
termes, il cache des réalités bien différentes. La reprise du même
passage dans la controverse prend un sens opposé, que l'on ajoute
ou non le « deo duce » de Marsile Ficin[17]. Puissance de la nature
qui opère à travers l'homme, ou exercice d'une providence divine
qui suppose la liberté humaine, le même fait au service d'une
philosophie détruit l'argumentation qu'il appuyait dans une autre.
Ainsi n'est-ce pas à Marsile Ficin que Pomponazzi doit sa pensée,
mais aux Stoïciens grecs des premiers siècles avant Jesus-Christ,
à Chrysippe particulièrement qui avec ses traités *De la nature,
des Dieux, du Destin, De la providence, De l'âme*, fixa la doctrine
en une sorte de vaste « monothéisme cosmique »[18]. C'est le traité
de Plutarque *Des contradictions des Stoïciens* qui expose pour
nous le déterminisme matérialiste : « Puisque la nature universelle
s'étend à tout, tout ce qui arrive dans l'univers, et dans une quel-
conque de ses parties devra arriver conformément à cette nature
et à sa raison selon une suite qui ne rencontre pas d'obstacle. »[19]
Rien alors n'est plus ni répréhensible ni criticable. Le mal fait
partie de l'univers, et la nature est fermée sur elle-même en un perpétuel devenir : « Du monde seul on peut dire qu'il se suffit à lui-
même, parce qu'il a en lui tout ce dont il a besoin ; il se nourrit de
lui-même, tandis que ses parties se transmuent l'une dans l'autre »[20]
Le « deus sive natura » d'Aristote pouvait sans doute se confondre
avec le monde des stoïciens, et c'est par cette confusion
qu'Averroès renouvelle l'œuvre du Stagirite.

Publiés après la mort de leur auteur, et quelques années avant
que Montaigne se retire pour composer ses *Essais*[21], les traités de
Pomponazzi présentent l'opposition traditionnelle aux aristotéliciens du moyen âge, entre la raison et la foi, mais permettent sous
cette forme de dissimulation, ou d'hésitation, les plus grandes
affirmations. « Qu'il me suffise d'avoir inventé » dit-il en conclusion
du *De Incantationibus;* et l'ouvrage avance en effet une identité de
nature entre l'homme et le monde, qui le soumet aux mêmes
révolutions, et détruit avec la liberté humaine le principe d'un
Dieu providence, et toute notion de vertu. La présence du mal
dans l'ordre de la nature substitue à toute notion morale, une
esthétique. Le beau, l'harmonie au monde supplantent le bien.
Par là aussi, le juste milieu et la mesure de l'intelligence disparaissent devant la soif de l'infini. Dépossédant l'homme de son
âme individuelle et du libre arbitre chrétien, la philosophie de
Pomponazzi lui offre une possibilité de communication au monde
qui l'exalte d'une nouvelle puissance.

Le *De Incantationibus* fait affirmer par Aristote, à plusieurs
reprises[22] cette identité absolue de nature entre l'homme et le
monde. Par là, il refuse à l'âme avec l'immortalité, son individualité
propre. A la notion d'un dieu providence, intervenant dans l'ordre du

monde pour la création des âmes individuelles, Pomponazzi oppose l'ordre de la nature et un enchaînement immuable des causes. La providence disparaît devant la loi du monde, et l'individu devant le général; « la nature, méprisant le détail considère l'ensemble, et négligeant le moindre bien s'occupe du plus grand »[23], poursuit l'auteur. La cause de tous les changements et même de celui des volontés humaines, devient la force des astres, soit celle qui anime l'univers[24]. Parce que, par l'existence de cette puissance, le monde est matière en action, il est animé de grandes révolutions. Ce sont les mouvements des peuples, les changements de rois, et surtout de religions qui marquent cet immense retour de toutes les civilisations à travers le temps, vers un développement identique, la naissance, puis le refroidissement et la mort. Le titre de l'ouvrage prenait toute sa signification de ce retour cyclique. Les prodiges, dont les incantations sont un aspect particulier, trahissent cette puissance des astres sur le déroulement du monde; ils servent à imposer l'idée d'un déterminisme absolu. « Il faut bien savoir que jamais ces prodiges ne se sont produits que pour quelque grand changement, par exemple la chute des royaumes, un nouvel état, la mort ou la naissance de quelque personnage important et extraordinaire, en bien ou en mal, une nouvelle religion... Il n'est donc pas déraisonnable de les attribuer aux corps célestes. »[25] Sans contrôler les faits, Pomponazzi en cherchait les causes : « Est-ce que les fontaines de Manassé ne donnaient pas du sang; est-ce que des statues n'ont pas sué des goutttes de sang? N'a-t-il pas plu parfois de la laine ? Et d'innombrables autres prodiges que l'histoire nous rapporte et dont nous ne doutons pas, qui annonçaient de grands événements, puisque les grands événements sont la fin des petits, et que la nature a plus de souci de la fin que de ce qui y conduit. »[26] Et Jacques Lefevre d'Etaples obtenait ici un compliment, et venait autoriser l'explication fournie par Pomponazzi : « C'est que les Dieux et la nature gouvernent ce monde inférieur et y disposent tout à leur gré pour le mieux de l'univers ». Si la nature d'elle-même produisait les prodiges pour annoncer, et imposer aux hommes, la puissance irrésistible par laquelle elle allait opérer le changement qui les concernait, ils n'avaient plus aucune liberté, ni part à leur gouvernement, ni pensée propre en leur croyance. Les royaumes déjà étaient soumis à ces grandes révolutions, mais aussi les religions. « Toute génération vient de la corruption, et les forces génératrices l'emportent sur les forces contraires de corruption. Tout ce qui naît grandit et meurt, non seulement les individus, mais les choses, fleuves, villes, cités, etc. Il n'y a d'éternel en durée que ce qui est éternel ab ante. »[27]

Une immense analogie s'imposait entre la vie des êtres et celle des civilisations. L'esprit religieux, un aspect particulièrement important de ces civilisations, faisait partie de cette immense puissance de la matière qui entraînait irrésistiblement les hommes.

Il subissait aussi la révolution inéluctable à toute vie au monde : « le changement de religion est lui, un très grand changement, et il est difficile de passer des rites coutumiers à ce qui est tout à fait nouveau ; c'est pourquoi il est nécessaire qu'il se fasse en faveur de la religion qui doit remplacer la précédente des miracles et des prodiges. C'est pourquoi les corps célestes, à l'avénement d'une nouvelle religion doivent procurer la naissance d'hommes capables de faire des miracles. »[28] Non sans mesurer le blasphème, ces hommes-la, Pomponazzi, les appelle fils de Dieu, parce qu'ils rassemblent en eux quelques-unes des forces de la nature, celles qui sont éparses dans les herbes, les plantes et les êtres raisonnables. S'ils prennent ce nom du premier qui exerça ce pouvoir, dans leur succession même, ils reviennent identiques, comme les religions qu'ils imposent par leurs dons exceptionnels[29]. Toutes se présentent semblablement nécessaires dans leur cause naturelle, dans leurs manifestations, vidées aussi de tout contenu moral par cette exigence des forces du monde qui les impose. En cela consistait la véritable impiété de Pomponazzi, et non dans l'explication de ces miracles dont certains pouvaient avoir, en effet, une cause naturelle. Pourtant déjà, l'opposition entre les serpents des mages du Pharaon et ceux, miraculeux, de Moïse paraissait absurde, et tendait à détruire une religion qui s'impose par un appel au surnaturel. Dans un univers où tout était naturel, tout aussi, dans une prodigieuse assimilation de toutes les choses les unes aux autres, devenait identique. Contre ce principe même d'identité, Augustin avait déjà réagi. Ses disciples du XVIe siècle devaient faire appel à sa réfutation.

La morale d'harmonie au monde

Mais parce que Pomponazzi savait bien, aussi, que l'augustinisme était son véritable adversaire, il empruntait à l'évêque d'Hippone ses propres paroles qu'il dénaturait pour lui faire appuyer son système. L'auteur de *la Cité de Dieu* qui, après avoir été lui-même tenté par le manichéisme, s'était tant élevé contre la doctrine, autorisait ainsi la présence du mal dans le monde. Le passage du *De Incantationibus* est à la fois habile et curieux[30]. Sans doute Pomponazzi utilise davantage, sans le citer, le chapitre VIII du livre XIV où Augustin réfute la doctrine stoïcienne. Il en déforme habilement les termes pour autoriser justement ce qu'Augustin combattait. A l'idéal stoïcien de l' ἀπάθεια *la Cité de Dieu* opposait des passions humaines qui prenaient leur valeur de la volonté qui les animait. Ailleurs, la volonté du mal qui s'écartait de l'ordre de la création était analysée comme une déficience, un manque[31]. Pomponazzi jouait sur les mots en affirmant que tous convenaient « que Dieu est l'auteur des maux et défauts par manque d'être, par exemple de l'homme en général, du lion, du loup, etc ». Le mal qu'il reprenait dans la création ne pouvait plus être un mal moral puisqu'avec les stoïciens il avait dans son déterminisme universel

privé l'homme de sa liberté. Commun aux hommes et aux choses
le mal avait une existence matérielle. Au contraire, pour Augustin,
placé tout entier dans la volonté de la créature qui s'écartait de
l'ordre divin, il n'avait de réalité que morale. Déficience dans
l'amour, il marquait aussi, dans la pensée chrétienne cette plénitude de l'être qui consiste en l'acte de liberté. Le refus de l'homme
ne pouvait être dit manque d'être. Déjà, le sens était abusif qui
était prêté aux « portenta » des livres XVI et XXI de *la Cité de
Dieu*. On pourrait jouer sur les mots et montrer que ces prodiges
qu'Augustin désigne sous ce terme ne sont pas des manques dans
la nature. L'enfant qui naît avec deux bustes ou six doigts, les
cavales que féconde le vent de Cappadoce, les taches sombres de
l'huile à la surface de l'argent, ou des fontaines d'eau chaude auxquelles il faudrait au moins donner un caractère bénéfique, sont
cités par Augustin, non comme la présence du mal dans la création,
mais comme des faits qui nous étonnent parce qu'ils sortent de son
ordre ordinaire. Ayant rêvé dans les ruines du port de Carthage,
sur les mosaïques qui peignent les monstres lointains, pygmées
ou « sciopodes »[32], comme les contemporains de Pomponazzi
ou de Montaigne sur les récits des voyages exotiques de leur
époque, Augustin ne conclut qu'à la puissance mystérieuse de la
providence divine dont la raison nous échappe[33]. Ce qu'il appelle
« portentum » dit-il plus exactement, n'est que le fait prodigieux
qui doit signifier, annoncer par avance, que Dieu réalisera tout ce
qu'il a prédit de faire à l'avenir. Ce n'est donc point présence du
mal dans le monde, ni manque d'être de certains objets, mais
mystère de la providence divine. Ainsi, par une habile déformation
du texte qui réfutait sa propre doctrine, Pomponazzi cherchait au
contraire à l'autoriser. Il devait trouver à son époque cependant
des adversaires, riches de la connaissance d'Augustin et capables
de lui retourner ses arguments, et ses termes dans leurs sens authen-
tiques.

Dans le *De Incantationibus* la présence ainsi affirmée du mal
dans le monde, ne consistait plus en une volonté mauvaise, mais
dans ces rois mêmes portés par la nature au pouvoir pour tyranniser
les peuples. Les corps célestes sont, dit Pomponazzi la cause des
maux mêlés aux biens dans la nature[34]. L'objet d'une plus grande
exigence des forces du monde, ces rois, sont aussi pires que les
peuples qu'ils gouvernent ; ils manifestent le même caractère inéluctable de la puissance de la nature : « Comme les herbes médicales
et salutaires, Dieu produit les bons rois ; les tyrans comme des
herbes vénéneuses, et comme des basilics très venimeux ; et comme
le venin chasse le venin, les peuples pécheurs sont sur le globe
chassés par le venin des tyrans, afin qu'après le venin vienne le
miel, et après le tyran le roi légitime : selon la sentence d'Aristote
au second livre de la *Rhétorique* : « Dieu donne le malheur afin
que vienne le bonheur. »[35] La morale alors qu'impose pareille

vision du mal dans la nature est celle de la soumission. Plus exactement, il ne peut y avoir qu'une notion d'utilité. Toute révolte
étant impuissante, il ne reste plus à l'homme dans ses actes que
d'ajouter à son être cette notion tout esthétique d'harmonie à
l'être du monde par l'acceptation de l'inévitable.

Cette notion d'harmonie au monde qui fonde l'esthétique de
Pomponazzi ne peut, cependant, être confondue avec la morale
de mesure augustinienne. L'harmonie n'est point la résignation dans
un temps où les grandes découvertes maritimes élèvent l'ambition
humaine aux dimensions du globe, et dans une philosophie qui
prête à l'homme les forces d'une nature en perpétuel devenir.
Optimiste en droit, mais pour les êtres d'exception en qui la nature
a mis des dons particuliers, la doctrine de Pomponazzi commence
par écraser l'individu, les peuples, l'homme enfin dans sa condition
même. A cette âme du monde dont il participe, chacun peut puiser
deux caractères différents ou, si l'on veut, deux âmes : l'intelligence,
et les sens. Mais une constatation de fait réduit l'humanité à cette
dernière faculté « l'homme a trop peu d'intelligence et beaucoup de
sens [36] » dit exactement le *De Incantationibus* et le passage conclut :
« Aussi suivant la plupart du temps les influences reçues du ciel,
ils vivent comme des bêtes ». L'existence en droit, d'hommes doués
d'une âme intelligente, et capables de dominer par leur connaissance, puis d'utiliser les forces du monde, est autorisée par un
recours à Platon. Une citation de l'*Ion* permet d'affirmer que le
poète compose sous l'inspiration divine. Pomponazzi généralise
ensuite, et ajoute « Et si le Dieu leur ôte le sens et les prend pour
ministres, comme il fait des prophètes et des devins inspirés, c'est
pour que nous qui les écoutons, sachions bien que ce n'est pas eux
qui disent ces choses si admirables puisqu'ils sont hors de leur
bon sens, mais que c'est le Dieu même qui les dit, et qui parle par
leur bouche. »[37]

Désormais, Pomponazzi peut étendre cette inspiration divine à
tous les domaines. Elle diffère déjà essentiellement de celle que
Montaigne verra au sommet de tous les arts ; elle est foncièrement
opposée à toute assimilation à la pensée bonaventureinne et au
platonisme même, en ce que l'homme, dans l'acte, n'a pas l'intelligence de soi ; il est objet. Par rapport à Avicenne, Pomponazzi
affirme son originalité : « Selon notre système, l'âme ne fait ces
prodiges que par une altération, et en communiquant des vapeurs
douées d'une vertu ou d'une nocivité déterminée. »[38] L'homme
d'exception, qui participe de cette intelligence des forces du monde
n'en paraît en soi nullement grandi puisqu'il n'est qu'intermédiaire
irresponsable. Il n'en est pas moins exalté de cette puissance qui
s'exerce par son moyen. Tous les effets de l'imagination, toutes
les propriétés de la nature que chaque philosophie ou la science
même interprètent à leur manière, viennent encore confirmer ce
que Pomponazzi appelle ouvertement son système. Tout est force

occulte d'une nature dont la puissance s'exerce à travers l'homme. Une véritable ivresse, par la contemplation des forces et de la diversité de la nature, se communique désormais à l'homme qui y participe. « Si les herbes, pierres et animaux nous offrent des propriétés si nombreuses, l'ensemble de l'espèce humaine peut nous offrir de semblables pouvoirs : les uns participant de la nature d'une herbe, les autres de celle d'une autre, et ainsi de suite. »[39] L'homme est situé au centre du monde parce qu'il participe aux extrêmes, qu'il est revêtu de leur puissance, et qu'il atteint par là à un absolu. Sa position, dans la création entre les puissances astrales et les bêtes, ne crée nullement cette symétrie de l'intelligence des choses qui engendre l'équilibre et la mesure ; c'est un influx de puissance, un vaste élan qui, avec le monde sublunaire, sans conscience de soi, ni des choses mêmes, l'anime d'une force irrésistible. L'homme du XVIe siècle ne rêve plus devant les êtres exotiques. Il les a visités ; revenu souvent sans les avoir vus, il conserve ses erreurs, mais possède le monde en puissance. Tout en acte, il n'est plus que le mouvement immense, éternel, parce que sans cesse renouvelé, dont il est animé. L'homme s'est fait Dieu, qui par l'analogie aristotélicienne se perd dans la loi immuable qui l'enserre.

Par là la doctrine de Pomponazzi, directement opposée à l'augustinisme dans ses termes et ses déformations apportait une ambition illimitée, celle de toute une époque qu'exaltaient ses grandes découvertes et sa connaissance neuve du monde. L'autorité d'Aristote, loin d'assurer le triomphe du rationalisme scientifique, ne servait qu'à appuyer une nouvelle esthétique, celle de l'infini de la puissance humaine.

Niant la raison logique sur laquelle s'appuie l'aristotélisme, avec l'intelligence humaine, Pomponazzi qui, par le *De Incantationibus*, accepte et renforce toutes les ancestrales croyances aux mystères du monde, présages et sorcelleries, tourne le dos à tout esprit scientifique, et à toute vérification des faits. Refusant toute expérience, il cherche les causes, divinise les forces occultes et le mystère du monde, dans un système dont toute la beauté est de répondre aux exigences d'une époque, d'apporter cette esthétique de l'infini qui anime la pensée baroque. Perdant la conscience de soi et ses limites propres, l'homme aspire à la puissance infinie du monde.

L'affrontement des augustiniens à l'aristotélisme

Ennemis de l'esthétique de l'infini qui faisait la beauté du système averroïste de Pomponazzi, les augustiniens à qui leur foi prêche le détachement devaient opter pour un sens de la mesure, tout classique. Refusant l'infini des connaissances offertes à l'homme, ils préféraient à l'extension en amplitude, une intensité dans la certitude, la recherche, mais déjà l'appréhension d'une part de la vérité.

Vivès, puis Sanchez devaient armer Montaigne pour lutter en son ouvrage contre le développement de cette philosophie matérialiste. Avant de poser sa propre pensée, il convenait au bonaventurisme de détruire toute la doctrine en montrant ses fautes de méthode. Contemporains de Montaigne, les aristotéliciens italiens prétendaient encore parler la langue de Cicéron. La connaissance, pour eux, consistait dans la recherche des causes ; ils en oubliaient de vérifier les faits. Pour juger l'esprit humain incapable de se prêter à pareille ambition, les bonaventuriens ne tombaient ni dans le fidéisme, ni dans le scepticisme ; mais avec un véritable optimisme, décidément modernes, ils affirmaient le progrès des civilisations et la grandeur d'un homme qui, conscient du destin que lui fait sa place au centre d'une création finie, assume pleinement sa condition par la pensée.

L'*Apologie de Raymond Sebon*, dans ces pages où l'on veut voir d'ordinaire un préambule aux grandes idées de l'essai, s'ouvre sur l'opposition à l'aristotélisme. Après s'être élevé contre ceux qui prétendent imposer la foi par la raison, dès la première rédaction, Montaigne se retournait contre l'athéisme. Platon l'autorisait à affirmer « qu'il est peu d'hommes si fermes en l'atheisme qu'un dangier pressant ne ramene à la recognoissance de la divine puissance. »[40] Sans pour autant identifier cette attitude avec la foi véritable, Montaigne du moins, soulignait la contradiction des aristotéliciens matérialistes qui, depuis le XIIIe siècle, doublaient l'enseignement de l'Eglise de celui tout contraire de la raison. Un rappel, peut-être, de la mort pieuse de Pomponazzi, transparaissait dans la phrase finale, le désir au moins de les confondre tous par leur propre rétractation. L'addition de l'exemplaire de Bordeaux supposait une connaissance beaucoup plus précise du *De Incantationibus*, mais aussi de la réfutation qu'en avait formulée le *Quod nihil scitur*. Rappelant une condamnation portée par Platon contre l'athéisme, Montaigne la justifiait : « l'atheisme estant une proposition comme desnaturée et monstrueuse, difficile aussi et malaisée d'establir en l'esprit humain, pour insolent et desreglé qu'il puisse estre : il s'en est veu assez, par vanité et par fierté de concevoir des opinions non vulgaires et reformatrices du monde, en affecter la profession par contenance, qui, s'ils sont assez fols, ne sont pas assez forts pour l'avoir plantée en leur conscience pourtant ». Ce qui était probablement dissimulation dans l'opposition des deux vérités devenait refus de l'esprit, et par là, preuve d'erreur. Le souvenir des accents de Pomponazzi, réclamant à la fin de son œuvre le mérite de l'invention, se précisait. Rompant avec l'image augustinienne du lent cheminement des cités humaines vers leur apogée puis leur mort, et à travers elles vers l'avènement de la cité céleste, Pomponazzi avait refusé le perfectionnement. C'était découvrir l'orgueil de sa pensée, la révolte de l'amour de soi. « Insolent et desreglé » affirme Montaigne de cet athéisme qu'il généralise ; mais la fin de la phrase l'accable progressivement par le caractère extrême de ses opinions, et par le mensonge qui consiste à les avoir répandues, sans les avoir partagées. La fin du paragraphe est magnifique d'un rythme satirique qui fustige : « Autre chose est un dogme serieusement digeré ; autre chose, ces impressions superficielles, lesquelles nées de la desbauche d'un esprit desmanché, vont nageant temerairement et incertainement en la fantasie. Hommes bien miserables et escervellez qui taschent d'estre pires qu'ils ne peuvent ! » Avec le sentiment auquel obéit la conversion dernière, se trouve condamné le processus de l'esprit : outil « desmanché », il a perdu le contrôle de soi pour ne plus suivre que la « fantasie », soit la puissance de l'imagination. Le dépassement de soi, même dans le mal lui est refusé. Toute aspiration à l'infini paraît impossible.

La valeur de ces quelques lignes ne tient pas seulement dans la violence de l'attaque passionnée que traduisent rythme et image. Elles condensent aussi les principaux griefs que Vivès et Sanchez ont formulés contre ces athées. Appelant leurs affirmations « opinion » et non science, Sanchez aurait pardonné leur peu de fondement, si dans cet orgueil et cette volonté de puissance qui les caractérisent, il n'avait reconnu la faute suprême contre la loi divine. Ainsi, opposant l'histoire du monde telle que nous la donne le divin législateur Moïse, à celle que propose Pline, soit encore l'enseignement de la foi à celui de la raison, il excuse l'erreur, non point l'obstination des athées [41]. La condamnation morale venait renforcer une réduction logique du raisonnement par lequel les péripatéticiens posaient l'éternité du monde ; le grand nombre de leurs arguments ne prouvait que l'ignorance humaine. Par là aussi se confirmait l'enseignement que donne la foi, d'une création et de son terme. Comme la passion de Montaigne, celle de Sanchez donc était bien justifiée par l'ensemble du système aristotélicien, la croyance en l'éternité de la matière, en ces révolutions cycliques qui imposent le retour identique des êtres, « opinions » vraiment « reformatrices du monde ».

Si la première affirmation de Montaigne ne peut être rapprochée de l'ouvrage de Sanchez qui n'était point encore paru, du moins les deux auteurs ont-ils connu dans le *De Disciplinis* la partie intitulée *De Prima philosophia* qui, après la réfutation de l'éternité du monde, et l'affirmation de sa création, conclut sur l'accent de la certitude. Sous le terme d'éternité, Vivès accuse les péripatéticiens de dissimuler un caractère nécessaire qui retire à la bonté son prix. Qui pourrait en effet avoir le sentiment et la reconnaissance de la bonté d'un créateur dont on croit que la création n'a pu être autre [42]. L'exigence morale et la confiance en la valeur de l'amour présidaient ainsi à la réfutation, comme la foi commande à la raison.

Par cette passion que manifestaient les trois auteurs contre l'aristo-

télisme matérialiste, par la vigueur de leur style, comme par le caractère moral de leur dernier argument, s'affirmait donc la pensée la plus
augustinienne. Leur foi pouvait combattre l'athéisme parce qu'elle
n'était point fondée sur la logique humaine, mais s'appuyait sur des
arguments d'un autre ordre, sur ces exigences supérieures de l'esprit
par lesquelles l'homme saisit déjà une part de la raison divine.

L'*Apologie*, ainsi, devait être profondément éclairée des accents
de ce passage. Elle constitue d'abord un refus de tous les principes
aristotéliciens de la connaissance. Vivès, au début de *De Disciplinis*[43], avait fait de la critique des textes une exigence de la
science véritable, très opposée à l'aristotélisme. Il avait attribué
la corruption des arts en grande partie à celle des textes d'Aristote.
Ils avaient été traduits par des ignorants, parfois des enfants, le sens
en était altéré. Les langues aussi évoluent avec toutes choses dans
le monde; et comme Cicéron en son temps avouait ne plus comprendre la loi des douze tables qui était saisie par le peuple au temps
où elle fut écrite, l'intelligence des textes d'Aristote suppose aussi
celle de la langue dans laquelle ils furent rédigés. Cette exigence,
Sanchez ne la reprend pas dans son ouvrage. Il se borne à montrer
l'obscurité des termes utilisés, et à s'élever contre l'usage du latin
comme langue de la philosophie[44]. Plus moderne encore que Vivès,
il n'appartient plus à ce vaste mouvement du début du siècle qui
s'efforçait de retrouver la pensée véritable de l'auteur dans le texte
original, et qui doublait la critique des textes de l'étude des langues.
Montaigne, dans sa première rédaction, reste proche de Vivès :
« nostre parler a ses foiblesses et ses defauts, comme tout le
reste »[45], écrit-il. Et au milieu d'autres exemples qui frappaient la
scolastique, il revient à la pensée de Vivès en niant que la philosophie des Pyrrhoniens puisse s'exprimer par aucune manière de
parler puisque toute expression, même celle du doute, constitue
déjà une affirmation. Le langage alors trahit la philosophie et
dégrade la pensée. Cette exactitude pourtant que l'essai prétend
obtenir pour atteindre à la vérité, suppose aussi la profondeur sous
la clarté des termes. Au jeu verbal des aristotéliciens de son temps,
à l'usage du latin, Sanchez aurait préféré la langue d'Adam[46],
parce qu'elle aurait servi sans doute à exprimer cette connaissance
parfaite que nous avons perdue depuis le péché. Mais à défaut,
il les admet toutes; à chacun la sienne est bonne. Le mérite donc est
mince pour Sanchez d'avoir énoncé le principe quand Montaigne
l'avait ainsi devancé en employant le français pour exprimer une
pensée philosophique. Dans la querelle du cicéronianisme, l'auteur
des *Essais* avait ainsi dépassé les bonaventuriens dont il s'inspirait,
et refusé, avec la pureté d'une langue morte qui ne pouvait traduire
des idées neuves, l'usage d'un latin européen, pour un français
qu'il a prétendu pourtant n'être point sa langue maternelle.

Mais si l'opposition à la logique aristotélicienne intéresse davantage la lutte contre la scolastique, si la critique du principe de

l'analogie[47] lui a été suggérée par l'œuvre d'Agrippa qui la pratique[48], c'est au niveau de la connaissance des causes que Montaigne affronte, avec l'existence des forces occultes, le système aristotélicien qu'elles justifient dans son ensemble.

Fermement exprimée dans l'*Apologie de Raymond Sebon*, l'affirmation était pour Montaigne assez importante pour qu'il y revînt dans l'essai *Des Boyteux* : « La cognoissance des causes appartient seulement à celuy qui a la conduite des choses, non à nous qui n'en avons que la souffrance, et qui en avons l'usage parfaictement plein, selon nostre nature, sans en penetrer l'origine et l'essence. »[49] L'ignorance des causes ainsi présentée comportait deux aspects. L'objet nous échappait à la fois dans son passé et dans sa nature. De ces deux aspects de notre ignorance, Montaigne trouvait également la source dans le *Quod nihil scitur*. L'*Apologie de Raymond Sebon*, sur le troisième livre, avait la supériorité de montrer l'adversaire visé : « Combien trouvons-nous de proprietez oultes et de quint'essences ? Car aller selon nature, pour nous, ce n'est qu'aller selon nostre intelligence, autant qu'elle peut suyvre et autant que nous y voyons : ce qui est audelà est monstrueux et desordonné. »[50] Montaigne reprenait ainsi le raisonnement d'Augustin qui lui était très familier, le passage aussi duquel était parti Pomponazzi, pour affirmer la présence du mal dans le monde[51]. Notre étonnement ne marque que l'impuissance de notre jugement; nous appelons contre nature tout fait qui dépasse l'intelligence que nous avons de cette nature. Ainsi, la pensée de *la Cité de Dieu* déjà redressait celle de Pomponazzi par une juste interprétation des termes dont il avait abusé. Le même essai présentait ensuite une explication rationnelle des faits : « Les proprietez que nous appellons occultes en plusieurs choses, comme à l'aimant d'attirer le fer, n'est-il pas vray-semblable qu'il y a des facultez sensitives en nature, propres à les juger et à les appercevoir, et que le defaut de telles facultez nous apporte l'ignorance de la vraye essence des choses. »[52] Montaigne étendait ainsi le jugement d'Augustin qui, pour confondre notre étonnement, avait montré devant les faits rares l'ignorance où nous étions des faits usuels. L'habitude que nous avons des aspects des choses que nous percevons par nos sens, peut accoutumer l'esprit à l'existence de ceux que nous ne percevons point. Leur enlever leur mystère, n'est point pourtant les connaître. Comme dans le texte de *la Cité de Dieu*, la suppression de l'étonnement élargit l'ignorance au domaine du connu comme de l'inconnu. L'impuissance humaine perd son étrangeté qui est ainsi généralisée. L'homme ne s'exalte pas d'une communication à l'inconnu, ni d'une puissance nouvelle, mais mesure seulement sa misère. Ainsi l'*Apologie de Raymond Sebon*, dans la lutte contre la philosophie padouane, utilise le texte de *la Cité de Dieu*. Riche au contraire de la connaissance du *Quod nihil scitur*, l'essai *Des Boyteux*, dans l'addition de l'exemplaire de

Bordeaux, plus qu'à la doctrine philosophique s'attaque au processus de la pensée. La définition que donne Aristote de la science était ainsi reprise à travers le dialogue de Sanchez : « Qu'est-ce encore que savoir ? — On dit que c'est «connaître» une chose par ses causes. — La réponse n'est pas encore tout à fait bonne : la définition reste obscure. Car elle entraîne immédiatement une question plus difficile que la première sur les causes : convient-il de connaître toutes ses causes pour connaître un fait ? » [53] La recherche de l'origine des faits n'aura plus de terme jusqu'à cette cause première qui est Dieu. On tombe dans l'infini, l'immense, l'incompréhensible, conclut le texte. « Est-ce que Dieu peut être objet de sience ? — Nullement» Nous ramenant par principe à l'auteur du monde, la recherche des causes ne pouvait que marquer notre ignorance. Ou plutôt, elle révélait l'incapacité d'une science qui, avouant de tels fondements rationnels, ne pouvait se mesurer à un Dieu inconnaissable, ni atteindre à cette connaissance parfaite du plus petit objet, que souhaitait Sanchez. Parce qu'une telle poursuite nous entraîne dans l'infini, elle dépasse les limites de notre condition. La connaissance nous échappe donc, du moins la connaissance parfaite, ainsi définie par l'aristotélisme. « Car si l'homme avait cette connaissance parfaite, il serait semblable à Dieu. Mieux, il serait Dieu même, car personne ne peut connaître parfaitement ce qu'il n'a pas créé » [54] Le raisonnement de Sanchez, et l'abandon à Dieu de toute connaissance, se retrouvent dans l'essai *Des Boyteux.*

Mais si l'origine des faits nous échappe, cette connaissance des sens également par laquelle l'*Apologie* prétendait nous accoutumer l'esprit à l'existence des forces occultes, et les expliquer même. Comme les sens n'apportent de la pomme que quelques aspects divers, ils n'offrent que l'apparence. Sanchez avait encore préparé la formule en disant que nous n'avons de représentation que des accidents. Ils n'atteignaient point l'essence des choses. [55] Chez Montaigne, chez Sanchez, le refus de la définition aristotélicienne de la science trahissait une passion réelle du savoir, un absolu qui nous est retiré dans le temps et dans l'espace, et davantage le désir de cette connaissance métaphysique qui consiste en l'essence des choses, préférée à l'accident et au réel. Par ces accidents mêmes, toujours dépassés, se retrouvait cet itinéraire bonaventurien où le monde n'est que signes, convergences vers une vérité essentielle à toute chose. Le reproche, justement formulé contre l'aristotélisme, tenait en ce que, dans sa poursuite en amplitude des connaissances, il ne saisissait jamais que cette réalité illusoire qui n'en donne point l'intelligence.

Plus fondé peut-être aujourd'hui, paraît le défaut de méthode contre lequel s'élève encore l'essai *Des Boyteux.* Les analogies aristotéliciennes, macrocosme et microcosme, ou l'explication des forces occultes par les puissances sublunaires, ne sont que la conséquence tirée de ce raisonnement sur les causes : « Nostre discours

est capable d'estoffer cent autres mondes et d'en trouver les principes et la contexture. Il ne luy faut ny matiere ny baze; laissez le
courre; il bastit aussi bien sur le vuide que sur le plain, et de
l'inanité que de la matiere. »[56] Un vers de Perse alors, « dare
pondus idonea fumo », convertissait en fumée toute cette ambitieuse philosophie. La réduction de l'adversaire désormais était
complète. La pensée bonaventurienne, pour qui toute connaissance tient dans cette essence de l'objet qui ramène sans cesse
au créateur, ne pouvait par sa nature admettre cette vaste description des apparences à laquelle seule se livrait l'aristotélisme.
La connaissance tenait à une saisie plus forte. Elle n'était pas
non plus dans le rationnel. Après avoir réduit à l'argutie verbale
le système qui fondait la scolastique dans le domaine scientifique,
Vivès et Sanchez en démontraient aussi le caractère illusoire, en
opposant à la recherche des causes celle de la réalité des faits.
Montaigne appuiera cette affirmation dans l'édition de 1588 « La
verité et le mensonge ont leurs visages conformes. » L'exemplaire
de Bordeaux généralisera, en étendant le processus, de l'erreur de
l'individu à la science en général, en un système du monde qui
enferme l'être dans une fausseté devenue ainsi presque une exigence
de sa condition : « L'erreur particuliere faict premierement l'erreur
publique, et à son tour apres, l'erreur publique faict l'erreur
particuliere. » L'erreur aristotélicienne désormais prenait un
caractère bouleversant, devenait une seconde perversion de l'esprit
tout aussi forte que l'originelle, une contrainte aussi insupportable.
La soif de la liberté et de la vérité se manifestait sous la phrase, tout
aussi puissamment que la soif d'une réalité de la connaissance dans
la quête de l'essence. Les bonaventuriens avaient toujours communié intensément avec le désir de science qui animait les aristotéliciens, mais comme l'indiquait le préambule de leurs œuvres, ils lui
avaient donné une autre direction. Et Montaigne les suivait en cela,
qui avait repris ce préambule en tête de son *Apologie de Raymond
Sebon*. Vivès sans doute avait préparé Montaigne à voir dans le
monde scientifique cet esprit de système qui emprisonne la pensée.
Avec une plume très satirique le *De causis corruptarum artium*
montrait le philosophe poussé par la vanité. Il déposait son personnage si grand, si vénérable, et revêtait l'habit du comédien pour
mieux sauter devant le peuple. Vivès concluait que, s'il n'y avait
qu'une seule et même route pour la recherche de la vérité, six cents
étaient ouvertes qui n'étaient que fard [57]. C'était lancer l'appel à la
vérité que reprend Montaigne, et déjà le pathétique d'une société
où la science ainsi corrompue, se fonde sur la grimace, et l'inanité
des raisonnements. Ouverture de l'ouvrage, la page était suivie par
cette analyse qui, reprenant tous les aspects de la logique aristotélicienne, en montrait toujours les limites. Plus proche sans doute de
la forme des *Essais* se trouvait Sanchez qui condense l'œuvre de
Vivès. Il présentait ainsi les aristotéliciens, dans leurs syllogismes,

comme des danseurs de corde. Par l'image du bâtiment opposé dans sa réalité à leur abstraction, il confondait leur raisonnement[58] et traitait de songe leur science qui n'est point fondée sur le réel. Il se proposait pour sa part de se faire une opinion de la réalité. Il n'oublie pas pourtant, dans cette opposition, de désigner l'adversaire. C'est ainsi qu'il utilise la phrase de *la Métaphysique* d'Aristote par laquelle Pomponazzi, terminant le *De Incantationibus*, avait voulu imposer dans son ouvrage, la valeur de l'invention à laquelle il prétendait : « et s'il n'y avait pas eu Phrynis, Timothée non plus n'aurait pas existé »[59]. Plus justement, Sanchez pouvait s'autoriser de l'exemple d'Aristote en son temps, il était décidément moderne, et optait pour un lent perfectionnement des arts fondé sur la réalité et le jugement, au mépris des élucubrations d'un esprit qui, comme dit également Montaigne, bâtit sur le vide et l'inanité.

Moderne encore, Montaigne l'est à la suite de Vivès et de Sanchez quand il refuse avec les forces occultes, l'esthétique baroque qu'elles imposent. A la folie pour l'homme que représentent l'ambition d'une connaissance infinie, ou la volonté de puissance sur le monde, l'*Apologie de Raymond Sebon* oppose la séduction de la mesure. Elle ne traduit ni le doute, ni la dépossession dans la poursuite, mais déjà la certitude d'une saisie. Dès la première rédaction, au centre de son ouvrage, Montaigne insère un envoi pour cette princesse à qui il est dédié, la reine de Navarre, peut-être, à laquelle il pouvait s'adresser en Toscan aussi bien qu'en Français. Entre les deux aristotélismes qui sont deux philosophies extrêmes, l'une justifiant à l'homme, pour la gloire de Dieu, tous droits sur le monde, l'autre, dans un faux optimisme, l'écrasant sous les forces occultes, il donne un conseil de sagesse, mais affirme aussi sa propre philosophie : « Souvienne vous de ce que dit le proverbe Thoscan : Chi troppo s'assotiglia si scavezza. Je vous conseille, en vos opinions et en vos discours, autant qu'en vos mœurs et en toute autre chose, la moderation et l'attrempance, et la fuite de la nouvelleté et de l'estrangeté. Toutes les voyes extravagantes me fachent. »[60] Les pages suivantes reprochaient à l'esprit ses subtilités ; outil vagabond, dangereux et téméraire, il se prêtait mal à l'ordre et à la mesure. Montaigne alors reprenait à Corneille Agrippa l'enseignement donné par Théophraste. Devant l'opposition de toutes les philosophies entre elles, il montrait la vanité de chacune par l'ignorance où nous sommes des principes et des causes : « si le fondement luy faut, son discours est par terre »[61] et la formule brutale justifiait l'irrésolution infinie sur laquelle nous laissait en réalité la quête de ces philosophies ambitieuses. Dès la première rédaction, il détruisait ainsi, par la nature de ses raisonnements, le système aristotélicien ; mais il avait aussi lancé son paragraphe par l'affirmation de sa propre pensée. L'exemple de Théophraste n'était point apporté par lui comme par Agrippa, pour nier les sciences humaines, mais pour en fonder une au contraire[62]. La faiblesse même de l'esprit donnait alors la mesure des connaissances du monde. Certaines du moins étaient accommodées à nos forces, et pouvaient être saisies. Sans atteindre à la perfection par l'enchaînement des causes, du moins par le refus des extrêmes, de l'avidité d'esprit comme de sa subtilité, apparaissait une certitude. « Opinion moyenne et douce », cette certitude avait sa beauté propre, celle sans doute de l'équilibre, et de la possession de soi par la raison.

Par l'opposition des extrêmes, Montaigne avait été conduit à édifier une pareille philosophie. Sans doute, s'adressant à une femme du monde, ne peut-il reprendre les principes savants, subtils aussi peut-être de Vivès. Le groupe des chapitres du *De Disciplinis* intitulé *De Prima philosophia* au livre second s'oppose nommément aux aristotéliciens à propos de l'éternité du monde. S'il est éternel, il est aussi infini et le pouvoir de Dieu, par sa conservation à travers le temps, se manifeste sans défaillance[63]. Le chrétien au contraire rend grâces à son Dieu éternel de l'avoir placé dans un monde fini, à la mesure des forces de son esprit. A l'esthétique de l'infini aristotélicien, s'oppose déjà, dans le sentiment chrétien, une mesure qui naît de l'harmonie de nos forces avec l'objet de notre connaissance[64]. De cette notion métaphysique, quelques pages plus loin, Vivès déduisait une véritable théorie des contraires. L'homme utilisait le monde, le temps, l'espace, mais toujours il y retrouvait comme une lutte entre des entités opposées; il était entouré de deux absolus contradictoires[65], le milieu en toutes choses s'imposait à lui comme son destin au monde. Le chapitre s'achevait sur l'opposition du travail et de la fatigue. Seuls, les bêtes et les enfants, laissent s'épuiser leurs forces à la peine. Toute la beauté de l'intelligence humaine consistait dans cette modération apportée à l'effort par le repos. Dans un monde livré à des forces contraires, le blanc et le noir, le chaud et le froid, l'homme seul arrivait à la plénitude que donne l'équilibre de la possession de soi.

Sanchez, sans doute, s'est souvenu de l'aspect scientifique de ces pages de Vivès pour affirmer qu'il n'y a qu'une science pour les contraires[66]. La vie naît de la génération et de la corruption, l'homme est au centre par sa nature, mais par ses actes aussi, dans un monde en perpétuelle réaction. La fin de l'ouvrage définit ce lieu où l'homme se trouve placé, ainsi destiné à une lutte incessante: « le milieu toujours est contraire aux deux extrêmes. »[67] Mais le combat ne tient pas seulement dans l'équilibre de la vie ou des forces du monde; il est aussi celui de la pensée sur la société, livrée à des passions, et par là extrême en tout domaine. Le juste milieu devient ainsi l'idéal du sage, un effort presque solitaire contre l'erreur humaine.

Il est remarquable que dans un passage antérieur peut-être de bien des années à 1580, Montaigne ait trouvé face à l'aristotélisme padouan cet éloge d'une esthétique de l'intelligence qu'il oppose à la passion aristotélicienne. Cette affirmation déjà, est essentielle à sa pensée. Elle précède dans le texte l'image privilégiée de la balance et l'éclaire aussi. Les commentateurs ont utilisé ce symbole frappé par Montaigne en 1576 sur une médaille à son effigie pour conclure au pyrrhonisme de l'auteur des *Essais*. Conservée par Montaigne en sa bibliothèque, elle marque sans doute une étape de sa pensée. Mais l'inscription qui y figure, « Que sais-je », par son tour interrogatif se prête à toutes les interprétations, comme le titre de l'ouvrage de Sanchez, « Quod nihil scitur ».

Plus modéré que l'affirmation du disciple de Vivès, un passage de l'*Apologie de Raymond Sebon* permet d'éclairer la pensée de Montaigne. Après la belle expression de possession de soi-même dans le juste milieu, parmi les passions d'autrui, pour Montaigne plus particulièrement parmi les passions des philosophes, l'essai revient à cette image privilégiée de la balance, mais pour en déplorer l'instabilité. L'égalité entre les forces en présence, et cette stabilité du jugement dont l'inscription de la médaille marque au moins la recherche, est rompue : « Si je me suis trouvé souvent trahy sous cette couleur, si ma touche se trouve ordinairement fauce, et ma balance inegale et injuste, quelle asseurance en puis-je prendre à cette fois plus qu'aux autres ! N'est-ce pas sottise de me laisser tant de fois piper à un guide ? »[68] Plus claire que l'inscription, la phrase révèle le désir d'une assurance au milieu des philosophies diverses. Tentation de l'esprit, sans doute, qu'il avoue avec tous les bonaventuriens, la science des autres pour lui ne vaut que par l'inquiétude dont elle témoigne. Il refuse, avec l'infini du monde des philosophes, toute construction humaine fondée sur une raison que fausse la passion de convaincre. Libéré de tous, peut-être parce que tous s'appuient sur un jeu verbal également incertain, dans l'image de la balance en équilibre avec ses deux plateaux vides, il affirme que la seule vérité est dans cette égalité du jugement, dans la possession de soi-même, et la mesure entre tous les extrêmes. Comme la formule « quod nihil scitur » constitue une méthode de recherche scientifique, le « Que sais-je ? » par lequel Montaigne a voulu fixer une étape de sa pensée philosophique marquait sa communion avec Vivès et ses disciples, dans le refus de tout système. L'image de la balance figurait le choix de l'esthétique bonaventurienne, et par là aussi de tous les aspects de cette philosophie, sa conception de la connaissance, comme sa conversion vers les sciences.

Refusant l'aristotélisme matérialiste dans ses *Essais*, Montaigne, pour analyser les fautes de raisonnement qui pouvaient saper cette doctrine, suivait sans doute la pensée de Vivès; dès la deuxième édition, il s'appuyait sur l'œuvre de Sanchez. Détruisant avec l'occultisme et l'idée de l'éternité du monde, une connaissance toute en amplitude, parce qu'elle se prétendait fondée sur un enchaînement infini des causes, et le principe de l'analogie, Montaigne n'avait pourtant pas nié toutes les sciences humaines. Il avait seulement préparé les voies à une science nouvelle, libérée de l'autorité du passé, mais élevée à partir de ses apports. En imposant ainsi la valeur du jugement personnel, Montaigne, dépassant la modération de l'honnête homme qui sait peu de chaque chose, imposait la morale intellectuelle la plus exigeante, qui consiste à vérifier la valeur d'un savoir acquis avant de l'utiliser. L'équilibre souhaité par l'image de la balance exprimait sa préférence pour la réflexion et le choix, sur la passion de connaître et de convaincre.

Ni l'infini du monde aristotélicien, ni le déterminisme qui prive les hommes de toute liberté dans l'acte, et les exalte de la puissance des forces occultes dont ils sont les instruments, n'ont séduit Montaigne. Instruit par le *De Disciplinis*, puis le *Quod nihil scitur*, il a fait du chapitre central à son ouvrage, l'*Apologie de Raymond Sebon*, un manifeste de pensée bonaventurienne. Lui donnant le préambule traditionnel aux grandes œuvres de la doctrine qui reconnaît la passion de la science pour en détourner les esprits, il dépasse les exigences nominalistes de Vivès, qui faisait de l'étude des langues le début de toute science, en s'exprimant dans la sienne propre. Abandonnant la connaissance des causes dans leur ensemble à Dieu seul, il ne tombe dans aucun scepticisme, parce qu'il en laisse cependant pénétrer à l'homme une juste part. Pris entre des contraires, il aspire au repos, comme au bonheur que lui permet sa condition limitée. Ainsi la balance figurée sur la médaille de 1576, et l'inscription « Que sais-je ?» sont symboles de réceptivité, et dans l'attente même, attestent la certitude en la saisie du jugement.

La négation de l'aristotélisme imposait déjà une certitude de l'esprit, et apportait le fondement nécessaire à une philosophie, et une science chrétienne.

CHAPITRE III

LA PHILOSOPHIE ET LA SCIENCE CHRÉTIENNES

A la date où il a commencé son œuvre, Montaigne a choisi comme emblème cette balance vide qui est aussi le symbole de la réceptivité. Ce n'est point sans cause pourtant que l'on a pu y voir l'image du doute. Les plateaux vides avaient leur signification, et rappelaient cette crise intellectuelle, avouée par les maîtres bonaventuriens, avant le retour au jugement personnel, et la composition de leurs grandes œuvres. Mais Vivès, Gélida, ou Sanchez, lecteurs d'Augustin, savaient bien aussi qu'un même refus préalable avait présidé aux grandes affirmations des *Confessions*, à cette élaboration d'une philosophie chrétienne à partir du raisonnement du « cogito ». Chez Montaigne, comme chez Augustin, le doute, ou si l'on préfère, l'oubli de toutes les idées reçues, commande une pensée constructive. Et les commentateurs l'on bien jugée, qui y ont vu deux étapes successives, ou deux aspects différents. Sebon, dans un ouvrage dont Montaigne a pu déplorer l'incohérence, tout en en célébrant les mérites, s'était efforcé de concilier un augustinisme puisé dans l'œuvre de Saint Anselme qui fondait la connaissance de Dieu sur l'introspection, avec cette échelle du monde tirée de l'*Itinéraire de l'homme à Dieu* de Bonaventure. De même, Montaigne connaît deux tendances différentes. Le monde qui atteste la présence du Créateur, lui donne ce reflet de Dieu, célébré par Bonaventure. Encore faudrait-il distinguer, dans cette peinture, la prédilection pour l'humain qu'atteste son goût pour l'histoire. Elle se confond alors avec la connaissance augustinienne par excellence, cette introspection dont la source ne remonte plus, pour lui, à Saint Anselme. Elle est, nous dit-il, propension naturelle, aidée, peut-on penser, par l'éducation reçue.

Si la peinture du moi occupe si grande place dans *les Essais*, justifiée par les affirmations de Vivès ou de Sanchez, l'originalité aussi de l'ouvrage vient de ce que ces mêmes auteurs ont converti vers l'action au monde une attitude de l'esprit qui s'était jusque-là révélée féconde, dans le domaine des vérités intelligibles. Partagée entre cette connaissance, et celle du monde sensible, la pensée bonaventurienne se prêtait à ce nouveau développement. Depuis Lulle et

Nicolas de Cuse, elle avait affirmé une variabilité humaine en rapport avec les climats. Le XVIe siècle, devenu plus sensible à l'évolution des civilisations et des temps, avait apporté à Montaigne le sentiment du changement du monde, notion la plus opposée au retour cyclique stoïcien.

Parce que non seulement les connaissances, mais les idées mêmes naissent des sens, dans une philosophie chrétienne, fondée sur le principe de l'union de l'âme et du corps, une autre variabilité que celle du temps et de l'espace s'imposait, un autre devenir que celui du monde, celui de l'homme, plus hâté, et toujours pathétique. Un nouveau doute, scientifique celui-là, triomphait. Il consistait en la relativité du jugement. Il était compensé par l'expérience ; et dans la conclusion de son ouvrage, Montaigne a voulu reprendre une nouvelle fois le préambule bonaventurien qu'il avait déjà utilisé pour *l'Apologie de Raymond Sebon*. Désormais, il corrigeait par l'expérience la passion aristotélicienne pour la science.

Dans l'ordonnance de son ouvrage, dans l'histoire de sa pensée, les sources bonaventuriennes que prolonge Sanchez, dans le *Quod nihil scitur*, ramènent Montaigne au monde, à cette connaissance des objets qui lui livrent leur essence, soit celle même de la création, et lui permettent de conclure par le mot de *la Genèse* : « Tout bon, il a fait tout bon. » C'était aussi la conclusion apportée par Saint Augustin à ses *Confessions*. Suivant les bonaventuriens, par la peinture du moi, comme par celle du monde, Montaigne exprimait ainsi sa fidélité aux sources de la pensée chrétienne.

La rupture nécessaire au progrès de l'esprit

Parce que les bonaventuriens espagnols, communient très fortement avec le mouvement européen de critique des textes, cette passion d'authenticité qui domine les humanistes les ramène aux œuvres du Père de l'Eglise qui fondent la pensée chrétienne. Aux *Dialogue de l'ami et de l'aimé*, à la *Théologie Naturelle*, on préfère *la Cité de Dieu*. Si dès le début de la composition des *Essais*, Montaigne n'a pas eu une connaissance directe des *Confessions*, du moins la lui avaient transmise les bonaventuriens qui vivaient en leur temps le drame de la pensée augustinienne.

Si l'on peut admettre qu'au contact de l'aristotélisme italien les plus brillants élèves de la scolastique ne soient pas devenus des adeptes fidèles du matérialisme, du moins faut-il supposer qu'une crise de conscience a précédé leur choix pour l'augustinisme. Augustin aussi, devant le manichéisme, rappelle avoir subi même inquiétude[1]. Leur goût pour les *Confessions*, leur retour à Augustin, s'expliquent donc par la peinture qu'il a faite de son itinéraire spirituel où ils ont retrouvé le leur. Augustin également leur pouvait fournir ses pages de controverse très fortes contre les stoïciens, et les aristotéliciens. Ce retour aux sources était fécond, et faisait sortir de l'inquiétude et du doute la certitude.

Ainsi s'expliquent ces professions successives que font les bonaventuriens de leurs crises intellectuelles ; ce sont aussi des crises
de conscience, si l'on veut reconnaître dans la pensée scolastique le
mode de raisonnement qui soutient les grandes affirmations du
Stagirite, la foi au moins en la raison humaine. Le vaste mouvement
anti scolastique qui pousse un Ramus par exemple à soulever
l'emprise de la logique aristotélicienne naît de la pensée bonaventurienne. Vivès, dès 1520, avait ouvert la lutte avec son *Adversus
pseudodialecticos* de 1520, Gélida reprend en 1527 avec le *De
quinque universalibus*. La crise de conscience qu'ils expriment
est la même puisque de l'université de Valence à la Sorbonne,
condisciples, ils avaient étudié sous les mêmes maîtres. L'amitié
aussi entre eux renforçait les liens de l'esprit. Assurément, il faut
encore mêler à leurs études, le domestique de Gélida, Guillaume
Postel, un esprit libre. Poussé par le mouvement humaniste, il se
consacre à l'étude des langues orientales, mais aussi aux mathématiques. La pensée de Vivès s'ouvrait sur les sciences. C'est pourtant
à la logique aristotélicienne que tous trois furent soumis ; et ils y
excellèrent si l'on en juge par la connaissance profonde que
supposent leurs critiques. L'influence du mouvement scripturaire espagnol explique leur révolte.

Marcel Bataillon a montré comment, antérieur à l'humanisme,
il était bonaventurien, à son origine. C'est Raymond Lulle qui avait
demandé au Concile de Vienne[2] de répandre l'enseignement des
langues. Des chaires de Grec, d'Hébreux, d'Arabe et de Syriaque
avaient été ainsi instituées aux universités de Rome, Paris, Oxford,
Bologne et Salamanque, du moins par une décision du Concile qui
ne prit jamais effet dans la réalité[3]. Le grec n'apparut à Salamanque
qu'à la fin du XVe siècle, la chaire d'arabe ne fut jamais pourvue.
L'université de Salamanque eut du moins le mérite de former le
maître Antonio de Lebrixa qui devança Erasme dans ses audaces
en matière de philologie sacrée. Une œuvre commune, dirigée par le
Cardinal Cisneros, la Bible polyglotte d'Alcala marqua ce renouveau
du mouvement scripturaire. Publiée en 1522, mais à six cents
exemplaires seulement, dont une bonne part disparut dans un
naufrage, très coûteuse aussi par le nombre et le format des
volumes, elle prouve l'existence d'un foyer intellectuel ardent, mais
eut peu d'influence. Au contraire, une vie du Christ en langue
vulgaire, les traductions de saint Jérôme et de saint Augustin, un
recueil apocryphe d'Augustin *Meditations et Soliloques*, se
répandent en Espagne et gagnent le peuple aux plus grandes idées
d'Augustin. Les *Soliloques* en particulier empruntent au livre X
des *Confessions* cette quête de Dieu pathétique qui commence par
la saisie de la privation du divin et de son besoin au cœur de
l'homme. L'affirmation de la volonté en quoi réside la confirmation
de la foi, le « cogito » augustinien, s'impose en dehors de la logique
purement humaine, délibérément refusée. La saisie augustinienne,

celle des vérités intérieures appartient à une intelligence supérieure. Enfin, dès 1493, une traduction espagnole de l'*Imitation de Jésus-Christ,* intitulée   *de contemptu mundi* connaissait le plus grand succès. A travers le mouvement scripturaire d'inspiration augustinienne, l'Espagne se trouvait animée d'un esprit critique qui cherchait l'authenticité de la pensée religieuse, mais aussi, remontant au Père de l'Eglise, du sentiment que le rationnel ne sert point la foi, ni n'accède aux vérités supérieures.

Si Vivès et Gélida avaient communié avec ce courant propre à leur pays, dominé par la figure du Cardinal Cisneros, et inquiété aussitôt après sa mort, ils se trouvaient mal propres à accepter l'enseignement d'une logique purement humaine, la pensée d'un auteur grec présentée dans un texte latin, une théologie qui prétendait appuyer la révélation par le rationnel. Nous savons pourtant que des dialecticiens scolastiques dont ils suivirent l'enseignement à la Sorbonne, un grand nombre était espagnol : Gaspard Lax, Juan de Celaya, Fernando Euzinas, Antonio Coronel, son frère Luis Coronel, Juan Dolz et Jeromino Pardo[4]. Vivès reçut le bonnet de docteur en 1512 et partit s'installer à Bruges. De ses études, il n'avait point gardé si mauvais souvenir puisque deux ans plus tard, la nostalgie lui vint de Paris. Il y fit un rapide voyage, y connut Budé, revit ses condisciples, ses anciens maîtres en un dîner où l'on parla beaucoup de paix. Un dîner sans lendemain puisqu'il repartit aussitôt[5]. Mais si déjà la rencontre avec Budé annonçait un esprit libre, la lutte n'était point entamée contre la scolastique.

Elle éclata cinq ans plus tard, dans une lettre que Vivès adressait à son ami Juan Fort, et qui parut l'année suivante à Sélestat, sous le titre *Adversus pseudodialecticos.* Elle répondait à de nouvelles influences. Déjà, l'*Utopie* et l'*Eloge de la folie* avaient ouvert la voie et peut-être aussi, mais sur le plan intellectuel seulement, les thèses affichées deux ans plus tôt à Wittemberg[6]. Surtout, le choix que Vivès avait fait de Bruges pour sa résidence habituelle s'expliquait par la présence d'une importante colonie espagnole qu'il fréquentait. Plus qu'à une influence érasmienne, Vivès obéissait à un augustinisme authentique. Il avait déjà entrepris ses *Commentaires de la Cité de Dieu*, et avait retrouvé dans son pays d'adoption l'influence profonde de son pays d'origine. Parti d'Espagne à l'âge de dix-sept ans, Vivès n'a jamais revu ni sa patrie, ni sa famille, par crainte de l'Inquisition espagnole. Sa tante et son cousin avaient été condamnés au bûcher en 1500, son père le fut en 1524, les restes de sa mère furent exhumés et carbonisés en 1529. Si Vivès a pu avoir la nostalgie de Paris, bien davantage il dut l'avoir de l'Espagne. Les malheurs qui s'abattaient ainsi sur ses plus proches parents devaient renforcer en lui l'opposition à une religion thomiste qui justifiait ces violences par le devoir d'organiser le règne du christianisme dans le domaine temporel. Converti, menacé, il conserve sa religion ancestrale, celle qui, au mépris de la raison,

réunit en un même acte supérieur de l'esprit l'amour et la connaissance. Ami d'Erasme et disciple plus jeune, il apportait pourtant
à l'humanisme le courant de rénovation religieuse qui, à l'opposé
de celui des pays du nord, ne connaissait pas d'accommodement
avec la pensée thomiste.

C'est ce même courant que représente aussi Gélida, mais s'il
n'a plus le mérite de l'initiative, il a su dans le *De quinque universalibus* huit ans plus tard, exprimer la même opposition sous une
forme neuve qui fit école jusqu'en Espagne. Sans doute s'appuyait-il
davantage sur la pensée bonaventurienne puisqu'il reprenait
l'ancienne querelle des nominaux et des réalistes. C'était au XIe
siècle que la dialectique, appuyée sur la grammaire, avait pris dans
la théologie scolastique un rôle prédominant. Elle n'était plus cette
« ancilla dominae » chargée seulement de régler l'ordre de la discussion [7]. Elle prétendait, au contraire, définir l'essence du réel
et soumettre à la raison les vérités de la foi. Un évêque [8] affirmait
ainsi cet absolu mis dans la raison humaine : « Il est d'un grand
cœur de recourir à la dialectique en toutes choses, car y recourir,
c'est recourir à la raison : en sorte que celui qui n'y recourt pas,
étant fait à l'image de Dieu selon la raison, méprise sa dignité et
ne peut se renouveler de jour en jour à l'image de Dieu ». A
l'inverse, Lanfranc, le maître de Saint Anselme, répudiait « cette
sagesse du discours » qui « évacue la croix du Christ (I Cor. I, 17)
qui fait s'évanouir le mystère ou le rend impossible. Il lui accordait
pourtant encore le droit de confirmer les vérités de la foi. La
querelle avait immédiatement dégénéré et porté sur la signification
des mots et leur application aux choses. Boèce avait mis la discussion sur les termes qui désignent les attributs essentiels d'un
individu. Pour ses adversaires, ils avaient une réalité, et pouvaient
s'appliquer aux choses elles-mêmes; pour les nominalistes ils
n'étaient que de simples produits de l'intelligence, et n'existaient
qu'en elle. C'est ainsi que le *Quod nihil scitur* reprendra la
question [9]. L'adversaire est ridiculisé de croire que la pierre
« lapis » tiré son nom du pied « pes », qu'il serait dans sa nature
de blesser. Au contraire, le pain qui s'appelle « ἄρτος »en grec,
« bara » en breton, « ouguia » en gascon, mots qui n'ont aucun
point commun, atteste que le vocabulaire a été trouvé par l'intelligence humaine. Il est accidentel et ne révèle nullement l'essence
des choses. Ce raisonnement refusait le principe des universaux.
Depuis le début de la querelle donc, Gélida, dans le camp des nominalistes, et parmi les bonaventuriens avait retrouvé beaucoup
d'illustres prédécesseurs. Son mérite et l'intérêt que présente
l'humanisme espagnol est bien d'avoir révélé ainsi la continuité
de la pensée médiévale, et la filiation de la pensée moderne. La
renaissance espagnole était restée nominaliste. La dureté, du moins,
de l'Inquisition qui justifiait, pour une grande part, l'afflux des
étudiants espagnols en France, la ramenait à cette position
ancienne.

Si le sens de l'ouvrage de Gélida était clair, par son titre même, il avait pour mérite de rendre une actualité à la vieille querelle des universaux. Les scolastiques continuaient, pour lui, cette tradition médiévale; et il affirmait leur science fondée sur la raison humaine, impuissante à pénétrer le réel, ou à établir aucune vérité et surtout celles de la foi. La peinture de la vanité de ses études justifiait, pour Gélida, un grand refus. Il avait accordé un premier temps de son processus intellectuel à la destruction, au doute; il faisait le vide, table rase de l'enseignement reçu, pour ensuite refaire ses études avec Postel, sur d'autres principes : le culte bonaventurien, du jugement, de la conviction personnelle, au mépris du raisonnement et de la tradition. A partir du patrimoine intellectuel de l'humanité, étudiant avec passion, Gélida et Postel, deux grands maîtres en leur temps, avaient établi le culte de l'invention.

Ce que l'époque retint de l'ouvrage ne fut point toujours l'affirmation de l'insuffisance du rationnel qui fondait la doctrine bonaventurienne, ni le processus de la découverte, mais le rejet de la pensée scolastique. A l'heure où Luther attaquait le dogme qu'elle avait transmis, l'opposition au mode de pensée par lequel elle prétendait l'imposer, prenait un accent politique. Ramus ainsi chercha même scandale par le sujet de sa thèse, mais resta si fidèle à la logique humaine qu'il en élabora une autre d'après les œuvres des anciens. Ce fut aussi la route qui l'achemina à la Réforme. Elle différait de celle du bonaventurisme. Francisco Sanchez au contraire dans son *Quod nihil scitur* déclare avoir, à la fin de ses études scolaires, partagé ce même refus[10]. L'affirmation n'est plus marque d'indépendance, mais déjà, ou de nouveau, dans l'école opposée, fidélité à une mode. De même, en 1600 encore, ce professeur d'humanités, nommé le Brocens pour le distinguer d'un autre Francisco Sanchez dont il partageait le nom en sa propre université de Salamanque, accusé par l'Inquisition de Valladolid, déclare à son tour édifier sa pensée propre sur des bases différentes de celles de l'enseignement scolastique. Subordonnant son entendement aux affirmations de la foi, il prétendait partout ailleurs s'en tenir aux conclusions de son examen personnel et rappelait un serment qu'il s'était fait à lui-même, jeune étudiant, de ne jamais croire un professeur sur parole. Très sévère alors, l'Inquisition ne condamna pas le Brocens[11]. Son grand âge lui mérita peut-être l'indulgence; l'Espagne non plus ne pouvait poursuivre une attitude d'esprit essentielle à la pensée bonaventurienne, un des courants les plus forts de sa spiritualité.

Le « Que sais-je ? » de la médaille de Montaigne répond ainsi à une mode, à l'influence du collège de Guyenne. Il avait son fondement dans la tradition chrétienne que l'Inquisition même se devait de respecter. Parce que Saint Augustin, rhéteur et philosophe païen avait longtemps résisté à accepter par sa raison le dogme chrétien, son itinéraire spirituel que reprenaient ainsi au XVIᵉ siècle les bonaventuriens, constituait une position religieuse inattaquable. Parce qu'Augustin aussi était riche de toutes les connaissances antiques, le processus de sa conversion, qui fut aussi toujours celui de sa pensée, constituait le principe de l'invention et la source de tout progrès dans les sciences.

Comme les desseins de Dieu, sans doute, sont impénétrables, les voies aussi de la conversion sont diverses. Riche de la pensée hébraïque, Saint Paul pouvait vivre la surprise brutale du chemin de Damas. Un rhéteur romain, séduit par l'*Hortensius* de Cicéron, puis lecteur des néoplatoniciens, ne pouvait accéder au christianisme sans renier bien des valeurs de la civilisation à laquelle il appartenait. Ce qu'il en conserve dans sa religion, est repris après une négation préalable, redécouvert en un retour de la pensée sur elle-même, et dénaturé en une invention nouvelle. Ainsi, les *Confessions* présentent l'histoire d'Augustin; de la rupture, et du doute préalable s'élève le raisonnement augustinien, la quête de toutes ces illuminations successives sur lesquelles s'élabore progressivement toute la pensée philosophique.

C'est face au manichéisme qu'il avait adopté qu'Augustin affirme, dans le récit de sa conversion, la valeur de son attitude. Riches de tout le raisonnement humain, les docteurs de cette religion calculaient et prédisaient les éclipses du soleil et de la lune; ils en tiraient un orgueil extrême « impia superbia » [12] dit-il exactement. L'inquiétude religieuse au contraire, qui fut la sienne, lutta contre cet esprit, et procéda par l'oubli de toutes ces connaissances purement humaines. Retourné sur soi-même, l'esprit les dépasse, ou les réduit à néant, pour ne considérer que leur auteur. Les savants, s'effacent devant celui qui leur a donné leur science : « unde habent ingenium quo ista quaerunt ». Dans une très belle envolée, le paragraphe reproche aux Manichéens, comme s'ils s'étaient faits eux-mêmes de ne pas se sacrifier à Dieu. Et l'exemple des oiseaux et des poissons de la mer vient autoriser, généraliser cette humilité représentée comme indispensable pour la foi augustinienne. S'il célèbre ainsi le doute en la raison humaine comme l'ouverture nécessaire aux lumières éternelles, c'est que ce fut la voie de sa conversion. Auprès d'Ambroise, il prétendait n'admirer que les formes de son discours. Il poursuivait encore, dans sa raison, les arguments probants contre les manichéens [13]. Sa conversion naquit de la lassitude, et du sentiment de son impuissance, dans un doute universel. « Je n'étais pas encore arrivé à la vérité, mais j'étais déjà soustrait de l'erreur » [14], analyse-t-il lui-même. La progression dans l'ouvrage paraît lente, tant les passions, mais surtout ce culte de soi-même dans la foi en la raison, résiste et fait obstacle à la lumière. Le chant de triomphe de la foi ensuite, revient encore sur ce renoncement; il est résumé par cette image où s'exprime l'amour divin « fovisti caput nescientis et clausisti oculos meos. » [15] Dans l'illumination d'Ostie la formule qui décrit ce chemin est plus nette

encore : « praeterita obliviscentes, in ea quae ante sunt extenti. » [16]
L'homme se renonce lui-même, pour tendre vers la vérité. Tel est
le chemin de la lumière, qui passe par l'ombre préalable. Mais une
ombre acceptée, délibérée, qui déjà fait place à l'amour.

La conversion augustinienne qui suppose ainsi l'amour n'était
pas encore le scandale de cette rupture affichée par les bonaventuriens espagnols comme une revendication intellectuelle. La suite
des *Confessions* élève l'aventure personnelle, si décisive sur sa
pensée, en une méthode de découverte, celle qu'on désigne d'ordinaire du terme qui affirme la pensée même, le « cogito ». Dans la
belle image de la femme qui perdit une drachme, et la cherche avec
sa lanterne, le défaut de mémoire, certain pourtant puisque l'objet
a disparu, affirme du même coup la permanence de cette mémoire:
De l'oubli naît la connaissance, du moins une reconnaissance
supérieure. Non plus dans sa réalité matérielle, mais dans son
essence, l'objet est désormais perçu [17]. Ainsi, le chapitre peut conclure que se souvenir d'avoir oublié une chose, c'est ne pas l'avoir
oubliée totalement. Toute la connaissance intellectuelle est restée
dans le désir en quoi elle consiste. De la sorte aussi l'âme cherche
et trouve son Dieu, de la sorte encore, l'âme se connaît elle-même
par l'acte de volonté. Ce renoncement de l'esprit si douloureux
dans la conversion d'Augustin devient preuve de la connaissance que
nous avons de nous-même.

Ainsi s'édifie, à travers les *Confessions*, un art de penser. Fondée
sur l'aventure individuelle, la résistance d'un esprit sûr de ses
facultés et de ses connaissances, la méthode augustinienne de toute
recherche commence par la négation des idées reçues et du rationnel.
C'est trop de dire qu'elle édifie sur le vide, car il lui faut quelque
chose à renier pour se saisir dans cette négation. Augustin, au fond,
sait le mérite de la pensée rationnelle, comme Vivès de la scolastique. Tous deux refusent, pour s'affirmer et se différencier. La
pensée d'autrui est ainsi indispensable au progrès, et la raison
humaine à son dépassement dans les vérités supérieures. Ni
Augustin, ni les bonaventuriens, n'étaient ingrats envers la culture
reçue, et ils la savaient immense, mais délibérément modernes, ils
la voulaient féconder et renouveler à la lumière d'une connaissance
supérieure. L'appel à un doute que l'on peut dire augustinien
puisqu'il constitue toute la leçon intellectuelle et religieuse des
Confessions, ne pouvait se confondre avec le scepticisme des
Pyrrhoniens, ni avec le matérialisme de Pomponazzi. L'hostilité
même contre la scolastique n'était qu'apparente puisque par
d'autres procédés, elle prétendait arriver aux mêmes vérités. La
rupture ne marquait, au fond, que le progrès déjà réalisé sur une
pensée que les siècles avaient fermée sur elle-même.

Les plateaux vides de la balance de Montaigne répondent bien
aussi à une crise de l'esprit, non point celle du scepticisme, mais
celle qu'exprime en son sens plein ce terme grec qui désigne la

décision, ou mieux le terme latin de réflexion, le retour d'une époque sur elle-même, qui assure le jugement juste, et par la disponibilité d'esprit, l'invention. Opposé à l'analogie aristotélicienne, le « cogito » conduit à un mode de pensée différent, à cette théorie de la connaissance qu'ont partagée tous les bonaventuriens, face à la tradition réaliste et scolastique.

Ce sont encore les *Confessions* qu'a manifestement lues Sanchez, ou le *De Trinitate*, qui donnent l'analyse de cette vision supérieure de l'esprit, selon laquelle s'ordonne toute la théorie de la connaissance augustinienne. Réflexion et rupture, la pensée bonaventurienne est aussi conversion. Ni le souvenir de la drachme ne rend sa présence dans la réalité ni les certitudes de la mémoire ne ramènent dans le champ de connaissance le souvenir perdu ; ils attestent seulement, sur un plan supérieur leur existence. Ce retour sur le sentiment de l'oubli qui compense la perte, ne fait saisir ou pressentir que les qualités de l'objet évanoui. À l'analogie aristotélicienne qui était un rapport de fait entre deux objets pris dans la réalité, et qui pouvait former un raisonnement juste dans un système où l'on admet, grâce à la notion de retour cyclique, le principe d'identité des êtres, l'augustinisme préférait cette illumination dont le modèle reste bien le miracle d'Ostie. Parce que l'intelligence supérieure à laquelle a recours Augustin participe du divin, toute connaissance aussi constitue une rencontre avec Dieu, saisie brutale, toujours partielle, parce que nos esprits sont finis ; et, parce qu'elle est personnelle, toujours aussi relative à chacun. Augustin définit ainsi le sommet de la méditation qu'il poursuivit avec sa mère à la fenêtre devant le Tibre « rapida cogitatione attigimus aeternam sapientiam super omnia manentem ».[18] Telle est sans doute la nature du jugement bonaventurien, intuition brève, et toujours incomplète, comme pour Monique et Augustin, elle impose le regret, le désir de la plénitude divine qui n'est jamais atteinte par le fini. Ainsi, dira modestement Montaigne, sur le plan intellectuel, « quand je suis allé le plus avant que je puis, si ne me suis-je aucunement satisfaict : je voy encore du païs au delà, mais d'une veuë trouble et en nuage, que je ne puis desmeler. »[19] Ainsi Monique sort de l'extase pour déclarer « Quid hic faciam ahuc ». Ce qui caractérise la saisie de l'esprit, c'est ce sentiment d'insatisfaction et d'imperfection qui double le bonheur qu'elle procure. Sans doute en cette première rédaction de l'*Institution des Enfants*, Montaigne s'était senti trop optimiste ou équivoque peut-être, en donnant à l'âme qui loge la philosophie « une esjouïssance constante ». L'addition de l'exemplaire de Bordeaux précisait par une belle image que cette possession n'était jamais réalisée; elle parlait plus exactement de « ceux qui l'on approchée », des « routtes ombrageuses, gazonnées et doux fleurantes » qui y conduisent, « d'une pante facile et polie, comme est celle des voutes celestes. »[20]. Mais cette pente qui attire à soi n'avait jamais été franchie. Elle était

l'expression de la proximité, surtout celle du désir. On tenait la
sagesse seulement pour logée en une belle plaine fertile et fleuris-
sante d'où elle avait l'intelligence du monde. C'était avouer
l'ignorance où nous étions d'elle. Par l'opération même du
« cogito » augustinien, l'horreur de la tristesse des geôles scolastiques et des mines renfrognées de ceux qui enseignaient Barroco et
Baralipton, avait engendré non seulement une exigence humaine
supérieure, mais la certitude qu'il existait une autre philosophie,
divine celle-là, puisqu'elle atteindrait à la perfection du bonheur.
Montaigne savait déjà en avoir approché qui en connaissait la route.
C'était assez pour affirmer sa nature :

Ainsi, l'imperfection humaine sur laquelle a tant appuyé
Augustin dans ses *Confessions*, le vol des poires pour le seul désir
du mal, ou les cris contre sa nourrice, servent aussi à affirmer
l'existence de la perfection. Dès la première rédaction des *Essais*, le
raisonnement du « cogito », par le refus et la privation, imposait
la saisie de l'illumination intellectuelle, et de la notion de perfection
en quoi consiste l'affirmation du divin ; mais aussi de cette insatisfaction de l'approche naissait le sentiment de la relativité de toute
connaissance.

La mélancolie augustinienne provient de la finitude de l'illumination concédée à l'homme. Si Montaigne recrée avec fidélité dans
les *Essais* le sentiment laissé par ce passage de la vérité divine, le
De Disciplinis se livre à son analyse, comme au fondement même
de toute la philosophie bonaventureinne. Ouvert sur le lieu
commun, traditionnellement emprunté à Lucrèce, de la misère de
l'homme qui seul dans la nature vient au monde sans protection du
froid ni de la pluie, l'ouvrage le renouvelle par cette compensation :
Dieu lui a donné un esprit prompt et actif à l'aide duquel il a trouvé
toutes choses utiles et nuisibles[21]. Le terme dont Vivès nomme cet
outil « acumen mentis » est celui même dont la tradition bonaventurienne désigne cette part de l'âme humaine par laquelle
s'accomplit l'illumination. Les pages suivantes révèlent que ces
arts mis par Dieu dans la nature de toute éternité, l'homme les
découvre peu à peu, pourvu qu'il est de cette pénétration supérieure
de l'esprit : « praeditum acumine ac solertia »[22] ; mais comme
l'esprit humain aussi est limité en sa nature, jamais ces arts
n'atteindront à la perfection. En d'autres endroits de l'ouvrage,
Vivès reprend ces trois étapes de la connaissance platonicienne
qu'avait conservées Augustin. Des objets de connaissance, les uns
relèvent des sens, ce sont les choses sensibles, d'autres de la pénétration de l'esprit en quoi consiste l'intelligence des choses qui sont
étrangères au domaine des sens ; une troisième espèce appartient à
la recherche de la vérité qui s'exerce à partir des causes et des
effets[23]. Le raisonnement ainsi tenait la dernière place. C'est que,
déjà entre les objets de connaissance sensible, et les vérités intellectuelles qui leur étaient par nature étrangères, apparaissait une

autre distinction. Sans doute à l'occasion des deux aristotélismes, la raison humaine avait été trop accablée pour qu'il fût besoin d'en retracer les limites. Désormais, s'opposaient deux connaissances, différentes par les domaines auxquels elles s'étendaient comme par le processus auquel elles répondaient. L'oubli du rationnel, condamné pour la vanité de ses artifices, faisait ainsi progresser la pensée bonaventurienne.

Lorsque Sanchez, dans le *Quod nihil scitur* après sa propre critique de l'aristotélisme compare les deux modes de connaissance, son jugement hésite entre les valeurs de chacune. Les objets de connaissance intellectuelle sont par leur nature d'une pénétration plus aisée parce qu'ils se rapprochent davantage de la perfection, de l'être, de la simplicité, les trois qualités qui produisent une connaissance parfaite. Cependant, parce que ces objets échappent à nos sens, nous n'en avons aucune connaissance. A l'inverse, les objets sensibles nous sont accessibles, mais parce que leur nature est très imparfaite, nous n'en avons non plus aucune connaissance[24]. L'opposition était jeu de l'esprit pour désespérer le lecteur, car avant de le renvoyer vers cette connaissance du monde qui intéressait davantage le médecin qu'il était, l'auteur affirmait la solution augustinienne par excellence, l'introspection. Si contempler sa puissance et ses actes est, pour l'esprit, une tentative très difficile, rien non plus ne surpasse cette seule connaissance. Sanchez avait retrouvé, dans la négation même qu'il venait de formuler, la puissance du désir augustinien. L'entreprise, désormais, paraissait désirable de son éloignement même ; mais par le moyen des superlatifs qui avaient fait place à la négation absolue de la phrase précédente, une voie s'ouvrait vers cette connaissance supérieure.

Si riches que soient les emprunts de Montaigne au *De Disciplinis* et au *Quod nihil scitur*, ce n'est point sur ces artificielles distinctions de méthode qu'il a suivi ces ouvrages. Il reste toujours plus proche d'Augustin qui, dans les *Confessions*, examine son âme pour y trouver Dieu, que des théoriciens qui pratiquent jusque dans la doctrine bonaventurienne les distinctions scolastiques. Il le sait et l'affirme à la fin de son ouvrage. Cependant, ils lui avaient bien préparé la voie. Ainsi, Vivès intitule un livre du *De Disciplinis, De Censura veri*. Il y analyse la faiblesse de raisonnement des syllogismes aristotéliciens. Pour conclusion, il fournit l'anecdote, dont il donne la source dans les *Académiques* de Cicéron[25], qui affirme l'ignorance de Socrate. Le doute préalable augustinien avait en effet son origine dans le dialogue platonicien. La vérité y jaillisait toujours de cet embarras antérieur à toute découverte, créé par les questions de Socrate aux assistants. Ainsi pouvait-on dire à juste titre qu'il ne savait rien. L'anecdote, telle que la rapporte Vivès, oppose à cette déclaration d'ignorance la connaissance de soi, celle de sa famille et de ses amis qu'il manifestait dans sa vie quotidienne. L'ignorance ainsi avait un sens philosophique. Elle était quête et non négation. De même, lorsque Sanchez reprend le passage dans le *Quod nihil scitur* en lui prêtant d'autres sources, Galien, Diogène Laerce et Plutarque[26], il ne se déclare pas satisfait de l'affirmation qui, par elle-même, constitue déjà une connaissance. La position socratique n'est point un scepticisme, mais, comme les plateaux de la balance, établit la valeur du jugement humain. Montaigne se rapproche davantage de Sanchez dans l'addition apportée à l'essai *De l'Exercitation*, sur l'exemplaire de Bordeaux. Il gratifie le personnage antique de ce prestige de la connaissance des vérités de l'esprit que le *Quod nihil scitur* préférait à toute autre. L'aveu d'ignorance suppose déjà un retour sur soi-même. Ce n'est pourtant point la reconnaissance du jugement que Montaigne dégage de l'attitude socratique, mais cette connaissance de soi sur laquelle reposait aussi tout son enseignement : « Parce que Socrates avoit seul mordu à certes au precepte de son Dieu, de se connoistre, et par cette estude estoit arrivé à se mespriser, il fut estimé seul digne du surnom de Sage »[27], affirme-t-il. Ne rien savoir, c'est ainsi « avoir mordu au precepte de son Dieu ». L'ignorance a pris une dimension métaphysique. L'introspection devient, plus que connaissance privilégiée, ordre divin. Comme la volonté chez Sanchez, ou la pensée même, la saisie de l'acte d'ignorance par l'esprit, se fait certitude supérieure. Le raisonnement du « cogito », ou si l'on préfère, le processus de la pensée platonicienne ainsi ramené à son auteur, autorise cette conversion vers soi-même par laquelle Augustin l'avait formulé. Dans un des plus anciens essais où Montaigne a voulu peindre sa personne, par une dernière addition, il en a justifié le principe. « Charmant projet » dit-on, la peinture du moi dans les *Essais* répond à une exigence philosophique. Dépassant l'impératif social de modestie, rappelant l'exemple des Saints qui, avant lui, ont si hautement parlé d'eux[28], Montaigne revendique la signification de son ouvrage devant la postérité : « qui se connoistra ainsi, qu'il se donne hardiment à connoistre par sa bouche ». Ce dernier mot de l'essai, comme une première conclusion de Montaigne à tout son ouvrage, en affirme la portée exceptionnelle. L'étude de soi atteint les seules connaissances qui nous soient possibles, les plus précieuses aussi, celles des vérités éternelles.

La dimension métaphysique du γνῶθι σεαυτόν

Reprenant la distinction platonicienne des trois ordres de connaissance, Augustin n'avait jamais condamné celle que nous donnent les sens ; il l'avait réservée à la conquête d'un monde dont il vantait aussi la beauté. Sa formation platonicienne, son penchant d'esprit peut-être, lui avaient cependant fait préférer la connaissance de Dieu qu'apporte l'introspection. Le divin y était atteint plus directement, et plus intensément. Plus encore que lui, Anselme s'y était appliqué. À son œuvre, Sebon avait fait une large place en son livre. L'influence fut-elle déterminante pour l'auteur des *Essais*, ou son tempérament « songe-creux » fit-il plus que toute influence extérieure ? La lecture de *la Cité de Dieu* au XVIe siècle, répand le précepte du « connais-toi toi-même ». Mais beaucoup comme Erasme dans la *Declamatio*, le ramènent à un sens purement moral. La maxime socratique, pour Montaigne, comporte un sens métaphysique ; en cela consiste son originalité face à son époque.

La distinction traditionnelle entre les premiers essais qui font appel à l'histoire, puis ceux qui s'abandonnent progressivement à la peinture du moi, n'a donc plus guère de raison d'être, sinon pour marquer l'approfondissement de la méthode d'introspection. A travers l'histoire déjà, ou toutes les anecdotes contemporaines que relatent les *Essais*, c'est le général que cherchait Montaigne, l'humain. Les premiers essais, particulièrement, par leur opposition de deux pensées contradictoires suscitent une méditation qui ne s'exprime pas dans le texte, et que poursuivent souvent les additions. Les contradictions d'autrui conduisent ainsi à une réflexion sur soi-même implicite, d'où sortira la connaissance augustinienne. Le jeu des éditions postérieures se charge le plus souvent d'opérer pour nous cette connaissance qui n'était point formulée dans la première rédaction. « Je suis peu en prise de ces violentes passions. J'ay l'apprehension naturellement dure ; et l'encrouste et espessis tous les jours par discours », ajoute-t-il en 1588, pour conclure l'essai *De la tristesse*. C'était reprendre, et vérifier l'opposition faite par tout l'essai entre une tristesse naturelle qui échappe au contrôle de la volonté, jusqu'à provoquer la mort, et au contraire, la puissance de la volonté sur cette tristesse. Ce moyen terme qu'il déclare en lui-même, affirmait ainsi à l'intérieur des passions qui troublent l'âme humaine, une place pour la volonté. Montaigne retrouvait la liberté augustinienne en lui-même, plus clairement qu'à travers les oppositions que lui fournissait l'histoire.

La peinture des hommes n'apportait pas à Montaigne autre chose que cette connaissance de soi que, dans les premiers essais, il poursuivait implicitement. Il a pensé plus clair, plus profond aussi, de se livrer directement pour le lecteur à cette saisie des vérités supérieures. Dès la première rédaction, en ce même essai *De l'exercitation*, il s'excuse de s'être appliqué à l'analyse fort précise de son évanouissement après sa chute de cheval. C'est qu'en effet, il y saisit avec la leçon morale de ne point craindre la mort, un enseignement plus largement philosophique, dans la connaissance de la pensée. Il en dégage ainsi la portée : « ce conte d'un evenement si legier est assez vain, n'estoit l'instruction que j'en ay tirée pour moy ; car, à la vérité, pour s'aprivoiser à la mort, je trouve qu'il n'y a que de s'en avoisiner. Or comme dict Pline, chacun est à soy-mesmes une très bonne discipline, pourveu qu'il ait la suffisance de s'espier de près. Ce n'est pas ici ma doctrine, c'est mon estude ; et n'est pas la leçon d'autruy, c'est la mienne »[29]. Dans une distinction fondée sur le système même de la pensée augustinienne, le paragraphe s'achève ainsi sur l'analyse de la portée de l'introspection. Parce que l'homme trouve en soi les vérités intellectuelles et accède par là à l'éternel, l'illumination ainsi atteinte ne peut être que limitée, inachevée comme il l'est lui-même en sa nature ; par suite, elle ne vaut que pour lui-même. Le bonaventurisme connaît une certitude, et n'a point de « doctrine ». L'étude seule, par l'introspection, se confond avec la certitude. Montaigne, pourtant, insiste sur sa difficulté. Il faut avoir « la suffisance de s'espier de près ». Surtout, il met l'accent sur le caractère tout personnel de la vérité saisie : « ce n'est pas la leçon d'autruy, c'est la mienne ». La valeur de l'introspection, tient essentiellement à cette relativité de l'illumination du jugement. Telle était la conclusion donnée à l'essai, dès la première rédaction. Pour ne s'appuyer point sur des emprunts à Vivès ou à Sanchez, elle affirmait du moins le prix que la pensée augustinienne met dans l'introspection, et en justifiait le choix délibéré dans son œuvre.

La connaissance du moi dans son caractère personnel se présentait pourtant comme un absolu. L'addition de l'exemplaire de Bordeaux, devant le caractère privilégié des analyses de la naissance de la pensée, rapportées par l'essai, prétendait en dégager toute la valeur : « Mon mestier et mon art, c'est vivre »[30] ; mais immédiatement Montaigne précisait la formule par l'opposition de ceux qui lui demandaient une vie en actes, « par ouvrages et effects ». Comme tout artiste revient sur son art, et le définit, il expliquait que tout son art aussi consistait en ce retour sur soi-même. Il en défendait le caractère décousu, surtout l'aspect accidentel, et en apparence futile : « Je peins principalement mes cogitations, subject informe, qui ne peut tomber en production ouvragere ». La nature de l'étude et de la connaissance augustinienne entraîne ce décousu. Comme Augustin et Monique à Ostie s'élevèrent progressivement de l'accident à la saisie du divin, de même Montaigne prétend dans l'évanouissement avoir répondu à la nécessité de se peindre entier : « C'est un "skeletos" où, d'une veuë, les veines, les muscles, les tendons paroissent, chaque piece en son siege ». Déjà par dessus le détail, cette vision révèle l'ordre. Revenu à cette nécessité de partir du caractère particulier de sa toux et de sa pâleur, Montaigne dégageait ensuite toute la valeur de l'introspection à laquelle se livrent tous les essais, après celui de *l'Exercitation* : Ce ne sont mes gestes que j'escris, c'est moy, c'est mon essence ». Ainsi toute la valeur de l'accidentel, consistait en ce retour de l'auteur sur lui-même pour analyser les sentiments vécus. Il atteignait, par l'introspection, au général, à cette saisie des vérités éternelles, à l'essence de l'être, connaissances qu'il avait refusées à la raison humaine procédant par la recherche des causes. Leur atteinte supposait une accession au divin. L'essence de soi se confondait, dans l'illumination, avec le Dieu créateur qui en pouvait seul répondre.

Le *De Disciplinis*, le *Quod nihil scitur*, la pensée, sinon la lettre des *Confessions*, profondément connus dès le commencement des *Essais*, ont présidé à cette conversion de l'auteur vers soi-même. Dans un admirable platonisme, l'ouvrage tout entier s'ouvre sur deux perspectives; l'anecdote personnelle dont Montaigne sait le charme autant que la futilité, se double, par le retour sur l'événement, d'une signification profonde, d'une vérité supérieure qui, pour être propre à l'auteur, n'en est pas moins, pour lui, un absolu. La poésie de tout l'ouvrage naît ainsi de ce que toute chose y a deux aspects. De l'humble événement personnel jaillit toujours, par la réflexion, un langage supérieur qui accède au divin.

Née du refus des deux aristotélismes, chrétien et païen, la pensée de Montaigne, élargissant celle de Vivès, décidément constructive, s'oppose à tout scepticisme. S'autorisant de Socrate, tous deux élèvent le doute philosophique en un processus de pensée, nécessaire à l'atteinte d'une vérité. Plus nettement, pour Augustin, le renoncement à toutes les sciences humaines assure la conversion. Avec Montaigne, fils de la pensée bonaventureienne, tout l'héritage du passé, connu, utilisé, est aussi mesuré aux balances de l'esprit. Pesant l'événement, les autres et soi-même, pour en tirer un enseignement pour les temps à venir, par une atteinte à l'essence de l'être, il accroche un lambeau d'infini.

La relativité humaine

La lecture des *Essais* nous amène ainsi à remonter jusqu'aux sources de la pensée bonaventurienne, et à découvrir, dans le dessein de l'auteur, sous cette peinture du moi dont chacun, à l'envi, le loue ou le blâme, une philosophie chrétienne. Il est plus neuf, peut-être, de montrer par le recours aux mêmes sources, les principes d'une science chrétienne. Le platonisme, auquel répond la pensée augustinienne, pouvait justifier l'introspection qui fonde l'ouvrage. Cependant Augustin n'avait point rompu avec les connaissances sensibles. Il en chantait l'objet, cette beauté du monde qui attestait le Créateur. Montaigne lui-même, en Sebon, avait traduit un auteur qui accordait plus à la tradition bonaventurienne, qu'à ces raisonnements d'Anselme auxquels il ne prêtait que le début de son ouvrage, précédés encore d'une préface bonaventurienne. Si Bonaventure, face à l'aristotélisme qui se répand au XIIIe siècle, maintient la pensée augustinienne, ce n'est point sans avoir mesuré dans l'œuvre d'Anselme, la limite d'un système platonicien qui, par le recours à l'introspection, s'enferme dans le monde clos des idées, et perd tout rapport avec la réalité. Il cède peut-être, à sa manière, à l'aristotélisme, du moins à un appel du monde, très compatible avec la pensée augustinienne, en privilégiant sur la connaissance de soi, celle des êtres. Le bonaventurisme refuse le platonisme, et féconde la pensée chrétienne en développant le rôle accordé aux sens, qu'Augustin avait fait passer au second plan. La notion de la pensée devait s'en trouver modifiée.

Une longue tradition bonaventurienne avait opposé à la fixité aristotélicienne un monde variable, et fini en son essence, où chaque être était à la fois unique et changeant. Le temps, l'espace autour de l'homme, en perpétuel devenir, lui imposaient leurs modifications, et lui même aussi, nature double dans son unité, subissait jusqu'en son esprit un autre devenir. Muable en sa personne, et réagissant aux influences d'un monde à peine plus stable que lui, l'homme se trouvait dans une situation pathétique. Il désirait la fixité qui n'appartenait qu'à un dieu situé hors du temps. Parce qu'il partage pareil désespoir dans sa saisie du monde et de l'homme, Montaigne, comme Sebon, à la connaissance du moi, joint aussi le désir de celle du monde. Bonaventurien par le refus des idées innées, et le recours aux sens, après Vivès et Sanchez, il croit à une connaissance par l'expérience et le jugement. Opérant sur le domaine du sensible la même remise en question que les bonaventuriens sur les connaissances intellectuelles, il retrouve dans la variabilité le doute, et, du muable tire une certitude. La méthode platonicienne, ainsi renouvelée en son objet, lui permet de retrouver, dans la contemplation du monde, l'esprit des *Confessions*, de voir en toute chose même reflet, convergeant vers l'auteur de la nature, et d'en célébrer l'ordre d'un même accent.

Il faut fonder la vision du monde bonaventurien que reprend Montaigne, sur les textes de *la Cité de Dieu* directement opposés à la pensée philosophique de son temps. Réunissant, avant l'apparition de la doctrine averroïste, stoïcisme et aristotélisme en un même matérialisme, Augustin leur oppose la pensée chrétienne. Il s'adresse, au livre XII de son ouvrage à ceux qui croient que le monde passe par d'innombrables alternatives de naissances et de morts, à des intervalles déterminés de siècles, et qui admettent qu'il renaît de sa matière, et le genre humain de ses éléments[31]. Au principe de l'éternité de la nature, il oppose la révélation chrétienne d'un Dieu éternel, créateur d'un monde fini. Il montre leur théorie incompatible avec les paroles de l'Ecriture, comme avec le dogme de l'Incarnation : « Semel enim Christus mortuus est pro peccatis nostris. »[32] La mort du Christ suppose, avec la durée du monde, un homme indépendant de la matière, libre et responsable en sa volonté, et dans la Providence divine, une différenciation à l'échelle du monde de tous les êtres créés. C'est au livre XIV que Pomponazzi prétendait plus directement répondre ; c'est celui aussi que Montaigne reprend le plus souvent dans ses *Essais*, particulièrement au début du livre II, où, à travers ses emprunts au *De Disciplinis* ou au *Quod nihil scitur*, il ouvre la lutte contre l'aristotélisme. Augustin y plaçait sa réfutation sur le plan moral. La lutte des stoïciens contre les passions, leur idéal de l'ἀπάθεια poursuivi dès ce monde, leur méritait cette réplique que le Christ s'était fait homme pour éprouver en son âme, tous les sentiments humains[33]. Les passions qui rendaient l'homme incessamment variable, se confondaient avec la vie. L'état souhaité par le stoïcien, où il n'éprouverait plus aucun sentiment, était exclu de cette existence présente[34]. Les passions nécessaires à l'homme comme ses forces mêmes, ennoblies de cette épreuve qu'avait voulu en faire le Christ en sa vie terrestre, prenaient leur valeur de la volonté qu'elles animaient. Le chrétien pourtant, comme le stoïcien, souffrait de son propre changement, et désirait aussi la fixité et le repos; mais il les plaçait au-delà de cette vie, en Dieu même. Le changement ainsi qu'il subissait à travers ses passions devenait désir de l'absolu et, par le raisonnement augustinien, saisie de la paix en Dieu[35].

Parce qu'il avait lui-même en son temps, entamé la lutte contre le matérialisme, Augustin devenait ainsi pour tout le XVIe siècle, l'auteur auquel chacun prétendait recourir, soit que, comme Pomponazzi il prêtât perfidement son expression à une pensée contradictoire afin de dissimuler un athéisme, soit, comme les bonaventuriens, qu'il y fût demeuré parfaitement fidèle.

La fidélité pourtant des bonaventuriens avait une longue histoire. Ce n'étaient plus, pour eux, les seules passions humaines qui faisaient la misère de l'homme et sa perpétuelle instabilité, mais sa destinée métaphysique. Soumis aux forces occultes, l'homme de Pomponazzi pouvait s'enivrer, ou s'oublier totalement de vivre à l'unisson des forces du monde. Le seul mouvement commun à toute la création qui l'emportait aussi, supprimait, avec sa conscience, tout problème métaphysique. L'homme d'Augustin n'était plus, emporté par le mouvement du monde vers sa fin; il connaissait un terme plus proche et indépendant, un temps hâté pourrait-on dire, compris dans celui plus vaste de l'univers. L'union d'une âme individuelle avec son corps lui donnait une nature incompatible et complexe.

De sa nature intermédiaire entre la matière et le divin, l'homme dans les *Confessions* ou *la Cité de Dieu*, recevait aussi deux formes de connaissance, appliquées à deux objets différents. Les sens lui découvraient le monde, et l'intelligence le divin. La distinction n'est peut-être qu'illusoire dans certains passages des *Confessions* où le désir sensible est aussi image du désir intellectuel de Dieu. La connaissance des sens se confondrait alors avec celle de l'intelligence supérieure[36]. Il faut convenir pourtant que le raisonnement augustinien est essentiellement platonicien et porte sur le monde des idées. C'est contre cette tendance aussi, renforcée sans doute par l'œuvre d'Anselme que luttent les bonaventuriens. De l'aristotélisme ils ont pris un principe qui féconde toute leur réflexion, le retour au monde. Ils font de la pensée un outil nouveau. Ils conservent bien la distinction entre connaissance intelligible et connaissance sensible, mais les réunissent sur le même objet[37]. Désormais, science et foi deviennent compatibles avec l'expérience. Ou plutôt, philosophie et foi se rejoignent dans une même étude du monde. Les sens, soumis à l'intelligence, conduisent à la connaissance de Dieu. Ainsi, dans *l'Itinéraire de l'âme à Dieu*, les similitudes saisies par les sens réalisent cette convergence qui impose le Créateur. Ainsi Roger Bacon, tournant vers la connaissance du monde, l'illumination du jugement, prétend retrouver une science dont il affirme la nature divine.

La porte désormais était ouverte à une nouvelle conception de la connaissance. Vivès et Sanchez réfutent longuement la réminiscence platonicienne, et lui opposent la connaissance des sens. Le *De Disciplinis* la justifie par l'opinion du peuple, mais aussi par la parole de l'*Evangile*[38]. Déjà Vivès appelle les sens la porte des connaissances[39]. Par la belle image d'un miroir reflétant toute la pièce, par le moyen duquel nous était renvoyée toute la lumière extérieure, il figure le rôle, devenu exclusif, des sens. Nous ne voyons plus rien, disait-il, que ce que les sens nous permettent de saisir. Parce que l'âme restait bien unie au corps, le miroir des sens cependant, ramenait toutes ces connaissances à l'esprit, qui en achevait la saisie. Ainsi s'était élaborée, à partir du bonaventurisme, une notion plus simple de la connaissance. Vivès affirmait que toutes nos connaissances viennent des sens. Sanchez de même, des contradictions de toutes les sciences humaines, ou plus exactement des faiblesses de celle d'Aristote qu'il avait seule étudiée, concluait aussi que toute la connaissance vient des sens[40]. Refusant la poursuite des vérités intellectuelles, il se tournait vers celle des réalités, qui pouvaient accéder pourtant au même objet. Avec une grande fidélité au texte de Vivès, il décrivait la quête des sens, puis le retour de l'esprit sur la sensation reçue. Les moins parfaits peutêtre, les objets qui s'offraient à nos sens, en étaient les plus proches. Une plus longue analyse ensuite des erreurs des sens, loin du lieu commun traditionnel qui depuis Lucrèce menait au scepticisme, conduisait au contraire à déduire que les sensations inexactes et imparfaites, souvent, étaient en fait redressées par ce jugement de l'esprit qui corrigeait l'erreur d'un sens par appel à l'autre. Ainsi, quand l'œil saisit un seul coup frappé, l'oreille l'entend double. L'esprit décide entre les perceptions de tous deux, à moins que l'on n'obstrue l'une ou l'autre sensation[41]. Dans cette perception venue des sens, l'esprit donc joue un rôle prépondérant.

Après Vivès ou après Sanchez, Montaigne dans les *Essais*, reprendra cette théorie de la connaissance qui, suivant la doctrine chrétienne, unit si bien l'âme et le corps. L'*Apologie de Raymond Sebon*, dès la première rédaction, aux erreurs des auteurs qui ne veulent jamais démordre de leurs affirmations, comme Sanchez et Vivès, aux théories des philosophes, oppose, comme seule certitude, les connaissances venues des sens « Or toute cognoissance s'achemine en nous par les sens : ce sont nos maistres... La science commence par eux et se resout en eux[42] ». L'analyse scientifique de Sanchez n'est pas du tout le ton pris par Montaigne. Il reste au contraire en sa phrase quelque chose de la belle image de cette porte des connaissances utilisée par Vivès, mais plus fuyante, elle prend un caractère de mystère dans le verbe pronominal « s'achemine ». Dans la conversion aux sciences, le philosophe demeure, et conserve au domaine de la pensée un peu de l'irréalité que lui conférait la recherche platonicienne. La page suivante appuie : « les sens sont le commencement et la fin de l'humaine cognoissance ». Tandis que, à l'opposé des sceptiques, Montaigne conservait à l'homme une connaissance des causes, limitée du moins, il restreint le champ de connaissance, du même coup qu'il en affirme la valeur. L'homme, que reprend Montaigne au bonaventurisme, par cette opération de la connaissance qui réunit en un même acte ses deux natures mesure sa grandeur et sa dépendance. Par l'esprit, il s'isole du monde, et conquiert sa liberté ; par le lien de sa pensée aux sens, il appartient à la matière. Une nouvelle relativité apparaît alors dans cette pensée née des sens, qui double celle qui atteint notre saisie de l'intelligible. Pour Montaigne, comme pour Sanchez, elle ne naît point des traditionnelles erreurs des sens. Puisque l'esprit joue son rôle dans la connaissance, il peut, autant que les sens, être sujet à se tromper. Ainsi, tremble le philosophe dans sa cage de menus filets de fer, pourtant, il voit bien « par raison évidante » qu'il est impossible qu'il en tombe [43]. Chacun voit bien encore la largeur de la poutre, et ne peut non plus marcher dessus. La bosse n'empêche pas de voir le précipice ; mais supprime la peur. Montaigne se refuse à condamner les sens, ni non plus à les dissocier de l'activité de l'esprit. Se priver des sens trompeurs ne préserve point le jugement, mais le supprime avec la vie même : « (A) Ce beau philosophe se creva les yeux pour descharger l'ame de la desbauche qu'il en recevoit, et pouvoir philosopher plus en liberté. Mais à ce conte, il se devoit aussi faire estouper les oreilles... et ce devoit priver en fin de tous les autres sens, c'est-à-dire de son estre et de sa vie. Car ils ont tous cette puissance de commander nostre discours et nostre ame ». Ainsi sens et intelligence ne font qu'un, l'homme ne peut sans doute éviter l'erreur ; l'affirmation convenait à l'augustinisme qui croit la raison offusquée depuis le péché originel, et supplantée par l'imagination. Il était neuf d'unir si fortement matière et esprit, dans la nature humaine, que la pensée ne pût plus se dissocier des sens.

Créant, à partir de cette idée, une nouvelle notion de relativité humaine, Montaigne dépassait sans doute les textes de Vivès et de Sanchez. Il renouvelait la pensée bonaventurienne. Le malheur d'une connaissance donnée par les sens ne consistait plus dans les erreurs possibles, mais, parce que toute connaissance était relative à l'état du corps qui en fournissait à l'esprit les éléments, il n'était plus de vérité absolue. La connaissance du monde sensible comme la connaissance du monde intellectuel, restait personnelle, incertaine, perpétuellement changeante.

L'essai *De l'exercitation* prenait toute sa valeur de cette expérience qu'avait faite Montaigne des liens de l'âme et du corps. L'instruisant à ne point craindre la mort, le souvenir de son évanouissement lui a révélé la naissance de la pensée en lui; et sa nature apparaît plus clairement à ses débuts. Le retour de la vue, proche encore de la mort, ne donne que le discernement de la lumière. Il n'apporte aucun de ces contours qui révèlent les objets, et nourissent les idées. Lorsque Montaigne les distingue à leur tour, il peut affirmer « Quant aux functions de l'ame, elles naissoient avec mesme progrez que celles du corps. »[44] La vision précise de son sang, jointe au bruit des arquebusades qu'il entendait autour de lui, lui donne en effet l'idée qu'il en avait reçu une en la tête. Une impulsion des sens et du corps supplée aux fonctions de l'âme, encore dit-il tendre et faible comme son corps; il déchire son pourpoint, réagissant à la douleur sans en avoir pourtant la sensibilité. Durant le retour vers son château viennent ensuite « des pensemens vains, en nuë, qui estoyent esmeuz par les sens des yeux et des oreilles : « ils ne venoyent point de chez moy »[45] affirme Montaigne. La douleur lui est épargnée par cette défaillance du corps qui engourdit l'âme, « la foiblesse de mon discours me gardoit d'en rien juger, et celle du corps d'en rien sentir »[46]. La mémoire ne lui revient qu'avec les forces le lendemain, et par un éclair qui frappe l'âme de secousses, et ramène la conscience de la personne tout entière. Ainsi, Montaigne en lui-même analyse les sources de la vie intellectuelle. Si la sensation ne suffit point pour fournir la pensée sans cette activité de l'esprit qui suppose la conscience de toute la personne, si cette activité naît des forces physiques et meurt avec elles, Montaigne peut revendiquer le mérite de l'analyse : « c'est une espineuse entreprinse, et plus qu'il ne semble, de suyvre une alleure si vagabonde que celle de nostre esprit; de penetrer les profondeurs opaques de ses replis internes. »[47] Sans nommer les deux ou trois anciens qu'il avoue avoir battu ce chemin, lors des additions de l'exemplaire de Bordeaux, il n'est point sans connaître les recherches d'Augustin dans l'ample sein de la mémoire. Dès l'ouverture des *Confessions*, revenu sur sa petite enfance, dont il n'a pas plus de souvenir que Montaigne de son évanouissement, après en avoir retracé les impulsions profondes, les rires et les cris, il avoue que, de tout cela, il n'a qu'une connaissance par ouï dire. De cet âge qu'il a vécu, il n'a point de souvenir. Il compare les ténèbres de l'oubli qui couvrent cette première période de sa vie à celle qui fut antérieure à sa naissance. Pour lui déjà, la vie de l'esprit naît de celle du corps. C'est une vie supérieure qui en est comme le couronnement, et en demande l'achévement[48].

Non seulement fidèle à la pensée bonaventurienne, mais revenu à sa source première pour confirmer son ouvrage dans l'exemplaire de Bordeaux, Montaigne a déjà marqué son originalité par une analyse plus poussée de la nature de la pensée. Le principe augustinien se trouve vérifié par sa propre expérience d'une situation exceptionnelle. La naissance de la pensée qui était dans les *Confessions* perdue pour les souvenirs, mais à la connaissance de laquelle Augustin s'efforçait de suppléer par conjecture, devenait saisie par Montaigne; son analyse vérifiait les principes de la connaissance bonaventurienne. *L'Apologie de Raymond Sebon* devait pousser plus loin l'expérience et la réflexion.

Riche dans son entourage de la connaissance d'aveugles nés, Montaigne constatait leur incompréhension de toutes les idées qui concernent la vue. L'un d'entre eux pique sur le lièvre, comme on lui a dit que faisaient les chasseurs, mais ne le prend point. Il utilise le vocabulaire de la vision, sans en saisir l'inutilité pour lui-même. A l'enfant qu'il touche, au soleil qu'il sent, il attribue le terme de « beau ». La société, et lui-même aussi, y sont trompés. Non seulement il ne souffre point de la privation de la vue; il n'en a point la compréhension. Son esprit a suppléé par d'autres sens. L'illusion que nous décelons chez lui, parce que nous sommes mieux pourvus par la nature, peut être commune à tout le genre humain. Nous ne pouvons avoir le sentiment des sens qui nous manquent, et notre esprit, fondé sur ceux que nous avons, nous paraît ainsi complet, parfait même. Face aux animaux qui, sans avoir les nôtres, en ont de différents, Montaigne peut faire pressentir notre imperfection. Notre vérité n'est que relative à l'état de notre corps et jamais absolue : « Nous avons formé une verité par la consultation et concurrence de nos cinq sens; mais à l'advanture falloit-il l'accord de huict ou de dix sens et leur contribution pour l'appercevoir certainement et en son essence. » [49]. Ainsi avec la relativité de toute vérité humaine se fait jour la plus audacieuse supposition sur le devenir des espèces. Privés de l'ouïe par le moyen de laquelle nous comparons les données des autres sens, et formons notre jugement, dans quelles erreurs tomberions-nous ! Mais à l'inverse toutes les propriétés que l'on appelle occultes ne sont-elles pas l'objet de sens plus rarement répartis parmi les hommes, mais possibles pourtant. Le vieux rêve aristotélicien d'un développement accru de la puissance humaine, reparaît chez Montaigne. On ne sait si le paragraphe se termine sur le regret des sens manquants ou si, au contraire, Montaigne les imagine dans un progrès nouveau de l'humanité, par désir de cette saisie du vrai en son essence qui anime tout son ouvrage.

Ainsi, Montaigne a conservé du bonaventurisme cette sagesse qui lutte contre le rêve d'une science infinie. La notion d'une pensée fondée sur les sens fait renaître en lui le désir aristotélicien ; mais la mesure l'emporte sur ce désir, inné en l'homme. Cette union chrétienne de l'âme et du corps ne lui apporte en réalité qu'une relativité poignante qui confond son désir.

Vivès dans la cohérence de sa pensée, avait précédé Montaigne, à maintes reprises, dans l'affirmation d'une variation de l'esprit humain avec l'état du corps. Tantôt c'était la vigueur de la jeunesse qui se confondait avec l'élan vers la connaissance [50]. Tantôt opposé à la fixité divine, le changement inhérent à la condition humaine affectait avec le corps l'esprit même [51]. La nourriture, la boisson, le climat, mais surtout les affections physiques entraînaient le changement de l'esprit [52]. Les mœurs aussi modifiaient la raison et, pour Vivès, elles venaient pour moitié de la nature du corps. Ainsi plus proche peut-être de l'argument métaphysique, avec ce constant regret de notre finitude, Vivès attribuait cependant une cause importante du changement de l'esprit à l'état du corps. La relativité ne venait pas seulement de la dépendance, mais des modifications qu'apportait le temps. Ce que Vivès résumait par les mots « mutatio ingeniorum » inscrits en marge de son paragraphe. Résultant d'influences diverses la pensée de l'homme connaissait donc une histoire propre.

Formulant plus objectivement sa théorie, Sanchez fait dépendre de notre vieillissement continuel l'impuissance où nous sommes d'une connaissance parfaite. Une connaissance parfaite demande un corps parfait [53]. En conséquence aussi, toujours imparfait, l'esprit partage les changements du corps. Combien diffère le jeune homme de l'homme accompli, et l'homme accompli du vieillard. Grande est la différence du début au milieu, du milieu à la fin [54]. La mélancolie sur notre esprit s'élargit en une insatisfaction de la connaissance humaine. Montaigne reprend cette inquiétude dès la première rédaction de l'*Apologie de Raymond Sebon*. Si les sens sont l'équerre avec laquelle nous jugeons du vrai et du faux, puisqu'ils diffèrent entre chacun de nous, personne ne sera propre à juger de leurs différences : « car, s'il est vieil, il ne peut juger du sentiment de la vieillesse, estant luy mesme partie en ce debat; s'il est jeune, de mesme; sain, de mesme; de mesme, malade, dormant et veillant » [55]. La première rédaction du livre III affirme encore cette relativité de l'esprit qu'entraîne la marche de l'existence et accuse la vieillesse : « Elle nous attache plus de rides en l'esprit qu'au visage; et ne se void point d'ames, ou fort rares, qui en vieillissant ne sentent à l'aigre et au moisi. L'homme marche entier vers son croist et vers son decroist. » [56] Cette belle image de la vie humaine qui se confond avec celle du pèlerinage qui s'achève en Dieu, si souvent reprise par Augustin, imprime fortement le regret de cette grandeur humaine disparue, comme le disait Sanchez, entre son milieu et sa fin. L'essai *De la phisionomie* ramène la même nostalgie, sur la mutation de cet esprit changeant et insaisissable. « La maturité a ses deffauts comme la verdeur, et pires. » [57] Ceux de la vieillesse, insiste l'exemplaire de Bordeaux, sont les plus

graves, et Montaigne alors, dans le plus magnifique retour augustinien de la pensée sur elle-même, tire sa conclusion : « Et ne
traicte à point nommé de rien que du rien, ny d'aucune science que
de celle de l'inscience ». A travers cette variation de l'homme, la
permanence du même désir de l'esprit pour une constance dans ses
connaissances ou ses idées, esquisse déjà l'affirmation supérieure.

La mouvance du monde

Mais, causé par l'union de l'âme et du corps, le branle de l'âme
humaine se pose déjà, dans ses sources et dans sa nature, comme
foncièrement opposé aux attirances irrésistibles des forces occultes
que reconnaît l'aristotélisme padouan. C'est une variation doublement métaphysique puisqu'elle naît de la participation de l'homme
au divin, et de la limite aussi de sa condition dans le temps. Un
nouveau branle, celui du monde qui l'agite sous d'autres forces,
accroît une mélancolie inhérente déjà à sa durée, et à sa double
nature. Animé de l'ordre du monde, l'homme de Pomponazzi ne
connaît, ni arrachement, ni vertige. Le changement qui anime
l'homme augustinien se double, au contraire, de celui plus vaste du
monde, auquel il réagit par les appartenances profondes de son
corps. Emporté par deux mouvements différents, il appartient à
un monde plus vaste que lui, mais son esprit qui a l'intelligence de
sa durée aspire à Dieu. Inférieur à la matière, comme incompatible
avec l'infini, par l'intelligence aussi de sa position, il tient une vérité.

Après Lulle, Nicolas de Cuse avait noté les différences des
mœurs, dans l'espoir de trouver une unité à toute croyance parmi
les hommes ; et parti d'une intention fort religieuse, il avait peut-
être appliqué une raison trop purement humaine à la critique des
rites pour apercevoir jamais le fondement spirituel qui les justifiait
et les différenciait ; de même, Vivès note une variété dans les esprits
qu'il veut expliquer par le climat et la nourriture. Les coutumes
reflétaient encore pour moitié l'appartenance historique. L'emprise
du monde, temps et espace, enserrait l'homme d'un autre
mouvement que le sien propre. Dès l'ouverture du De causis corruptarum artium, tant cette théorie était usée, Vivès en plaisantait,
feignant de croire que, comme l'éloquence avait fleuri à Athènes,
et à Rome, des raisons historiques aussi justifiaient la très grande
foule des théologiens à Lutèce, des jurisconsultes à Orléans et des
médecins en Aquitaine. Le règne des princes contribuait à implanter
le culte de certains arts. A Rome, Néron avait imposé la poésie ; le
pontificat de Léon X, le chant, celui de Jules II les armes[58].
L'ironie cessait après pareille audace ; et Vivès expliquait, par des
raisons géographiques, le développement de la navigation chez les
Phéniciens, de l'astrologie chez les Chaldéens et les Egyptiens. Le
pays y était propre, par l'étendue de la plaine, et le ciel serein qui
s'offraient aux astrologues[59]. Ainsi les lieux et les temps agissaient
sur l'homme, et l'inclinaient à certaine forme d'esprit. La varia-

bilité du monde rappelait, peut-être, le retour cyclique aristotélicien, mais s'en séparait par une différence fondamentale. La
phrase de Vivès signifiait que ce sont les hommes qui s'adonnent
à l'astrologie par intelligence des possibilités qu'offre le lieu, et non
à l'inverse le lieu qui conditionne les hommes par des forces
occultes. Remontant à l'antiquité et usée, la théorie des climats
que reprendra Montesquieu est sans cesse utilisée déjà, sur le plan
politique, par Jean Bodin[60]. Pour lui encore, l'influence des temps
et des lieux est une force avec laquelle il faut compter. Jamais elle
n'est irrésistible, dit-il dans le préambule d'un chapitre où il se
promet de réfuter sur ce point Polybe et Galien. Montaigne
emprunte volontiers ses exemples de variation de l'homme au
monde à Corneille Agrippa, mais au *De vanitate scientiarum*,
et non à *la Philosophie occulte*. Comme Bodin se propose de réfuter
Galien tout en utilisant ses affirmations, de même Sanchez cite dans
ses marges la source, qui est aussi l'adversaire : Galien encore, et
Cardan. Il résume ainsi sa pensée : « Variae hominum conditiones
varii mores. »[61] Aux différences de taille qui opposent les Pygmées
et les géants, il fait succéder les habitations, les nourritures diverses,
et celle de la chair humaine qui répugne à notre sensibilité, l'indi-
férence religieuse aussi, et l'immolation de soi pour ses croyances.
Nul déterminisme cependant sous cette énumération, une simple
constatation de l'état de fait qui, sous le jeu des oppositions
destinées à soulever le sentiment, au titre même de la dépendance
constatée, s'efforce d'inviter à la tolérance. Si la coutume semble
une maîtresse universelle qui entraîne l'homme, l'écrivain croit à
la liberté humaine, qui s'efforce de l'y soustraire.

Dans le troisième livre, sur le sujet de cette variation du monde
qui entraîne la vie humaine dans son déroulement, Montaigne
abandonne l'imitation d'Agrippa pour celle de Sanchez. Si le
Quod nihil scitur avait usé de l'image de Circé, dans une page satirique où, identifiée avec la coutume scolastique l'enchanteresse
avait changé en ânes tous les théologiens, Montaigne généralise,
et sous son nom, personnifie la coutume, et crée un autre mythe
extrêmement puissant. Il rend compte de ce mouvement du monde
qui emporte nos vies : « C'est à la coustume de donner forme à
nostre vie, telle qu'il lui plaist; elle peut tout en cela : C'est
le breuvage de Circé, qui diversifie nostre nature comme bon
luy semble. »[62] Le premier exemple donné, pourtant, la crainte du
« serein », est loin de montrer une emprise irrésistible. Du second,
le dégoût pour les français des poëles à l'allemande, Montaigne se
dit même totalement exempt. Le branle du monde n'emporte donc
que qui le veut bien. Ou plutôt, le mouvement différent de son
propre branle permet à chacun de résister à celui de l'univers.
Comme Sanchez encore, mais dès la première édition, le chapitre de
l'*Yvrongnerie*, part d'une réflexion initiale sur cette diversité du
monde. Montaigne oppose sa conception à celle qu'en ont les

Stoïciens. Le choix encore du vice retenu rappelle bien le passage du *Quod nihil scitur* qui énonce tous ceux qui possèdent les humains, dont celui qu'a choisi Montaigne pour son essai. Là encore Sanchez conclut de ces propensions, qu'il n'explique point, qu'il y a bien des hommes qu'il faut appeler privés de raison plutôt que doués de raison[63]. Leur abandon à la force qui les entraîne leur fait perdre la qualité de l'humain, ce mouvement propre que, dans son incertitude même, il faut encore appeler raison ou liberté. L'homme de Sanchez s'affirme dans son indépendance au monde.

Par de belles images, dès l'ouverture du second livre, Montaigne nous impose ce mouvement du monde dont l'homme participe sans qu'il soit pourtant emporté irrésistiblement : « Nostre façon ordinaire, dit-il, c'est d'aller apres les inclinations de nostre appetit, à gauche, à dextre, contre-mont, contre-bas selon que le vent des occasions nous emporte. »[64] A l'image du vent succède celle de la mer : « Nous n'allons pas; on nous emporte, comme les choses qui flottent, ores doucement, ores avecques violence, selon que l'eau est ireuse ou bonasse ». La plus belle et la plus profondément signifiante de toutes ces images est donnée par le livre III[65] : « Le monde n'est qu'une branloire perenne. Toutes choses y branlent sans cesse, la terre, les rochers du Causase, les pyramides d'Egypte, et du branle public et du leur. La constance mesme n'est autre chose qu'un branle plus languissant ». Toute chose est animée comme l'homme, de ce double mouvement qui assure la vie du particulier à l'intérieur du général. Poésie puissante qui soulève le monde d'une vie nouvelle et irrésistible, ce mouvement propre, donné à chaque objet au sein du mouvement universel, marque la main du créateur. L'image prend toute sa beauté et sa profondeur de cet appel à la branloire. Chaîne de la forge que tire le forgeron qui anime son microcosme, le terme impose le forgeron divin au macrocosme, et la providence qui règle le jeu des mouvements universels et particuliers. Ainsi, la phrase suivante, comme toutes les images précédentes, nous ramène au plan métaphysique : « Je ne peints pas l'estre, je peints le passage. » La fixité appartient à Dieu seul, à celui qui meut la branloire céleste. Elle est incompatible avec la création.

Ce déroulement du temps que Montaigne amenuise dans sa phrase d'années, en jours, puis en minutes, porte en soi le désespoir; mais le désir de la fixité impose la certitude de son existence; l'atteinte d'une vérité naît de son regret même. Toutes les images précédentes, comme celle-ci, affirmaient déjà cette saisie de la volonté. « A qui auroit prescript et estably certaines loix et certaine police en sa teste, nous verrions tout par tout en sa vie reluire une equalité de meurs, un ordre et une relation infaillible des unes choses aux autres[66] », répondait Montaigne à la peinture qu'il avait imposée du souffle du vent et « de l'eau ireuse ou bonasse ». La contradiction des deux mouvements de l'individu et du monde,

malaise pour la sensibilité, faisait à l'homme une situation pathétique dont il désirait sortir. Du mouvement naissait le désir de
l'unité. La peinture du monde chez Montaigne rejoignait alors celle
de l'*Ecclésiaste* que lui rappelait Sanchez : « Une generation passe,
et une generation vient, mais la terre demeure pour l'éternité. Le
soleil se lève et se couche, et revient à sa demeure, et là, renaissant
il tourne par le milieu du ciel, et s'incline vers l'Aquilon. Parcou-
rant l'univers le vent poursuit sa route et retourne sur les cercles
qu'il décrit. Tous les fleuves se jettent dans la mer, et la mer ne
déborde pas. »[67] Tous les mouvements de l'univers viennent se
perdre dans cette eau qui, de l'écoulement même, retourne à la
stabilité, et dans le mystère d'une providence divien qui, par un
continuel renouvellement, dépasse le temps. La fixité et la vérité
se trouvent ainsi replacées, hors de la durée dans l'éternité de la
volonté divine.

Ainsi préférant pour accéder à Dieu, à la connaissance des vérités
éternelles, la connaissance du monde, la pensée bonaventurienne
avait offert à Montaigne une idée de l'homme essentiellement
mouvante. Dans une union indissociable de l'âme et du corps, il
fondait sa connaissance sur les sens. Livré aux changements occa-
sionnés par les accidents qu'il subissait, ceux de l'âge particulièrement, par son propre mouvement, il assurait sa liberté au sein du
branle du monde. Le raisonnement augustinien par le désir de fixité
qui le tourmentait, lui en donnait d'avance la certitude et la
jouissance. Cette dernière conversion assurait le triomphe de
l'expérience et de la science.

La saisie du monde par l'expérience et le jugement

Muable dans la diversité, l'homme ne pouvait plus saisir d'autre
existence que la sienne propre. Pourtant, ce n'était pas seulement
des vérités éternelles trouvées dans la peinture du moi que
Montaigne prétendait remplir les plateaux vides de la balance,
mais, par l'expérience et le jugement, de la connaissance de la
nature. La table rase de Sanchez détruisait l'autorité de l'aristotélisme pour remplacer le raisonnement logique par la certitude
de l'esprit, et la connaissance des faits. « Pense toi même pour
toi »[68] confiait l'ouvrage. Mais ce doute préalable était orienté
vers la découverte des réalités. La limite reconnue aux connaissances
humaines, le refus de celles d'autrui, amenaient cette conclusion :
« une longue expérience rend l'homme prudent et sage. »[69]
Désormais, toute science partait de la critique des faits. La
conversion à l'observation de la nature était assurée, au mépris de
toute connaissance livresque; mais cette connaissance aussi, par
cette sagesse donnée comme fin à tout l'ouvrage, ramenait à Dieu.
Sanchez n'avait point trahi la pensée de Bonaventure pour qui la
poursuite des vérités intelligibles, et celle des réalités sensibles se
rejoignaient dans la saisie du même objet divin.

Sur ce point encore, Montaigne a suivi Sanchez et la pensée bonaventurienne. Dans l'essai *De l'Experience*, il pratique le doute scientifique voulu par le *Quod nihil scitur*, pour en tirer la plus belle certitude. Reprenant l'introduction bonaventurienne qu'il avait déjà énoncée en tête de l'*Apologie deRaymond Sebon*, il corrige cette fois la passion de la science par l'expérience : « Il n'est desir plus naturel que le desir de la connoissance. Nous essayons tous les moyens qui nous y peuvent mener. Quand la raison nous faut, nous y employons l'expérience ». Tous les reproches que l'ouvrage a pu formuler contre la raison logique et l'aristotélisme, se réunissent en une maginfique conclusion pour imposer cette expérience comme suprême valeur pour la recherche de la vérité. Dans un très bel optimisme, Montaigne désormais célèbre avec Vivès et Sanchez le progrès des sciences et de l'esprit humain. Décidément moderniste, mais aussi humain, dans une science où le cas particulier seul est connu, il se refuse avec les Stoïques à « faire tort en détail ». Le branle de l'individu qui le sépare de celui du monde, l'esthétique aussi peut-être de la mesure empêchent que l'homme, seul saisi, soit sacrifié au collectif[70]. L'expérience scientifique de Montaigne rejoint donc son expérience politique ou morale, tous les thèmes se confondent en la vision du monde la plus cohérente. Connaissance du moi, ou connaissance de la nature, toute expérience converge vers le forgeron divin. La peinture même de ses maux les plus humains, et la présence de la mort, lui font achever son ouvrage sur le mot de la *Genèse* qui faisait aussi la conclusion des *Confessions* : « Tout bon, il a faict tout bon », « Omnia quae secundum naturam sunt, aestimatione digna sunt. »[71] Retrouvant ainsi, à la fin de son ouvrage, l'inspiration lointaine qui l'a dominé à travers ses sources bonaventuriennes, Montaigne peut affirmer « C'est une absolue perfection, et comme divine, de sçavoyr jouyr loiallement de son estre. »[72] Les conversions philosophiques et scientifiques pratiquées dans les *Essais* ont ouvert la pensée, antique encore des débuts du christianisme, aux exigences des grandes transformations économiques et morales du XVIe siècle. Dans cette jouissance de la mesure accordée par Dieu à la condition humaine, Montaigne a trouvé une stabilité et une vérité pour son temps.

A la lumière du *De Disciplinis*, et du *Quod nihil scitur*, revenu lui-même aux *Confessions*, Montaigne a su mesurer la fécondité du doute initial qui présida au processus de la conversion de Saint Augustin. Les plateaux vides de la balance, image par laquelle on veut figurer toute sa philosophie, ne sont point symbole d'aucun scepticisme, mais de la réceptivité et de l'attente de l'esprit. Ils supposent la justesse du jugement. La remise en question de toutes les valeurs, préalable à la découverte de la vérité, comme l'ἀπορία du dialogue socratique, est méthode d'investigation, et certitude de la saisie. Ainsi, par l'introspection s'opère l'accès au divin, et, par l'expérience et le jugement, la pénétration du monde. Un être en perpétuel devenir, est seul propre à atteindre la mouvance plus vaste de l'univers, et à y imprimer sa marque. Dans cette liberté supérieure s'accomplit toute la bonté du Créateur.

La pensée bonaventurienne ainsi, à travers cette nouvelle dimension que lui donnent Vivès, Sanchez et Montaigne se présente, bien opposée à tout scepticisme, comme la permanence de l'ancienne tradition médiévale qui garantit la dignité de l'homme face au matérialisme, toujours vivant. Elle renouvelle les sciences de la nature par cette authenticité de la pensée qu'exige l'appel au jugement. Le sentiment religieux sauve les valeurs humaines, et assure le progrès des sciences face à des ambitions illimitées qui se perdent dans l'infini du monde auquel elles croient participer. L'esthétique de la mesure augustinienne triomphe de l'ivresse que causent l'amour de soi, et l'illusion d'une puissance sans borne. Ramenant l'homme à la réalité, elle lui assure la domination véritable du monde, dans la contemplation de l'ordre divin.

CONCLUSION

Transmises par le christianisme, les exigences de la pensée grecque ont assuré, à travers le moyen âge, une redécouverte de l'humain. L'équilibre entre l'âme et le corps nécessaire à ce bonheur qui s'attache à la pleine réalisation de l'être, une pensée juste parce qu'elle communique avec le divin, imposent, dans un monde déchiré, la pitié devant des souffrances senties comme inéluctables à la vie terrestre. Si Montaigne, en ses *Essais*, est toujours plus proche de l'authenticité de la doctrine d'Augustin, que de son commentateur Vivès, du moins, dans les marges de *la Cité de Dieu*, il a puisé une conception très vivante du christianisme, qui en élargit les principes avec la compréhension des siècles. Parce que le prochain, dans la dignité supérieure de sa pensée, se confond avec Dieu même, Montaigne a placé aussi la réalisation suprême de son existence dans l'amour.

Les raisons historiques qui avaient fait du port de Bordeaux un lieu d'accueil pour les persécutés espagnols, avaient imposé au Collège de Guyenne ces maîtres qui, disciples de Vivès, reprenaient la recherche bonaventurienne de la vérité. Si Sebon avait subi l'influence platonicienne en reprenant l'exposé des raisons nécessaires d'Anselme, il avait aussi orienté son ouvrage vers une méthode de recherche de la vérité qui se fondait sur une critique des témoignages, et la connaissance du monde. Il reprenait ainsi les grands préceptes de Roger Bacon, sinon déjà le refus du principe d'autorité qui fondait la scolastique, du moins, la reconnaissance de l'expérience et du jugement comme méthode d'investigation scientifique. Imposant les mêmes idées, et projetant sur elles la lumière de son humanisme très étendu, Vivès, à son tour, a conduit Sanchez dans sa conversion aux sciences. Il a éclairé Montaigne dans cette reprise très libre du processus de l'illumination, vécue par Augustin à Ostie, où le refus et l'insatisfaction des sciences acquises communiquent la certitude de la science divine, et par là son atteinte partielle. Dans cette pensée qui procède par bonds et retours sur soi-même, Vivès, Sanchez, et Michel de Montaigne, savaient faire progresser le monde en le ramenant à une science divine en son essence, où se rencontrent amour et vérité.

NOTES

LA TRADITION PLATONICIENNE DANS LE CHRISTIANISME, SES AFFRONTEMENTS, SES DIVERGENCES

1. Jacques Chevalier, *Histoire de la pensée*, Tome 2, p. 446, « le miroir brisé. L'apogée du XIIIe siècle et le rôle de la France dans la chrétienté. Symptômes d'un esprit nouveau : la voie moderne.
2. Thucydide, II - XXXIV à XLVII.
3. *Essais*, I-XXXI, p. 211.
4. *Timée*, 30b à 35 a.
5. *Ibidem*, 42d.
6. *Politique*, I-VIII, 12 et *passim*.
7. *Ibidem*, I -II, 15.
8. *Ibidem*, I-IV,2.
9. *Ibidem*, I-II,12.
10. *Ibidem*, I-II,16.
11. *Ibidem*, I-II,12.
12. cf. *Infra.* p. 67 sq.
13. *De Trinitate*, II-VIII,III.
14. *Cité de Dieu*, II-XXI.
15. *Ibidem*, XXII-VI.
16. *Ibidem*, XII-XII, sq.
17. *Ibidem*, XII-XIV.
18. *Ibidem*, XIV-IX.
19. *Ibidem*.
20. Anselme, *Monologion*, ch. I, p. 9 dans *Rationalisme chrétien à la fin du XI^esiècle*, Tr. H. Bouchitté, Amyot, Paris, 1842.
21. *Ibidem*, ch. III, p. 17.
22. J. Guy Bougerol, *Introduction à l'étude de Saint Bonaventure*, Paris, Desclée, 1961, p. 71.
23. *Itinéraire de l'âme à Dieu*, ch. II, p. 40, dans *Théologie Séraphique*, tr. C. Alix, Paris, Lecoffre, 1853-1855.
24. *Théologie Naturelle*, XCIX, p. 163.
25. *Ibidem*, CLXXXIX, p. 334-335.
26. Freidrich Stegmuller, Stuttgart, 1966 : reproduction de l'édition de 1852 du *Liber creaturarum* de Sebon. Cf Introduction.
27. Lulle, *Blaquerne*, traduction de Gerson, Denys Moreau, Paris, 1632, p.45.
28. *Ibidem*, p. 48.
29. *Théologie Naturelle*, CXXX, p. 221.
30. *Ibidem*, CXLIII, p. 247.
31. *Ibidem*, CXLIV, p. 249. Robert Aulotte (*Montaigne - Apologie de Raimond Sebond*, Sedes, Paris, 1979, p. 18) rapporte cette conception de l'amour à l'influence des mystiques espagnols.

32. *Ibidem,* Préface, p.6, VI : « En cette decadence et fin du monde, il est besoing que tous les Chrestiens se roidissent, s'arment et s'asseurent en ceste foy là, contre ceux qui la combattent, pour se garder d'estre seduicts, et s'il en est besoing, mourir allaigrement pour elle. »

33. J. Chevalier, *op. cit.,* p. 412.

34. Bacon dit de lui qu'il fut le maître des expériences, le seul apte à en comprendre les racines et le fondement. Il était originaire de Picardie.

35. 1250-1310. Dans son *De intellectu et intelligibili,* Dietrich de Freiberg mentionne les moyens que l'art fournit au secours de la vue : on connaissait alors l'usage de la loupe, probablement des lunettes, des miroirs concaves à forme parabolique, de la boussole, etc. (J. Chevalier, p. 407). Le texte de Sanchez n'en suppose pas davantage, de même que ses expériences sur la réfraction de la lumière rappellent celles de Roger Bacon, ou mieux de Witelo (1220-1270).

36. François Picavet, *Essais sur l'histoire générale et comparée des théologies et des philosophies médiévales,* Paris, Alcan, 1913. « Ceux que combat Roger Bacon » p. 65 sq.

37. Roger Bacon, *Opus Tertium,* p. 30, dans Picavet, p. 272.

38. Charles B. Schmitt, *Gianfrancesco Pico Della Mirandola (1469 ?-1533), and his critique of Aristotle,* M. Nijhoff, The Hague, 1967.

39. Il ne faut pas confondre la tradition aristotélicienne averroïste des deux vérités, qu'illustre au XVIe siècle Pomponazzi, à l'Université de Padoue, avec son renouvellement dans une pensée sceptique, telle celle de Corneille Agrippa.

40. Lactance, *Divines Institutions.* L'impuissance des philosophes à atteindre la vérité constitue l'argument majeur de l'apologétique de Lactance. Il la pose en principe au début de l'ouvrage (L.I, V) « Qu'il suffise maintenant d'avoir montré que les plus grands hommes, et les génies les plus sublimes de la savante Grèce et de la sage Italie ont approché de la vérité, et ils l'eussent sans doute vue dans toute son évidence si le malheur de leur naissance ne les eût engagés dans des opinions fausses. » L'affirmation est moins nette livre VII, Ch. VII : « Les Philosophes ont donc attainct toute la verité et tout le secret de la divine religion; mais quand les uns repugnoient, les autres n'ont peu defendre ce qu'ılz avoient trouvé, parce que leur raison n'a semblé bonne à tous. » Traduc. Fame, Mathurin Dupuys, Paris, 1547.

41. « Quanto usui autem esse possit Sexti Empirici commentarius ad tuenda Christianae religionis dogmata adversus externos Philosophos, pulchre docet Franciscus Picus Mirandulanus in eo libro quo Christianam tuetur philosophiam adversus dogmata externorum Philosophorum. Quo magis miror esse nostris temporibus extortos novos quosdam Academicos, qui gloriae sibi fore ducunt, si veteri et vera Christi spreta religione, novae et adulterinae haeresis sint sectatores. Neque vero solum ad tuenda Christianae religionis dogmata usui esse poterit hic Sexti Empirici commentarius, sed etiam ad ipsam quae nunc in scholis praelegitur melius discendam ac tenendam philosophiam, et orbem illum quem vocant disciplinarum. Nihil enim melius discitur, quam quod ultro, citroque habita disputatione agitatur. « Dans les éditions postérieures à 1569, Gentian Hervet a supprimé l'éloge de Pic, mesurant sans doute son influence sur l'origine du mouvement sceptique.

42. Paris, Coignard, 1670, p. 10.

43. *Cité de Dieu,* XIX-VI.

44. *Ibidem,* XII-XXII.

SEBON ET L'AUGUSTINISME MORAL
LA FIDÉLITÉ DU SOUVENIR

1. *Essais*, II-XII, p. 439.

2. *Ibidem*

3. J. Coppin, *Montaigne traducteur de Raymond Sebon*, Lille, 1925, p. 10 sq.

4. *Essais* II, XII, p. 441 : « C'est la foy seule qui embrasse vivement et certainement les hauts mysteres de nostre Religion. Mais ce n'est pas à dire que ce ne soit une tresbelle et tres loüable entreprinse d'accommoder encore au service de nostre foy les utils naturels et humains que Dieu nous a donnez. Il ne faut pas douter que ce ne soit l'usage le plus honorable que nous leur sçaurions donner, et qu'il n'est occupation ny dessein plus digne d'un homme Chrestien que de viser par tous ses estudes et pensemens à embellir estandre et amplifier la verité de sa creance. »

5. Paul IV (1558-1559) condamne tout l'ouvrage. Le concile de Trente limite la condamnation au Prologue.

6. *Essais*, II, XII, p. 441 : « Si elle n'entre chez nous par une infusion extraordinaire ; si elle y entre non seulement par discours, mais encore par moyens humains, elle n'y est pas en sa dignité ni en sa splendeur. »

7. Robert de Lenoncourt, en 1535, évêque de Châlons sur Marne et de Metz. Envoyé par le roi auprès de Charles Quint pour une mission politique, il fut fait Cardinal par Paul III en 1538, archevêque d'Embrun en 1548, puis d'Arles. Il assista à quatre conclaves, pour les élections de Jules III, Marcel II, Paul IV, Pie IV. Il mourut à la Charité sur Loire en 1561. Anselme, *Gallia Christiana*, IX, col. 896.

8. cf. *Marguerite de Valois* éd. Yves Cazaux, « Le temps retrouvé » XXV Mercure de France, 1971, p. 153. « Nous revinsmes à Pau en Béarn, où n'y ayant nul exercice de la religion Catholique, l'on me permit seulement de faire dire la messe en une petite chapelle qui n'a que trois ou quatre pas de long, qui estant fort estroicte estoit pleine quand nous y estions sept ou huict ». Marguerite relate ensuite comment des paysans qui s'étaient introduits secrètement dans cette chapelle, le jour de la Pentecôte, furent battus, mis en prison, et condamnés à une grosse amende par les gens de son mari, sans qu'elle pût les défendre.

9. cf. P. Bonnefon, *Montaigne et ses amis*, A. Colin, 1893, p. 101.

10. *Théologie Naturelle*, CCCI, p. 362.

11. *Ibidem* CCXVI, *Essais*, p. 1312.

12. J. Coppin, *Op. cit.*, p. 137.

13. *Essais*, II, XXXVII, p. 763.

14. *Théologie Naturelle*, CCXXIV, p. 431 : « Car ce n'est ny le corps à part, ny l'ame à part, mais leur conjonction qui faict l'humaine nature. »

15. *Essais*, III, XIII, p. 1110.

16. *Théologie Naturelle*, CCXXIV, p. 431 : « Ainsi veu que le corps et l'ame, ou la nature spirituelle et corporelle nous appartiennent, et que nous sommes à juger, il faut que le jugement touche nostre corps comme nostre ame, et que nous soyons jugez en l'un et en l'autre ensemble, car ce n'est ni le corps à part, ny l'ame à part, mais leur conjonction qui faict l'humaine nature. Si elle a

merité ou demerité, ce n'est pas au corps seul, ny en l'ame seule, mais au corps et en l'ame ensemble. Il faut donc qu'elle soit glorifiée ou chastiee en tous les deux. »

17. *Essais*, II, XVII, p. 639.
18. *Théologie* Naturelle, CLXXXIX, p. 337.
19. *Essais*, II, XXXVI, p. 756.
20. *Théologie Naturelle*, CLXXXIX, p. 335 : « Car la gloire, la reputation et l'honneur sont accidens exterieurs non interieurs ny appartenans à la chose. »
21. *Ibidem*, CVI.
22. *Essais*, III, V, p. 862.
23. *Confessions*, IV, VI, p. 74.
24. *Essais*, I, XXVIII, p. 193.
25. *Ibidem*, p. 185.
26. *Ibidem*, p. 188.
27. *Théologie Naturelle*, CXXXI, p. 222.
28. L'essai *Des Cannibales*, qui justifie et reprend les théories politiques de La Boëtie, se présente aussi sur ce point, comme le complément nécessaire au chapitre *De l'amitié*. Les paroles des Cannibales, à la fin de l'essai, dans la présence des « moitiez » nécessiteuses à la porte des riches, soulignant l'inhumanité du temps, appellent un renouvellement de la morale de charité.
29. L'ouverture du IVe livre du *De Trinitate* semble avoir autorisé la pensée médiévale : « Scientiam terrestrium coelestiumque rerum magni aestimare solet genus humanum : in quo profecto meliores sunt qui huic scientiae praeponunt nosse semetipsos ; laudabiliorque est animus cui nota est vel infirmitas sua, quam qui ea non respecta, vias siderum scrutatur etiam cogniturus, aut qui jam cognitas tenet, ignorans ipse qua ingrediatur ad salutem ac firmitatem suam. » Ainsi Bernard de Clairvaux commençait ses *Méditations* : « Il est bien certain que beaucoup de personnes ont la connaissance de beaucoup de choses, mais ils ne se connaissent pas eux-mêmes ». Puis Bonaventure précisait, également au début de ses *Méditations* : « Cy, comme dit le Philosophe, au commencement de *Métaphysique* : Omnis homo natura scire desiderat ». A l'époque de Sebon *L'Imitation de Jésus-Christ* reprenait à l'ouverture de son deuxième chapitre : « Tout homme desire naturellement de savoir, mais que sert la science sans la crainte de Dieu ? En vérité un paysan humble, et qui obéit à Dieu, vaut mieux qu'un philosophe superbe, qui, au lieu de se connaître, et de se régler lui même, dissipe son temps à considérer le cours du ciel et des astres. »
30. « Il n'y a rien plus familier, plus interieur et plus proche à chacun que soy mesme à soy. » p.2.
31. *Essais*, II-XII, p. 446.
32. *Ibidem*, p. 447.
33. *Ibidem*.
34. *Ibidem*, I-XXVI, p. 146.
35. Saint François de Sales, *Traité de l'amour de Dieu*, Chapitre XII, p. 399, Ed. Migne, tome 3.
36. *Essais*, I, XXVI, p. 156.
37. *Cité de Dieu*, XXI, VIII, p. 417.
38. *Essais*, I, XXIV, p. 127.
39. *Essais*, *Ibidem*, p. 128.

LA CRITIQUE D'UNE THÉOLOGIE MELÉE

1. Oeuvres de saint Augustin, 15, *La Trinité*, Introduction (E. Hendrix, p. 14) « Bibliothèque augustinienne », Desclée de Brouwer, 1955.
2. Mathieu, XVII,5 et III, 16 — Jean II, 28 — Marc I, 11.
3. «Haec et mea fides est, quando haec est Catholica fides. » I - IV, p. 104.
4. *De Trinitate* I, I-V, p. 106 : «Ergo suscepi haec, jubente atque adjuvante Domino Deo nostro, non tam cognita cum auctoritate disserere, quam ea cum pietate disserendo cognoscere. »
5. *Ibidem*, I, I-VIII-15, p. 124 : « Illud autem quod dicit Apostolus « Cum autem ei omnia subjecta fuerint, tunc et ipse Filius subjectus erit qui illi subjecit omnia ». Aut ideo dictum est, ne quisquam putaret habitum Christi, qui ex humana creatura susceptus est, conversum iri postea in ipsam divinitatem, vel, ut, certius expresserim, deitatem, quae non est creatura, sed est unitas Trinitatis incorporea et incommutabilis et sibimet consubstantialis et coeterna natura. »
6. *Ibidem* I,IV-XIX, p. 412 : «Quia et nos secundum quod mente aliquid aeternum, quantum possumus, capimus, non in hoc mundo sumus. »
7. *De Trinitate* II, XV, II, » p. 424.
8. *Ibidem* II, XI, VI, p. 190 : « Si autem aliquid ita placet, ut in eo cum aliqua delectatione voluntas acquiescat; nondum est tamen illud quo tenditur, sed et hoc refertur ad aliud, ut deputetur non tanquam patria civis; sed tanquam refectio, vel etiam mansio viatoris. »
9. *De Trinitate* II, X, XII, 9, p. 158 : « Quapropter etiam tardioribus dilucescere haec possunt, dum ea tractantur quae ad animum tempore accedunt et quae illi temporaliter accidunt, cum meminit quod antea non meminerat, et cum videt quod antea non videbat, et cum amat quod antea non amabat. »
10. *Théologie Naturelle*, XIII : *La maniere de prouver toutes choses de l'estre* : « Pour avoir quelque regle et quelque maniere certaine de prouver toutes choses de l'estre, afin que nous suyvions le droit fil de nostre carriere, il nous faut poser deux fondemens. »
Fin du chapitre : « Par ce que la puissance d'engendrer appartient à l'estre, et l'impuissance au non estre, il s'ensuit que ceste puissance est en Dieu, ou bien il y aurait en luy quelque non estre, ce qui est impossible. »
11. *Ibidem*, XXX, p. 48.
12. *Théologie Naturelle*, XXIV, p. 42.
13. *Ibidem*, II, p. 8 : « Après avoir dit les quatre degrez des choses naturelles, desquels nous sommes instruits indubitablement par nos sens et par l'experience il nous faut à cette heure assortir les unes choses aux autres »... « Car il (l'homme) a les quatre degrez : et ne luy en peut estre rien adjousté. »
14. *Théologie Naturelle*, Ch. XXIV, p. 42.
15. *Essais* I, XXXVIII, p. 235.
16. *Théologie Naturelle*, CCV, p. 5.
17. *Essais* I, XLI, p. 255.
18. *Cité de Dieu*,V, XVII, p. 498 : « Tolle jactantiam et omnes homines quid sunt nisi homines ? Quod si perversitas saeculi admitteret, ut honoratiores essent quique meliores : nec sic pro magno haberi debuit honor humanus, quia nullius est ponderis fumus. »

19. cf. infra, p. 177 sq.

20. *Cité de Dieu* XII-XIV.

21. *Confessions* X-XIV : « An in hoc dissimile est, quod non undique simile est. »

22. *Essais* III, XIII, p. 1065.

23. *Ibidem*, p. 1070.

24. Turnèbe, Publications religieuses : *Philonis Judaei in libros Mosis : De Mundi Opificio, Historicos, De Legibus, Ejusdem Libri Singulares — MDLII.*
Clementi Romani episcopi de rebus gestis, peregrinationibus atque concionibus sancti Petri epitome — MDLV
D. Caecilii Cypriani episcopi carthaginiensis Martyris Christi Opera — MDLIIII

25. *De Trinitate*, I, II, I, p. 182 : « Quae utraque nobis ad hoc proponitur intuenda, ut ipse quaeratur, ipse diligatur, qui et illam inspiravit, et istam creavit. »
II-XV-IV, p. 434 : « Neque enim divinorum Librorum tantummodo auctoritas esse Deum praedicat, sed omnis quae nos circumstat, ad quam nos etiam pertinemus, universa ipsa rerum natura proclamat, habere se praestantissimum Conditorem, qui nobis mentem rationemque naturalem dedit, qua viventia non viventibus, sensu praedita non sentientibus, intelligentia non intelligentibus, immortalia mortalibus... bona malis, incorruptibilia corruptibilibus, immutabilia mutabilibus, invisibilia visibilibus, incorporalia corporalibus, beata miseris praeferenda videamus. »

26. *De Trinitate* II, XII, II, introduction, p. 213.

27. *Théologie Naturelle*, LIX, p. 96.

28. *Ibidem*, LXII, p. 101.

29. *Essais*, II-XII, p. 453.

30. *Ibidem*, p. 459.

31. *Théologie Naturelle*, LXI, p. 100.

32. *Ibidem*, CCXX, p. 64.

33. cf supra *Cité de Dieu* XII-XIV et *Confessions* X-XIV.

34. *Essais*, II, XII p. 587 : « (A) ce propos m'a porté sur la consideration des sens, ausquels gist le plus grand fondement et preuve de nostre ignorance. Tout ce qui se connoist, il se connoist sans doubte par la faculté du cognoissant : car, puisque le jugement vient de l'operation de celuy qui juge, c'est raison que cette operation il la parface par ses moiens et volonté, non par la contrainte d'autruy, comme il adviendroit si nous connoissions les choses par la force et selon la loy de leur essence. Or toute cognoissance s'achemine en nous par les sens, ce sont nos maistres,
   (B) via qua munita fidei
Proxima fert humanum in pectus templaque mentis.
   (A) La science commence par eux et se resout en eux. »

35. *Ibidem*, II XII, p. 575.

36. *Théologie Naturelle*, CCXXX, p. 98.

37. J. Coppin, p. 67.

38. *Ibidem*, p. 90.

39. *Théologie Naturelle*, CXLII, p. 246, 3 éd. consultées portent les deux annotations marginales : « Amor Dei lux est — Amor suiipsius est tenebra. » Venise 1581, Lyon 1526-1540.

40. Sénèque, *Lettre à Lucilius*, L.VIII, LXX, 12 : « Vitam et aliis approbare quisque debet, mortem sibi : optima est, quae placet. »

41. *Essais*, II, III, p. 351.

42. *Théologie Naturelle*, CLXI, p. 280.

43. *Essais*, II, III, p. 353.

44. *Ibidem*, I, XIV, p. 55.

45. *Essais*, I, XXVI, p. 155.

46. *Théologie Naturelle*, CXLIV, p. 249.

47. *Essais*, I, XXIII, p. 120.

L'ÉLABORATION D'UN NOUVEL AUGUSTINISME

1. Aristote, *Parties des animaux*, Tr. Pierre Louis, Paris, Belles Lettres, 1956. I-V, 645: « J'entends par analogie le fait que certains animaux ont un poumon, alors que les autres n'en ont pas, mais que ceux ci ont un autre organe qui tient lieu du poumon que possèdent les premiers... Mais, puisque tout instrument est destiné à une fin, que chaque organe du corps existe également en vue d'une fin, et que la fin est une action, il est évident aussi que l'ensemble du corps est constitué en vue d'une action complexe. »

2. Aristote, *Histoire des animaux*, I-6 : « Il faut d'abord prendre connaissance des parties dont les animaux sont constitués. Car c'est à propos d'elles qu'interviennent les premières et les principales différences entre les animaux considérés dans leur entier, suivant la présence ou l'absence de ces parties, leur place et leur disposition, suivant aussi les différences dont nous avons parlé plus haut, et qui tiennent à la forme, à l'excès, à l'analogie, à l'opposition des caractères. Mais il faut commencer par prendre connaissance des parties de l'homme. De même en effet que chacun compte la monnaie en la comparant à celle qui lui est la plus familière, ainsi en est il dans les autres domaines. Or l'homme est celui des animaux qui nous est nécessairement le mieux connu. En tout cas, les parties du corps ne sont pas hors de portée des sens. Cependant pour combiner le raisonnement et l'observation, il faut d'abord parler des organes, puis des parties homéomères. » Tr. Pierre Louis, Paris, Belles Lettres, 1969.

3. Platon, *République*, IV, 426d et 434a.

4. Platon, *Timée*:, 34a : « Quant à l'âme, l'ayant placée au centre du corps du monde, il l'étendit à travers le corps tout entier, et même au delà de lui, et il enveloppa le corps. Il forma ainsi un ciel circulaire, ciel unique, solitaire, capable par sa vertu propre de demeurer en soi-même, sans avoir besoin de rien autre, mais se connaissant et s'aimant lui même suffisamment. Et par tous ces moyens, il l'engendra, Dieu bienheureux. » Tr. Albert Rivaud, Paris, Belles Lettres, 1970.

5. *Ibidem*, 69c.

6. *Ibidem*, 41e.

7. *De Trinitate*, I-I, « Rebus enim quae in creatura inveniuntur, solet Scriptura divina velut infantilia oblectamenta formare, quibus infirmorum ad quaerenda superiora et inferiora deserenda, pro suo modulo tanquam passibus moveretur affectus. »

8. *Ibidem*, XIII-XIX.

9. *Théologie Naturelle*, Préface, p. X.

10. *Ibidem*, CIII: p. 170.

11. *Ibidem*, CIV, p.175.

12. *Ibidem*, p. 177.

13. *Ibidem*, CV, p. 179 : «Parquoy il semble que nostre ame ainsi equipee de divers offices et puissances, dresse en soy comme une royauté, en laquelle ses superieures vertus commandent aux inferieures, les regissent et les gouvernent. Les inferieures reçoyvent les commandemens qui leur sont faits et y obeyssent. Voyla pourquoy sa petite monarchie s'entretient si bien et si paisiblement. »

14. *Ibidem*, CIII.

15. *Essais*, I-XXVI, p. 157.

16. *Cité de Dieu*, XIV-XXVI, B. cf. infra.

17. *Ibidem*, VII-VIII, A. Vivès : « Ce roi (Janus) fut appellé ayant deux frons pource qu'il a esté fort prudent, et a vu de loin les choses à venir, et a regardé aux passees ». Le raisonnement de l'analogie se trouve exposé dans le même chapitre, au commentaire B, donné au terme ὀυρανόυ.

18. *Essais*, III-V, p. 842.

19. *Cité de Dieu*, XIII-X. Le passage a été largement utilisé par Montaigne dans l'essai I-XX. Le raisonnement propre à Augustin, qui détruit la valeur du temps dans l'éternel se double d'une contemplation de la vie humaine où le temps écoulé se fige dans l'instant. La mélancolie appelle celle de Montaigne.

20. Pascal, *Pensées, Place de l'homme dans la nature*, p. 1106. Ed. J. Chevalier, Bibl. de la Pléiade. 1954.

21. *Essais*, III-X, p. 1018.

22. *Théologie Naturelle*, p. 3.

23. *Ibidem*, p. 4.

24. *Enchiridion*, Tr. A. J. Festugière, Paris, Vrin, 1971, p. 115.

25. *Théologie Naturelle*, p. 4.

26. *Essais*, I, XXXIX, p. 240.

27. *Cité de Dieu*, I, X.

28. *Essais*, III, XIII, p. 1073.

29. *Ibidem*, III, II, p. 811.

30. *Ibidem*, III, X, p. 1003.

31. *Ibidem*, p. 1004.

32. Pascal, *Pensées*, p. 1138-205 (239) : « Quand je m'y suis mis quelquefois, à considérer les diverses agitations des hommes, et les périls et les peines où ils s'exposent, dans la cour, dans la guerre, d'où naissent tant de querelles, de passions, d'entreprises hardies et souvent mauvaises etc... j'ai découvert que tout le malheur des hommes vient d'une seule chose, qui est de ne savoir pas demeurer en repos, dans une chambre »

33. *Essais*, III, X, p. 1006.

34. *Ibidem*, p. 1006.

35. *De Trinitate*, II, XII-XIV, p. 250 : « Habet enim et scientia modum suum bonum... Sine scientia quippe nec virtutes ipsae, quibus recte vivitur, possunt haberi, per quas haec vita misera sic gubernetur, ut ad illam quae vere beata est, perveniatur aeternam.

Distat tamen ab aeternorum contemplatione actio qua bene utimur temporalibus rebus, et illa sapientiae, haec scientiae deputatur. »

36. *De Doctrina Christiana*, II-XXXVII, 55 : (conclusiones, definitiones et distributiones) « magis in his omnibus ipsa spectacula veritatis saepe delectant, quam ex eis in disputando aut judicando adjuvamur; nisi forte quod exercitatoria reddunt ingenia, si etiam maligniora aut inflatiora non reddant, hoc est, ut aut decipere verisimili sermone atque interrogationibus ament, aut aliquid magnum, quo se bonis atque innocentibus anteponant, se assecutos putent qui ista didicerunt. »

37. *Théologie Naturelle*, II, p. 8.

38. *Ibidem*.

39. *Essais*, I, XXV, p. 139.

40. *Essais*, I-XXXI, p. 205.

41. *Thevet*, 1512-1592, historiographe et cosmographe du roi, auteur d'une *Cosmographie du Levant*, et des *Singularitez de la France antartique*:

42. *Essais*, I, XXXI, p. 205.

43. *Ibidem*, II, X, p. 417.

44. *Ibidem*, p. 417.

45. *Cité de Dieu*, XXI-VIII et Montaigne, *Essais* I, XXIII-XXVI-XXVIII-XXXI-LIV etc.

46. *Essais* I, LIV, p. 312.

VIVES ET L'AMOUR PARMI LES HOMMES

1. Vivès, lettre à Erasme du 19 janvier 1522, traduction R. Aznar Casanova:
« Veille, je t'en prie, à ce que quelques centaines d'exemplaires de cet ouvrage
soient tirés à part : en effet, il y aura beaucoup de savants qui, ou bien ne
voudront pas acheter l'*Augustinus* en entier, ou bien ne le pourront pas, non
qu'ils soient dans la misère, mais parce qu'ils ne disposent pas d'une somme
suffisante. Tu dois savoir que presque tous ceux qui s'occupent de ces
questions plus recherchées, à part ce livre de Saint Augustin, n'ont rien lu
d'autre du même auteur. » *Soixante lettres de Jean Luis Vivès* (1492-1540),
Paris, P.U.F. 1943, p. 276.

L'HUMANISME SUBORDONNÉ A LA FOI

1. Bâle, Froben, 1528-1529, 1543, 1556, 1569-1570, P. 1531, 1541,
Venise, 1552, 1570, 1584.

2. Bâle, Froben, 1522, 1529, P. 1531, 1541, 1555; Bâle, 1556, 1570;
P.1613; Lyon, 1563, 1570, 1586; Cologne, 1616, p. 1636.

3. Vivès préface « Nous aussi pareillement estans contens d'avoir exposé
à ceux qui le liront, que c'est que les autres ont dit et senty, nous avons retenu
nostre sentence et opinion sans la dire, ayans imité la vieille mode de
l'Académie : partie pour ce que j'ay estimé que cela appartenoit plus à l'expo-
siteur de l'œuvre d'autruy, en partie aussi pour ce que j'estoye d'opinion, qu'il
faut differer, et ne declarer point sa sentence, et suivre plus-tost les choses
d'autruy, que mettre en avant et faire parade des siennes devant les cheveux qui
grisonnent, qui donnent non pas peu d'authorité aux censeurs et aux jugemens,
et non sans cause. Il y a beaucoup de choses qui me semblent maintenant
vrayes, certaines et asseurees, lesquelles s'il advient que je vive plus long temps,
non seulement à raison de l'aage ne me sembleront pas doubteuses, ains aussi
tresfaulses. Et pour ceste cause, il m'a plus pleu en plusieurs lieux de donner
plaisir au Lecteur, que l'enseigner. Et si j'enseignoye quelque chose, je ne l'ay
pas tant voulu persuader en commandant severement, qu'en priant et admon-
nestant doucement. Nous avons aucunesfois esté induits à cecy pour ceste cause,
que Sainct Augustin s'estend aucunesfois assez et s'interprete soy-mesmes. Et
pour ce le labeur d'enseigner m'estant osté, j'ay prins plaisir à me joüer et conduire le lecteur en des digressions, lesquelles ce pendant ne sont pas trop mal
aggreables et desplaisantes ».

4. *Essais* II, XII, p. 601 « Et nous, et nostre jugement, et toutes choses
mortelles, vont coulant et roulant sans cesse ». Sanchez p. 51 « Quid dices ?
Nec ipsemet scit quando verum dicat, quum modo hoc, modo illud : Utrobique
tamen sibi credi velit. Praeter has autem corporis mutationes, impediunt etiam
veritatis cognitionem animi affectiones. »

5. *Ibidem*, III, IX, pp. 994-995 « J'ayme l'alleure poetique à sauts et à
gambades... (Platon) luy mesmes est tout poëtique, et la vieille Theologie
poësie, disent les sçavans et le premiere philosophie. C'est l'originel langage
des Dieux. »

6. *Ibidem*, I, XXVI, p. 171-XL, p. 252. II, XVII, p. 638. III,IX, p.994.

7. Vivès. Préface : « lors il est besoing cercher, tourner, fueilleter et deviner là où est le lieu que Sainct Augustin allegue de quelque autheur : lequel lieu quand on aura long temps bien cerché, c'est plutost hazard de le trouver qu'érudition. Car un vray ignorant y tombera bien souvent, là où un homme docte l'ayant bien cerché par les traces ne l'aura peu trouver. »

8. Vivès, XIX, VI B. voir infra. p. 145, note 69.

9. Villey, pp. 72-73. 20 des emprunts de 1595 se rencontrent dans l'*Apologie de Raymond Sebon*. « Ils servent à autoriser le doute de Montaigne, et les opinions qu'il a émises sur la divinité. »

10. *Essais*, II, XII, p. 516-517.

11. *Ibidem*

(C) «Fiez vous à vostre philosophie; vantez vous d'avoir trouvé la feve au gasteau, à voir ce tintamarre de tant de cervelles philosophiques!...

(A) Les choses les plus ignorées sont les plus propres à estre deifiées : (C) Parquoy de faire de nous des Dieux, (A) comme l'ancienneté, cela surpasse l'extreme foiblesse de discours. J'eusse encore plustost suivy ceux qui adoroient le serpent, le chien et le bœuf; d'autant que leur nature et leur estre nous est moins connu; et avons plus de loy d'imaginer ce qu'il nous plaist de ces bestes-là et leur attribuer des facultez extraordinaires. Mais d'avoir faict des dieux de nostre condition, de laquelle nous devons connoistre l'imperfection, leur avoir attribué le desir, la cholere, les vengeances, les mariages, les generations et les parentelles, l'amour et la jalousie, nos membres et nos os, nos fievres et nos plaisirs, (C) nos morts, nos sepultures (A) il faut que cela soit party d'une merveilleuse yvresse de l'entendement humain.

p. 517 (C) «Formae, aetates, vestitus, ornatus noti sunt; genera, conjugia, cognationes omniaque traducta ad similitudines imbecillitatis humanae : nam et perturbatis animis inducuntur : accipimus enim deorum cupiditates, aegritudines, iracundias».

12. *Ibidem* p. 517.

(A) Comme d'avoir attribué la divinité (C) non seulement à la foy à la vertu, à l'honneur, concorde, liberté, victoire, pieté; mais aussi à la volupté, fraude, mort, envie, vieillesse, misere, (A) à la peur, à la fievre et à la male fortune, et autres injures de nostre vie fresle et caduque.

Cité de Dieu, IV-XXX citant Cicéron *De natura Deorum* II XXVII. «Videtisne igitur, ut a physicis rebus bene atque utiliter inventis ratio sit tracta ad commenticios et fictos deos ? Quae res genuit falsas opiniones erroresque turbulentos et superstitiones paene aniles. Et formae enim nobis deorum et aetates et vestitus ornatusque noti sunt, genera praeterea, conjugia, cognationes, omniaque traducta ad similitudinem imbecillitatis humanae. Nam et perturbatis animis inducuntur : accepimus enim deorum cupiditates aegretudines iracundias.

Cité de Dieu IV-XX
Virtutem quoque deam fecerunt : quae quidem si dea esset, multis fuerat paeferenda...
Sed cur et Fides dea credita est et accepit etiam ipsa templum et altare ? Quam quisquis prudenter agnoscit.

Vivès a)

« Cicéron au livre des loix (dit)
qu'ils honorent et adorent les choses,
pour l'amour desquelles il a esté
donné à l'homme qu'il monte au ciel:
c'est à sçavoir, Intelligence, Vertu,
Pieté, et Foy. Le temple de la Foy
estoit au Capitole...
Cité XVIII-V.

13. (C) Les Aegyptiens d'une im-
prudente prudence, defendoyent
sur peine de la hart que nul eust à
dire que Serapis et Isis, leurs Dieux,
eussent autres fois esté hommes; et
nul n'ignoroit qu'ils ne l'eussent esté.
Et leur effigie representée le doigt sur
la bouche signifioit, dict Varro,
cette ordonnance mysterieuse à leur
prestres de taire leur origine mortelle,
comme par raison necessaire annul-
lant toute leur veneration.

Et constitutum est etiam de illo,
ut, quisquis eum hominem fuisse
dixisset, capitalem penderet poenam.
Et quoniam fere in omnibus templis,
ubi colebantur Isis et Serapis, erat
etiam simulacrum, quod digito labiis
inpresso admonere videretur, ut
silentium fieret : hoc significare idem
Varro existimat ut homines eos
fuisse taceretur. »

14. (A) Puis que l'homme desiroit
tant de s'apparier à Dieu, il eust
mieux faict, dict Cicero, de ramener
à soy les conditions divines et les
attirer ça bas, que d'envoyer là
haut sa corruption et sa misere;
mais, à le bien prendre, il a faict
en plusieurs façons et l'un et l'autre,
de pareille vanité d'opinion.

Vives a) IV - XXVI « Mais Homère
feignoit ces choses ce dit Tulle » :
« Homere feignoit ces choses et
attribuoit les actions humaines aux
Dieux. J'aimerois mieux qu'il nous
communiquast les choses divines.
Et qui sont les choses divines ? Avoir
une vivacité et vigueur, estre sage,
inventer, avoir memoire. C'est une
sentence fort grave par laquelle est
notee ou la superstition ou l'impiété de ceux qui mesurent Dieu à la
foiblesse de nostre fragilité et de noz
passions : en sorte qu'ils pensent
qu'il est tel que nous sommes,
fascheux, difficiles, querelleurs,
cruels, envieux, orgueilleux, arrogans,
legers, et pour conclusion, malheu-
reux et meschans. Combien vaudroit-
il mieux nous eslever à l'imitation de
la divine vertu et bonté. »

15. Aulu-Gelle, *Nuits Attiques*, XIX-I.
16. *Essais*, I,XIV, p. 50.
17. *Ibidem*, I, XIV, p. 57.
18. Vivès IX IV « que les imaginations de l'ame qu'ils appellent fantasies...»
19. Lucilius 70,2 : « Praenavigavimus, Lucili, vitam et quemadmodum in mari,
ut ait Vergilius noster, « Terraeque urbesque recedunt », sic in hoc cursu rapidis-
simi temporis primum pueritiam abscondimus, deinde adulescentiam, deinde
quicquid est illud inter juvenem et senem medium, in utriusque confinio
positum, deinde ipsius senectutis optimos annos : novissime incipit ostendi
publicus finis generis humani. Scopulum esse illum putamus dementissimi :
portus est ».
20. *Essais* I-XIV p. 51.
21. *Tusculanes* II, XXV, 61. Trad. J. Humbert, Paris, Belles-Lettres, 1970.
22. *Essais*, I, XIV, p. 55.
23. *Tusculanes* II XIV. « Ce n'est pas moi qui dirai que la douleur n'est pas
la douleur, aussi bien si cela était, à quoi servirait le courage? Mais je dis que

la patience en triomphe, si du moins la patience est une réalité; et si c'est une chimère, à quoi bon faire le panégyrique de la philosophie et se targuer d'être philosophe.» Trad. J. Humbert, Paris, Belles-Lettres, 1970.

Essais, I, XIV, p. 56 : « S'il ne l'estoit, qui auroit mis en credit parmy nous la vertu, la vaillance, la force, la magnanimité et la resolution ? Où jouëroyent elles leur rolle, s'il n'y a plus de douleur à deffier ? »

24. *Tusculanes*, II, XX, 46 et II, XIV, 34.

25. *Ibidem*, II, XVII, 40.

26. *Ibidem*, II, XXI, 49.

27. *Essais*, I, XIV, p. 58.

28. Vivès, XIII-XI C : « Devant la mort ne loue...
« Cecy ressemble à la sentence de Solon, disant : que personne ne doit estre appellé bien-heureux devant la mort : pource qu'il est incertain de ce qui luy adviendra encores. » La marge porte Solon dit cecy à Croesus: Voyez Herodote livre I.

29. Vivès, XIII-VIII A : « Quand ceux qui meurent...
« Car on dit que tant ceux desquels l'ame se part du corps, que ceux desquels elle est desja partie, sont en la mort. En façon que c'est mort, et quand elle s'en va et quand elle s'en est allee : tellement qu'aux mourans c'est passion, et aux mortz privation. De l'un et de l'autre usent les auteurs : de la premiere dit Virgile de mot à mot :
Icy Priam, combien qu'a demy mort se voye, (Virgile, Enéide II)

30. *Cité de Dieu*, XIII, VI.
« Quidquid tamen illud est in morientibus, quod cum gravi sensu adimit sensum, pie fideliterque tolerando auget meritum patientiae, non aufert vocabulum poenae. Ita cum ex hominis primi perpetuata propagine procul dubio sit mos poena nascentis, tamen si pro pietate justitiaque pendatur, fit gloria renascentis; et cum sit mors peccati retributio, aliquando impetrat, ut nihil retribuatur peccato. »

31. *Essais*, I, XIX, p. 80.

32. Vivès, VIII, III : « Socrate dispute de cecy amplement en Platon au dialogue *Phedon*, ayant à mourir : là où il monstre que personne ne peut bien philosopher s'il ne se separe le plus qu'il se peut faire de la compagnie du corps, c'est-à-dire de toutes affections.
Ce qu'alors se fera fort bien quand l'ame sera franche et delivre de la prison de ce corps : et qu'en ceste vie d'autant qu'un chacun se deslie et se despetre le plus des passions, d'autant plus librement et vrayement il contemple ce qui est, et la verité mesme, c'est-à-dire Dieu et les choses divines. Et pourtant on vient à définir Philosophie, la meditation de la mort, c'est à dire une separation : et comme si c'estoit quelque divorce de l'ame et du corps, afin que l'ame soit pure et nette, et non pas contaminee de la lie du corps : car il n'est pas loisible que la trespure divine verité soit touchee d'une ame ou esprit qui n'est pas pur et net. »
« la fin c'est celle à laquelle comme dit Ciceron, tout le conseil et toute l'intention de bien vivre et de bien faire se doivent rapporter. »

33. *Cité*, VIII-V. Vivès Référence aux *Tusculanes*: « Voyla que dit Ciceron enseignant que les ames des hommes sont immortelles. »

34. En dehors des chapitres II-IV-V-VIII du livre VIII de *la Cité de Dieu*, le même essai puise également au livre XIII dans les chapitres X et XI, au livre XIX dans les chapitres I et IV, au livre IX dans les chapitres I et IV, au livre XIV dans le chapitre IV, et au livre XII, chapitre XXII. En plusieurs emprunts, le commentaire de Vivès est privilégié sur le texte d'Augustin.

35. *Essais*, I, XXXVII, p. 230.

36. *Ibidem*, I, XXXVII, p. 231.

37. Préambule de Villey à l'essai, I, XXXIX.

38. *Essais*, I, XXXIX, p. 240.

39. *Ibidem*, p. 245.

40. *Ibidem*, p. 238. cf. *Cité de Dieu* XII-XXVIII « Nihil enim est quam hoc genus tam discordiosum vitio, tam sociale natura ».

41. *Cité de Dieu*, XIX-XXIV : « Populus est coetus multitudinis rationalis rerum quas diligit concordi communione sociatus. »

42. *Ibidem*: « Quid autem primis temporibus suis quidve sequentibus populus ille dilexerit et quibus moribus ad cruentissimas seditiones atque inde ad socialia atque civilia bella perveniens ipsam concordiam, quae salus est quodam modo populi, ruperit atque corruperit, testatur historia. »

43. Vivès, XIX-XXI : « En sorte que ceux-là sont, pour abbreger, jurisconsultes, qui sçavent manier ceste equité et loy de nature; et qui, comme dit Ciceron de Sulpitie, rapportent toutes choses à equité, et aiment mieux oster les differens qu'en y mettre, afin que la paix soit gardee entre les hommes, et au coeur d'un chascun : de laquelle chose il n'y a rien dequoy nature se resjouysse plus. »

44. *Lucilius*, 20-8, p. 83.

45. *Essais*, I, XXIX, p. 243.

46. *Cité de Dieu*, XII, ch. XII et XIII. Vivès en XII-XIII, cite l'opinion des Platoniques qui «estiment que retournans les mesmes causes, les mesmes effects reviendront». Mais aussi celle de l'Ecclésiaste «Et n'y a rien nouveau souz le soleil». Il la précise de cette réserve : « Toutesfois, il doubte si ces mondes seront du tout semblables entre-eux, ou s'il y aura quelque difference.» Voir aussi préface de Vivès supra.

47. St Paul I, Cor. II, II-15.

48. *Cité de Dieu*, V-XII « Quando quidem gloria est, cujus illi cupiditate flagrabant, judicium hominum bene de hominibus opinantium; et ideo melior est virtus, quae humano testimonio contenta non est nisi conscientiae suae. »

49. *Essais*, II-I, p. 334.

50. *Ibidem*, p. 333.

51. *Cité de Dieu*, V-XII : « Paucorum igitur virtus ad gloriam honorem imperium vera via, id est ipsa virtute, nitentium etiam a Catone laudata est. Hinc erat domi industria, quam commemoravit Cato, ut aerarium esset opulentum, tenues res privatae. Unde corruptis moribus vitium e contrario posuit, publice egestatem, privatim opulentiam. »

52. Ed. Villey préambule au chapitre *Des Livres*, p. 407.

53. *Essais*, II, X, p. 413.

54. Vivès, XIX-VI B «et estant innocent... »

55. Vivès, VIII,X.

56. *De Doctrina Christiana*, II, XXVIII et II, XI.

57. *Ibidem*, II, XXII et XXI.

58. *Essais*, II, X, p. 413.

59. *Ibidem*, p. 415.

60. *Cité de Dieu*, XIV-XV : « Nam quae hominis est alia miseria nisi adversus eum ipsum inoboedientia ejus ipsius, ut, quoniam noluit quod potuit, quod non potest velit ? In paradiso enim etiamsi non omnia poterat ante peccatum, quidquid tamen non poterat non volebat, et ideo poterat omnia quae volebat. »

61. *Essais*, I, XXIII, p. 122.

62. *Ibidem*, p. 389.

63. Térence, *Adelphes*, I-I-40. *Cité de Dieu*, XIX-V :
« Sed in hujus mortalitatis aerumna quot et quantis abundet malis humana societas, quis enumerare valeat ? quis aestimare sufficiat ? Audiant apud comicos suos hominem cum sensu atque consensu omnium hominum dicere : « Duxi uxorem; quam ibi miseriam vidi! Nati filii, .
Alia cura ».
Quid itidem illa, quae in amore vitia commemorat idem Terentius, « injuriae suspiciones, inimicitiae bellum, pax rursum » : nonne res humanas ubique impleverunt? nonne et in amicorum honestis amoribus plerumque contingunt ? »

64. *Essais*, I, XXIII, p. 393; Terence, *Adelphes*, IV, II, 2.

65. *Essais*, II, X, p. 408.

66. *Ibidem*, p. 411.

67. *Ibidem*

68. *Ibidem*, p. 409.

69. *De Trinitate*, II, XII-XIV : « Non autem solum rerum sensibilium in locis positarum sine spatiis localibus manent intelligibiles incorporalesque rationes; verum etiam motionum in temporibus transeuntium sine temporali transitu stant etiam ipsae utique intelligibiles, non sensibiles. Ad quas mentis acie pervenire paucorum est; et cum pervenitur, quantum fieri potest, non in eis manet ipse perventor, sed veluti acie ipsa reverberata repellitur, et fit rei non transitoriae transitoria cogitatio. »

70. *Essais*, II, X, p. 409.

71. *Ibidem*.

72. *De Trinitate* I, IV, I p. 336 : « Scientiam terrestrium coelestiumque rerum magni aestimare solet genus humanum : in quo profecto meliores sunt qui huic scientiae praeponunt nosse semetipsos; laudabiliorque est animus cui nota est vel infirmitas sua, quam qui ea non respecta, vias siderum scrutatur etiam cogniturus, aut qui jam cognitas tenet, ignorans ipse qua ingrediatur ad salutem ac firmitatem suam. Qui vero jam evigilavit in Deum, Spiritus sancti calore excitatus, atque in ejus amore coram se viluit, ad eumque intrare volens nec valens, eoque sibi lucente attendit in se, invenitque se, suamque aegritudinem illius munditiae contemperari non posse cognovit; flere dulce habet, cumque deprecari, ut etiam atque etiam misereatur, donec exuat totam miseriam, et precari cum fiducia, jam accepto gratuito pignore salutis, per ejus unicum Salvatorem hominis et illuminatorem : hunc ita agentem et dolentem scientia non inflat, quia charitas aedificat (Cor. VII, I) ; praeposuit enim scientiam scientiae, praeposuit scire infirmitatem suam, magis quam scire mundi moenia, fundamenta terrarum, et fastigia coelorum »

73. *Essais*, II-X, p. 409 : « Haec meus ad metas sudet oportet equus. »

74. *Ibidem*, I-X, p. 40.

75. *De Trinitate*, X-III, p. 131 : « Quapropter eo ipso quo se quaerit, magis se sibi notam quam ignotam esse convincitur. »

76. *Confessions*, X-XV, III.

77. *Essais*, II, X, p. 409.

LA DÉCOUVERTE DE L'HUMAIN

1. Préface de Vivès à son commentaire de *la Cité de Dieu*. 8e colonne et voir supra. p. 85 cf. note 3.

2. *Essais*, I, XXVI, p. 148.

3. *Ibidem*, p. 156.

4. Montaigne, ed. Villey, p. 7, préambule au chapitre I-I.

5. *Essais*, I, XXVI, p. 148.

6. *Ibidem*, I-I, p. 9.

7. *Ibidem*, p. 8.

8. *Cité de Dieu*, IX-V. Aulu-Gelle, *Nuits Attiques*, XIX, I : « Nam et misericordiam Stoicorum est solere culpare; sed quanto honestius ille Stoicus misericordia perturbaretur hominis liberandi quam timore naufragii. Longe melius et humanius et piorum sensibus accommodatius Cicero in Caesaris laude locutus est, ubi ait : « Nulla de virtutibus tuis nec admirabilior nec gratior misericordia est ». Quid est autem misericordia nisi alienae miseriae quaedam in nostro corde compassio, qua utique si possumus subvenire compellimur ? Servit autem motus iste rationi, quando ita praebetur misericordia, ut justitia conservetur, sive cum indigenti tribuitur, sive cum ignoscitur paenitenti. Hanc Cicero locutor egregius non dubitavit appellare virtutem, quam Stoicos inter vitia numerare non pudet. »

9. Vivès, IX-IV D : « A sçavoir si les passions adviennent à un homme sage... Ciceron aux *Tusculanes* enseigne combien il y a de passions, et quelles elles

sont : desquelles les Stoïciens veulent que leur sage soit du tout vuide et exempt. Mais les Platoniciens et les Peripateticiens, qui sont en plusieurs choses les mesmes, disent qu'elles sont en eux de nature, et qu'on ne les sçauroit du tout arracher, mais bien regir et moderer. »

10. Vivès, IX-IV M : « Or, elles adviennent à l'ame du sage... « Platon aux loix dit, que les passions sont comme si c'estoit quelques nerfs en l'homme, et comme quelques cordes que nature a mis dedans pour nous tirer. Et ainsi qu'elles sont contraires entre elles, aussi elles nous tirent en plusieurs et divers endroits, mais que sans doute, celuy qui leur donne raison pour maistresse et gouvernante, et les contraint de luy obeir, sentira qu'elles ont bien peu de force ou de vertu. »

11. *Cité de Dieu*, XIV-VI : « Interest autem qualis sit voluntas hominis; quia si perversa est, perversos habebit hos motus; si autem recta est, non solum inculpabiles, verum etiam laudabiles erunt. »

12. *Essais*, I-II, p. 13.

13. *Ibidem*, p.11.

14. *Ibidem*, III-IV, p. 830.

15. *Ibidem*, p.831.

16. *Ibidem*, p. 833.

17. *Ibidem*, p. 835.

18. *Ibidem*, p. 836.

19. *Ibidem*, II, XI, p. 429.

20. *Cité de Dieu*, XIX-VI.

21. *Ibidem*, XIX-III : «Ac per hoc prima illa naturae propter se ipsa existimat expetenda ipsamque virtutem, quam doctrina inserit velut artem vivendi, quae in animae bonis est excellentissimum bonum. »

22. *Ibidem*, XXII-XXII. II.

23. *Commentaire*, XIX-I-A.

24. *Essais*, II, XI, p. 423.

25. *Ibidem*, p. 427.

26. *Ibidem*, p. 428.

27. *Ibidem*, p. 423.

28. *Ibidem*, p. 424.

29. Lactance, au contraire d'Augustin, fait de l'illumination divine des philosophes anciens, une préparation et une preuve du christianisme. Toute science aussi, pour le bonaventurisme de Bacon, Sebon, et Vivès, est divine, et revient à l'homme par une participation au divin, ce qui lui assure aussi un progrès illimité. Cf. infra.

30. *Essais*, II-XII, p. 447 : *l'Apologie* semble garantir cet abandon à la pensée bonaventurienne dans l'essai *de la cruauté*, par un retour aux deux personnages de Socrate et de Caton : « Nos raisons et nos discours humains, c'est comme la matiere lourde et sterile : la grace de Dieu en est la forme; c'est elle qui y donne la façon et le pris. Tout ainsi que les actions vertueuses de Socrate et de Caton demeurent vaines et inutiles pour n'avoir eu leur fin et n'avoir regardé l'amour et obeïssance du vray createur de toutes choses, et pour avoir ignoré Dieu : ainsin est-il de nos imaginations et discours; ils ont quelque corps, mais c'est une masse informe, sans façon et sans jour, si la foy et grace de Dieu n'y sont joinctes. »

31. *République*, IV-XII, sq.

32. Dans l'introduction à la théologie platonicienne de l'immortalité des âmes, Marcel Raymond, p. 15, résume ainsi le livre IX de l'ouvrage : « la vie rationnelle prouve non seulement que l'âme ne depend pas du corps, mais qu'elle agit avec d'autant plus de liberté et d'efficacité qu'elle s'en detache et se libère des exigences et des vicissitudes de la matière ». Ficin résumait lui même l'idée du livre au chapitre II : « non solum vero intellectus, dum seorsum a corporis contagione vivimus, cernit multa perspicue, sed et voluntas impletur, neque perturbationibus ullis affligitur, sed divinis gaudet summopere tanquam sibi simillimis. Hinc sequitur non esse corpus originem animi, si quo longius

animus   discedit ab illo, eo se perfectius habet » p. II, tome II, ed. Les
classiques de l'humanisme, 1964.

33. *Cité de Dieu*, XIV-V : « Non quidem Platonici sicut Manichaei desipiunt,
ut tanquam mali naturam terrena corpora detestentur, cum omnia elementa,
quibus iste mundus visibilis contrectabilisque compactus est, qualitatesque
eorum Deo artifici tribuant; verum tamen ex terrenis artubus moribundisque
membris sic affici animas opinantur, ut hinc eis sint morbi cupiditatum et
timorum et laetitiae sive tristitiae; quibus quattuor vel perturbationibus, ut
Cicero appellat, vel passionibus, ut plerique verbum e verbo Graeco exprimunt,
omnis humanorum morum vitiositas continetur. »

34. *Ibidem* : « Non igitur opus est in peccatis vitiisque nostris ad Creatoris
injuriam carnis accusare naturam, quae in genere atque ordine suo bona est. »

35. *Ibidem*, XIV-XV : « Justa damnatio subsecuta est, talisque damnatio, ut
homo, qui custodiendo mandatum futurus fuerat etiam carne spiritalis, fieret
etiam mente carnalis et, qui sua superbia sibi placuerat, Dei justitia sibi donaretur;
nec sic, ut in sua esset omnimodis potestate, sed a se ipse quoque dissentiens
sub illo, cui peccando consensit, pro libertate, quam concupivit, duram mise-
ramque ageret servitutem, mortuus spiritu volens et corpore moriturus invitus,
desertor aeternae vitae etiam aeterna, nisi gratia liberaret, morte damnatus. »

36. Voir I, XXI, p. 102 : « On a raison de remarquer l'indocile liberté de ce
membre... Voir aussi II-I, p. 332 : «Si par discours nous entreprenions certaine
voie, nous la prendrions la plus belle; mais nul n'y a pensé.
Quod petiit, spernit; repetit quod nuper omisit;
Aestuat, et vitae disconvenit ordine toto.
Nostre façon ordinaire, c'est d'aller après les inclinations de nostre appetit,
à gauche, a dextre, contre-mont, contre-bas, selon que le vent des occasions
nous emporte.

37. Vivès, *Traité de l'âme et de la vie*.

38. Vivès, *de Tradendis disciplinis*, traduction Bulteau 1670 p. 101.

39. *Essais*, I, XXVI, p. 153.

40. *Ibidem*, p. 161.

41. *Ibidem*, p. 165.

42. *Ibidem*, I, XX, p. 81.

43. *Ibidem*, I, XIV, p. 58 : « Platon craint nostre engagement aspre à la
douleur et à la volupté, d'autant qu'il oblige et attache par trop l'ame au corps.
Moy plustost au rebours, d'autant qu'il l'en desprent et descloue. »

44. *Ibidem*, III, V, p. 844.

45. *Cité de Dieu*, XIX, V : cf. supra note 64. dans *l'humanisme subordonné à
la foi*.

46. Vivès en marge de *la Cité de Dieu* consacre un commentaire à l'éloge de
Thomas More. Dans l'*Institution de la Femme Chrétienne* il rappelle son
attachement aux mêmes protecteurs, et le principe, érasmien aussi, que l'éducation doit être donnée par les parents. Cependant la reine Isabelle, aïeule
de cette princesse d'Angleterre dont il fut le précepteur, n'est plus citée que
pour l'éducation manuelle qu'elle a assurée à ses filles : *Livre de l'Institution
de la femme chrétienne*, Traduction p. de Changy, Paris, Jacques Kerner, 1542,
Rééd. Le Havre, 1891, p. 30 et 37.

47. *Essais*, I-XXI, pp. 101-102.

48. *Ibidem*, p.102. 102.

49. Vivès, *Cité de Dieu*, XIV-XXVI.

50. *Essais*, III, V, p. 877.

51. *Ibidem*, p. 896.

52. *Ibidem*, I-XXVIII, p. 186.

53. *Ibidem*, p. 191 : « Rien n'est extreme qui a son pareil. »

54. *Ibidem*, p. 186.

LES EXIGENCES D'UNE POLITIQUE HUMAINE

1. *Cité de Dieu*, XXI, VIII.
2. *Essais*, I, XXXI, p. 203.
3. *Cité* de Dieu, III, X, p. 237.
4. *Essais*, III, X, p. 1007.
5. *Ibidem*, p. 1020.
6. *Ibidem* p. 1018.
7. *Ibidem*, I, XXIII, p. 122.
8. *Cité de Dieu*, XIV-XV : « Nam quae hominis est alia miseria nisi adversus eum ipsum inoboedientia ejus ipsius, ut, quoniam noluit quod potuit, quod non potest velit? »
Vivès : « Il tourne au contraire ce dit de Terence en l'*Andrie* : Pource qu'il ne se peut faire ce que tu veux, vueille ce que tu peux. »
9. *Essais*, III, X, p. 1023.
10. *Cité de Dieu*, XXI-VIII.
11. *Essais*, II, VIII, p. 401.
12. Si le chapitre V du livre XIX de *la Cité de Dieu* fournit la citation des *Adelphes*, l'emprunt est encore confirmé par le chapitre IV qui faisait place au deuil de Cicéron après la mort de sa fille. Vivès notait qu'il n'avait pu s'en consoler qu'en projetant sa peine dans le *De Consolatione*, ou le rappel même de cet ouvrage aux *Tusculanes*. Après la souffrance de la paternité, et presque déjà une paternité littéraire consolant l'auteur de la véritable, le même chapitre revenait à l'analyse des instincts humains.
13. *Cité de Dieu*, XIX-XXI : « Breviter enim rem publicam definit esse rem populi. Quae definitio si vera est, numquam fuit Romana res publica, quia numquam fuit res populi, quam definitionem voluit esse rei publicae. Populum enim esse definivit coetum multitudinis juris consensu et utilitatis communione sociatum. Quid autem dicat juris consensum, disputando explicat, per hoc ostendens geri sine justitia non posse rem publicam : ubi ergo justitia vera non est, nec jus potest esse. Quod enim jure fit, profecto juste fit; quod autem fit injuste, nec jure fieri potest. »
14. *Ibidem* : Quapropter nunc est locus, ut quam potero breviter ac dilucide expediam... secundum definitiones, quibus apud Ciceronem utitur Scipio in libris de republica, numquam rem publicam fuisse Romanam. »
15. *Ibidem* : « Quapropter ubi homo Deo non servit, quid in eo putandum est esse justitiae ? »
16. *Ibidem*, XIX-XXII : Magnae caecitatis est, adhuc quaerere, qui iste sit Deus. Ipse est Deus, cujus prophetae praedixerunt ista quae cernimus. Ipse est Deus, a quo responsum accepit Abraham : In semine tuo benedicentur omnes gentes. »
17. Vivès XIX-XXI a) « Cicéron dit, que le droict et la loy n'est pas establie des commandemens des peuples, ne des decrets des Princes, ne des sentences des Juges, mais par la reigle de nature. Et ailleurs : Je voy doncques que ceste-cy a esté la sentence d'hommes tres-sages, que la loy n'a pas esté excogitée par les entendemens des hommes : ny aucune ordonnance des peuples ains cestoit je ne sçay quelle chose eternelle qui gouverneroit tout le monde par une sagesse de commander et defendre. Ainsi ils disoient que la principale loy est la derniere pensee de Dieu, qui ou contrainct ou prohibe tout par raison. Voila qu'il dit selon son Platon. Laquelle sentence les Stoiciens ont

suivy contre Epicure, qui dit qu'il n'y avoit rien juste par nature, ains par crainte. Dequoy Seneque parle aux Epistres. Ceste loy divine, qui n'est pas escrite aux livres, ny engravee en bronze, ains naturellement engravee en noz ames, est appellee des Jurisconsultes « aequum et bonum » équité et bonté. Et pourtant Ulpian la definist ainsi : « ars aequi et boni », c'est à dire, l'art d'équité. En sorte que ceux là sont, pour abbreger, Jurisconsultes, qui sçavent manier ceste équité et loy de nature : et qui, comme dit Cicéron de Sulpitie, rapportent toutes choses a equité, et aiment mieux oster les differens qu'en y mettre : afin que la paix soit gardee entre les hommes, et au cœur d'un chascun : de laquelle chose il n'y a rien dequoy nature se resjouysse plus. Et j'estime pour le seur, que les Jurisconsultes fussent au temps passé, que les gens estoient encore bons et sans meschanceté, ordonnez pour cest usage, qu'ils missent fin au procez par leur prudence le plustost qu'il seroit possible. »

18. *Essais*, II, VIII, p. 386.
19. *Ibidem*, p.387.
20. *Ibidem* p. 388.
21. *Ibidem*, pp. 387-88.
22. *Ibidem*, p. 397.
23. *Ibidem*, p. 398
24. *Ibidem*,
25. *Ibidem*, III,I, p. 790.
26. *Ibidem*, p. 791.
27. *Ibidem*, p. 792.
28. *Ibidem*, p. 794.
29. *Ibidem*, p. 800.
30. *Ibidem*, III, IX, p. 957 : « Varro s'excuse de pareil air : que s'il avoit tout de nouveau à escrire de la religion, il diroit ce qu'il en croid, mais estant desjà receuë et formée, il en dira selon l'usage plus que selon la nature. »
31. *Ibidem*, III, X, p. 1014.
32. *Ibidem*, p. 1006.
33. *Cité de Dieu*, IV, XXXI. Trad. de Labriolle. Garnier, Paris, p. 415.
34. *Chanson de Roland* composée entre 1100 et 1125.
35. *Chanson de Roland*, LXXXIV, sq.
36. *Essais*, I, XXXI, p. 210.
37. *Ibidem*, p. 212; estour : combat.
38. *Ibidem*, II, XXVII, p. 694 : «(A) Chacun sent bien qu'il y a plus de braverie et desdain à battre son ennemy qu'à l'achever, et de le faire bouquer que de le faire mourir ».
p. 697 «(B) L'honneur des combats consiste en la jalousie du courage, non de la science ».
39. *Cité de Dieu*, V-XXV.
40. *Ibidem*, V-XXV, V : « Tout le monde Romain.
Vivès : « ... C'est une folie d'affermer que l'Empereur Romain a droit sur tout le monde, duquel il ne fut oncques seigneur. Et mesmes n'a pas le droit sur les choses, desquelles il a esté autres fois Seigneur, et les a perdues. Pour ce qu'il les a perdues du mesme droit qu'il les avoit acquises : c'est à sçavoir, avecques grande desconfiture d'hommes et furies de la guerre. Les princes s'enflambent par ces titres feints et controuvez, qui ne sont autres choses, que torches et flambeaux pour brusler le monde, et la peste de tout le genre humain. La mauvaise et indocte subtilité des jurisconsultes en est cause. »
41. Montaigne, *Journal de Voyage*, p. 232. Dédéyan, Belles Lettres, 1946.
42. *Essais*, II, XIX, p. 668 : « Car je ne parle point de ceux qui s'en servent de pretexte pour, ou exercer leurs vengeances particulieres, ou fournir à leur avarice, ou suyvre la faveur des Princes; mais de ceux qui le font par vray zele envers leur religion, et sainte affection à maintenir la paix et l'estat de leur patrie. »
43. *Ibidem*, p. 671.
44. *Cité de Dieu*, XII, XXIII (ed. Erasme XXII) « Nec ignorabat Deus hominem

peccaturum et morti jam obnoxium morituros propagaturum eoque progres-
suros peccandi immanitate mortales, ut tutius atque pacatius inter se rationalis
voluntatis expertes bestiae sui generis viverent, quarum ex aquis et terris
plurium pullulavit exordium quam homines, quorum genus ex uno est ad
commendandam concordiam propagatum. »
Vivès : « Les bestes d'un mesme genre se tiendront plus aisement sans
dissention et sans se battre en quelque lieu, que les hommes. L'homme est un
loup à l'homme, comme on dit en un proverbe grec. Pline au livre 7.
Finablement tous autres animaux vivent bien en leur genre. Nous voyons qu'ilz
s'assemblent et tiennent bon contre ceux qui leur sont dissemblables. La fierté
des lions ne combat pas entr'eux-mesmes. La morsure des serpens n'assaut pas
les serpens. Ne mesmes les grosses bestes et poissons de la mer ne monstrent
pas leur cruauté sinon en divers genre. Mais en vérité, la plus part des maux
vient à l'homme, de l'homme. Il y a un livre, dit Cicéron, de la destruction de
l'homme, de Dicearche ou Dicearque, qui est un Peripateticien, grand et
copieux, lequel ayant recueilli toutes les causes externes, du deluge, pestilence,
degast, et aussi une soudaine multitude de bestes, par l'impetueux assaut
desquelles il enseigne que quelques genres d'hommes ont esté consommez,
et puis il compare combien plus d'hommes ont esté destruictz par l'assaut des
hommes : c'est à dire par guerres et seditions, que par toute autre calamité.
Jesus Christ vouloit oster ceste guerre d'entre les hommes et planter une autre
ardeur, non pas de discorde, mais de concorde et d'une charité mutuelle. Il
faudroit prescher cecy, il faudroit conseiller que les hommes qui sont consacrez
à Jesus Christ ne devroient pas batailler les uns contre les autres, ains aimer
l'un l'autre, et endurer l'un de l'autre. Il ne faut pas aussi irriter et provoquer
les courages des hommes qui sont d'eux mesmes assez enclins à meurtres,
forfaitz et meschancetez. »
   45. Montaigne, comme Augustin déjà, a repris souvent le vers de *l'Andrienne*.
Dans *la Cité de Dieu*, il sert à caractériser l'impuissance de la volonté humaine
après le péché. cf. supra note 60. *L'humanisme subordonné à la foi* et *Essais*
I-XIV p. 672.
   46. *Essais*, II-III, p. 350.
   47. *Ibidem*, p. 356.
   48. Vivès, I, XXII : « Car nous sommes tous icy, comme si c'estoit une
bataille rengee, la place ayant esté assignee à un chacun, de Dieu, qui est le
chef de l'armee : et que celuy qui abandonne la vie, doit estre plus griefvement
puny, que celuy qui abandonne son ranc en la bataille. »
   49. *Essais*, II, III, p. 352 : « (A) Car plusieurs tiennent que nous ne pouvons
abandonner cette garnison du monde sans le commandement expres de celuy
qui nous y a mis; et que c'est à Dieu, qui nous a icy envoyez non pour nous
seulement, ains pour sa gloire et service d'autruy, de nous donner congé quand
il lui plaira, non à nous de le prendre. »
   50. Dans son traité *De l'Institution de la femme chrétienne* Vivès aux
chapitres XI et XII du premier livre, traite longuement le problème, multipliant
les exemples des femmes qui se sont tuées pour defendre leur virginité. Entre
autres, il donne celui de Sophronia : qu'il dit emprunter directement à l'historien Eusèbe (p. 86), et celui des vierges milésiennes. « Nous lisons les vierges
milésiennes, lesquelles par nulles mulctes de peines l'on ne pouvoit garder de
elles se tuer et pendre, sinon que par edict fut publié que celles seroient
trainees après la mort toutes nues et despouillees par la ville. Pour telle peine
cesserent, de peur d'estre veues descouvertes (p. 91). » Ce dernier exemple se
trouvait aussi donné par Erasme dans l'*Eloge de la Folie*, mais dans le sens
assez différent qui appartient à l'ouvrage. Cf. : *Livre de l'institution de la
femme chrétienne*, Tr. Pierre de Changy, Paris, Jacques Kerner, 1542, Rééd. Le
Havre, 1891.
   51. Vivès donne en préambule à *la Cité de Dieu* une *Histoire des Goths*.
Arrivant après une longue lutte du Christianisme contre la religion païenne,
le sac de Rome par Alaric raviva toutes les querelles : « Les Gentils mesdisans

et ennemis de la piété attribuoient toutes ces ruines et desastres à la religion Chrestienne, disans qu'il ne seroit jamais advenu que Rome eust esté prinse, s'ils eussent tenu la religion des Dieux que leurs ancestres avoient observee et baillee à leur postérité. »

Par ailleurs, Vivès sans nier les viols et massacres accomplis par l'armée victorieuse, rappelle l'édit d'Alaric qui les avait interdits à ses soldats avant d'entrer dans la Cité.

52. *Cité de Dieu*, I, XXI : « Et merito quaeritur utrum pro jussu Dei sit habendum, quod Jephte filiam, quae patri occurrit, occidit, cum id se vovisset immolaturum Deo, quod ei redeunti de proelio victori primitus occurrisset. »

53. Theodore de Beze; *Abraham sacrifiant.* George Buchanan; *Jephté.*

54. *Cité de Dieu*, I, XXI, Vivès : « Ut judaei qui gesserunt quidem bella, sed jubente disertis verbis Deo. Quod si illi pii sunt habiti, quod ut Deo parcerent contra humanitatem omnem bellum et caedem hostibus attulerunt, profecto non possumus nos non esse omnium maxime impii qui tam multa millia etiam Christianorum vetante Deo contrucidemus. »

55. *Essais*, II, III, p. 362.

56. *Ibidem*, III, I, p. 793.

57. *Ibidem*, p. 792.

58. *Ibidem*, II, XXVII, p. 694 : « Qu'est-ce qui faict en ce temps nos querelles toutes mortelles; et que là où nos peres avoient quelque degré de vengeance, nous commençons à cette heure par le dernier, et ne se parle d'arrivée que de tuer : qu'est-ce, si ce n'est couardise. »

59. *Ibidem*, p. 695.

60. Vivès, V-XXVII A : « Plusieurs escrivent contre les autres, qui attendent quelque occasion de le mettre hors avec leur proffit, et le dommage de leur ennemy. Lesquels attendu qu'ils escrivent seulement pour nuire, aux bons et doctes jugemens, ils sont execrables comme ennemis publics de tous. Car qui est celuy qui ne puisse aiseement nuire ? Ou quel courage a celuy qui pense que l'erudition ou les facultez de l'ame ou du corps, ont esté baillees pour la ruine des autres ? Mais s'ilz s'estudient à proffiter à d'autres, qu'ilz mettent en avant leurs escrits, quand ils pensent qu'ilz peuvent servir au proffit d'autruy, et nuire bien peu à leurs adversaires. Qu'ilz le mettent en lumière ce pendant qu'il est en vie, qu'il a force, vertu et vigueur, ce pendant qu'il peut responde et se defendre. Pline en la preface de *l'Histoire du monde* escrit qu'Asinie Pollion avoit appresté des oraisons contre Plance, lesquelles il mettroit en lumiere apres sa mort, afin qu'il ne peust responde. Et quand Plance sceut cecy, il vint à dire, qu'il n'y avoit rien qui combatist contre les morts que les esprits et les loups garous. Par lequel dit, ces oraisons furent tellement rabatues et repoussees, qu'entre gens doctes, on ne pourroit estimer chose plus impudente. »

61. *Essais*, II, XXVII, p. 695.

62. *Ibidem*, p. 700.

63. *Ibidem*, p. 701.

64. *Cité de Dieu*, XIX, VI, traduction de Gentian Hervet.

65. *Essais*, II, V. p. 368.

66. *Ibidem*, p. 369.

67. *Cité de Dieu*, XIX, VI.

68. *Essais* II, V, p. 369.

69. Vivès, *Cité de Dieu*, XIX, VI B.

« C'a esté vrayement l'invention de Tarquin l'orgueilleux, ou mesme d'un Tyran plus cruel et inhumain, de s'enquerir de la verite par tourmens : laquelle ne dira ne celuy qui pourra endurer, ne celuy qui ne pourra. Car comme dit le prudent Mime : la douleur contrainct mesmes les innocens de mentir. Je m'esmerveille, que les Chrestiens retiennent quasi à belles dents comme bonnes choses et sainctes, ces façons de faire qui ne sont pas seulement contraires à la charité, et douceur Chrestienne, mais aussi à toute humanité. S. Augustin dit, qu'on baille les tourmens par une necessité de la compagnie humaine. Mais qui est celuy qui ne veoit qu'il parle avec les Gentils, et suyvant l'opinion des Gentilz ? Car quelle est ceste necessité si intolerable, et tant à déplorer, et mesmes s'il se pouvoit faire, a arrouser avec des fontaines de larmes, si elle n'est ny utile, et se peut oster sans dommage des Republiques ? Comment vivent tant de nations, voire et barbares, comme pensent les Grecs et Latins, qui estiment que ce soit une chose cruelle et inhumaine de tourmenter un homme, du meffait duquel on doubte ? Nous qui sommes, c'est à sçavoir, douez de toute humanité, tourmentons les hommes de peur qu'ils ne meurent innocens, en telle maniere que nous avons plus de pitié d'eux que s'ils mouroient. Tellement que bien souvent les tourmens sont plus griefs que la mort. Ne voyons nous pas plusieurs tous les jours, qui aiment mieux endurer la mort que les tourmens, confessent le crime feint estans asseurez du suplice, de peur qu'on ne leur baille la torture ? Sans point de faute, nous avons cœur de bourreaux, qui pouvons endurer les gemissemens et pleurs tirez par force avecques une si grande douleur d'un homme lequel nous ne sçavons s'il a meffaict. Et que diriez vous que nous laissons une loy aspre et fort inique dominer sur noz vies, quand nous armons les soupçons de tourmens et d'ennemies accusations ? Si nous ne leur donnons pas noz vies qu'ilz desirent, à tout le moins ce qui vient apres, nous ne leur donnons pas peu de joye et de fruict par noz douleurs intollerables, je n'ay pas loisir, et aussi je ne prens point plaisir, de parler icy plus amplement, ores que je le peusse, des tourmens : afin qu'il ne semble pas que je declame plustost que j'escrive des commentaires. Il y a un lieu commun entre ceux qui escrivent de la Rethorique, des tourmens, et contre les tourmens. Les choses qu'ils disent contre les tourmens sont bien fortes; mais celles qu'ils disent pour les tourmens, sont frivoles et tres-foibles. »

70. *Essais*, II-XI, p. 435.
71. *Ibidem*, p. 431.
72. *Ibidem*, p. 432.
73. *Ibidem*, III-XI, pp. 1031-1032.
74. *Ibidem*, III-VI, p. 913.
75. XII, ch. XXII, ed. Migne — ch. XXI, ed. Erasme.
76. Vivès, XII-XXII (Ed. Erasme).
77. Vivès, IV-IV : « S. Cyprian dit le mesme fort elegamment a Donat : le monde est tout arrousé du sang l'un de l'autre. Et quand quelqu'un en son privé, commet un homicide, c'est un crime: quand il se fait publiquement, on l'appelle Vertu. Ce n'est pas l'esgard à l'innocence qui acquiert impunité aux crimes et meschancetez, mais la grandeur de la cruauté. Et sans point de faute, non seulement ce n'est pas à faire à gens de bien de guerroyer, voir n'y aux brigans mesmes, tant s'en faut que ce soit l'office de l'homme. C'est une fureur appartenant aux bestes brutes, qu'on appelle en latin « belluas », desquelles la guerre a pris en latin le nom de « bellum », comme Ciceron signifie aucunement aux *Offices*, et Feste le tesmoigne appertement. »
78. *Essais*, III, VI, p. 913.
79. André Mandouze, *Saint Augustin, l'aventure de la raison et de la grâce*, Paris, Etudes augustiniennes, Desclée, 1968, p. 330 sq.
80. *Essais*, I, XXXI, p. 209.
81. Jules II, 1503-1513, affirma à son avènement sa ferme résolution de restaurer la puissance politique des papes en Italie, et, en personne, en 1506, il reprenait Perouse et Bologne, en 1511, il dirigea le siège de Milan.

MONTAIGNE, LECTEUR DU DE TRADENDIS DISCIPLINIS
OU LE RENOUVELLEMENT DE LA PENSÉE SCIENTIFIQUE

1. cf. supra. p. 20 sq.

L'OPPOSITION A LA SCOLASTIQUE

1. Fortunat Strowski, *Michel de Montaigne, sa vie publique et privée*, Paris, Nouvelle Revue critique, 1938.

2. cf. Serrano y Sanz, *Origines de la dominacion espagnola en America*, D III, sq.

3. La disgrâce de Gabriel Sanchez trésorier et ministre du roi Ferdinand d'Aragon, accusé de conjuration, entraîna une persécution contre les nouveaux convertis. Les familles, par suite, se dispersèrent à travers l'Espagne et l'Europe.

4. Malvezin, *Histoire des Juifs à Bordeaux*, Bordeaux, 1875, Réimp. Marseille, Lafitte, 1976.

5. Gaullieur, *Histoire du Collège de Guyenne*, p. 135 sq. Paris, Sandoz et Fischbacher, 1874.

6. *Ibidem*, p. 104. La lettre s'exprimait ainsi :
« Aux dits Portugais, dits nouveaux Chrétiens, est venu singulier désir qui leur croît de jour en autre de venir résider en cestui notre royaume, et amener leurs femmes et familles, apporter leur argent et meubles, ainsi qu'ils nous ont fait offrir par ceux qui nous ont été envoyés par deçà. Moyennant qu'il nous plaise leur accorder lettres de naturalité, et congé de jouir des privilèges dont ont joui et jouissent les autres étrangers de notre dit royaume. Savoir faisons nous que, inclinant libéralement à la supplication et requête des dits Portugais, comme gens desquels nous voyons le bon zèle et affection qu'ils ont de vivre, sous notre obeissance, ainsi que nos autres sujets, en bonne devotion de s'employer pour notre service et celui de la république de notre royaume, la commodité de laquelle ils veulent aider de leurs biens, manufactures et industries, de sorte que cela nous meut à les bien et gracieusement traiter. »

7. Roger Trinquet, *La jeunesse de Montaigne, ses origines familiales, son enfance et ses études*, Nizet, 1972. p. 141 sq.

8. *Correspondance du Cardinal de Granvelle*, Ed. Poullet et Charles Piot, Bruxelles, 1877-1896. T. 2, p. 376-653, et passim — Goris J.A., *Les colonies marchandes et méridionales à Anvers de 1488 à 1527*, Louvain, 1925, Librairie Universitaire de Louvain, p. 589.

9. J.J. Bernard, *Marins et gens de mer à Bordeaux*, Paris, Sevpen, 1968.

10. Guillaume Postel, né en 1510, dans le diocèse d'Avranches, orphelin à huit ans, enseigna les mathématiques et les sciences orientales au Collège Royal.

11. Gaullieur, *Histoire du Collège de Guyenne*, p. 76 sq.

12. Waddington, *Ramus, sa vie, ses écrits, et ses opinions*, Paris, Meyruis, 1855, p. 24

13. Michel Dassonville, « Travaux d'Humanisme et Renaissance », Droz, 1964, *Pierre de la Ramée, Dialectique*, 1955, p. 13 sq.

14. Geneviève Rodis Lewis, *Bernard Lamy, le français moderne*, 1968,

L'art de parler et l'essai sur l'origine des langues, Revue Internationale de Philosophie, 1967.

15. Gaullieur, *Op. cit.*, p. 203 sq.

16. Roger Trinquet, *Op. cit.*, p. 191.

17. Gaullieur, *Op. cit.* p. 293.

18. Renaud Pool, ou Pole, 1500-1558, archevêque de Canterbury, puis légat de Jules III en Angleterre.

19. Elu Pape en 1555, il prit le nom de Marcel II (1501-1555).

20. «Quo magis miror esse nostris temporibus extortos novos quosdam Academicos, qui gloriae sibi fore ducunt, si veteri et vera Christi spreta religione, novae et adulterinae haerisis sint sectatores. Neque vero solum ad tuenda Christianae religionis dogmata usui esse poterit hic Sexti Empirici commentarius, sed etiam ad ipsam quae nunc in scholis praelegitur melius discendam ac tenendam philosophiam, et orbem illum quem vocant disciplicarum. Nihil enim melius discitur quam quod ultro, citroque habita disputatione agitatur. In his certe commentariis sua dogmata ita confirmant Dogmatici, ut ipsi eorum auctores non melius ac fortius ea possint defendere. Sceptici vero ita oppugnant, ut Dogmatici vix quidquam relinquant quod pro se possint dicere. Haec cum fiant, necesse est ut haec exercitatio magna vim habeat ad excitanda et acuenda adolescentum ingenia, qui tum demum poterunt verum discernere, cum quae sunt probabilia et verisimilia, ab iis quae secus sunt, dijudicaverint, et ex multis probabilibus ac verisimilibus latens verum tandem eruerint. Quod si utrinque sint, ut contingit, adeo paria rationum momenta, ut nihil possit certi de re controversa constitui, hoc humanae tribuendum est imbecillitati quae efficit ut homines vel in media luce saepe caligent, non autem vel Dogmaticorum, vel Scepticorum doctrinae, quae pro se quod potest adducit. »

21. *Essais*, II-XII, p. 441 : « C'est la foy seule qui embrasse vivement et certainement les hauts mysteres de nostre Religion. Mais ce n'est pas à dire que ce ne soit une tresbelle et treslouable entreprinse d'accommoder encore au service de nostre foy les utils naturels et humains que Dieu nous a donnez. »

22. Gaullieur, *Op. cit.*, p. 67 sq. Britannus, ami du libraire Jacques Gryphe, fut régent au Collège de Guyenne, sous la direction de Tartas, puis sous celle d'André de Gouvéa. Il fut remplacé par Gélida lui même. C'est lui qui resta en correspondance avec Hervet, même après le départ de Tartas.

23. Le *Quod nihil scitur* ne connut qu'une réédition du vivant de l'auteur, en 1618, à Francfort, avec le *De litteris pereundis* de Mathurin Simon.

24. Publié en 1531, il sera cependant encore suivi de la *Censura Aristotelis operibus*, et du *De anima et vita*, tous deux en 1538.

25. cf. *Essais*, I, XXVI, p. 173. C'est à cette inquiétude que Montaigne rattache les préoccupations pédagogiques pour lesquelles son père lui fit donner le latin comme langue maternelle.

26. Vivès, *De Causis corruptarum artium* p. 6: « Harum omnium artium, materia, vires, utilitates in natura sunt ab opifice Deo positae, ac constitutae. Sed ad eas humanum ingenium aegre penetrat a luce ac viribus destitutum. » Que les arts aient été établis par Dieu en la nature reprend même affirmation faite par Augustin dans le *De Doctrina Christiana* à propos de la dialectique.

27. *Ibidem*, p. 7 : « Lux erat vis mentis et acumen, quo prospicerent quo eundum esse et qua. »

28. *Ibidem*, p. 7 : « Inventor artium et disciplinarum omnium est ingenium acumine et solertis praeditum ac instructum, sed diligentia atque usu vehementer adjuvatur : nam per diligentiam et procedit longius, et plura ei se aperiunt, quae prius erant abdita et occulta, non aliter quam navigantibus : ita et acies mentis expolitur atque exacuitur et dexteritas ac solertia fit promptior. »

29. *Ibidem*, p.11..

30. *De causis corruptarum artium*, p. 22.

31. *De Disciplinis*,p. 403;*Quod nihil scitur*, l. 1436: L'image remontait aux *Académiques*, de Cicéron et figurait aussi dans le *Contra Academicos* d'Augustin.

32. *De disciplinis*, p. 22. *Quod nihil scitur*, l. 486.
33. *De disciplinis*, p. 25 et 110 sq. *Quod nihil scitur*, l. 1980.
34. *De disciplinis*, p. 19. *Quod nihil scitur*, l. 2148.
35. *De disciplinis*, p. 10. *Quod nihil scitur*, l. 1814.
36. *De disciplinis*, pp. 28-29-31 et 589, *Quod nihil scitur*, l. 2059.
37. *De disciplinis*, p. 38. *Quod nihil scitur*, l. 1838.
38. *De disciplinis*, p. 16 et 166. *Quod nihil scitur*, l. 2266.
39. *De disciplinis*, p. 38. *Quod nihil scitur*, l. 710 et 1893.
40. *De disciplinis*, p. 493. *Quod nihil scitur*, l. 1240.
41. *De disciplinis*, p. 222. *Quod nihil scitur*, l. 613 à 649, l.1202 sq.(cf. note 24, p. 254) et l. 1286 à 1305.
42. *De disciplinis*, pp. 564-565. *Quod nihil scitur*, l. 375.
43. *De disciplinis*, p. 566. *Quod nihil scitur*, l. 1380 sq.
44. *Quod nihil scitur*, l. 1926.
45. *De disciplinis*, p. 471.
46. *De disciplinis*, p. 451, *Quod nihil scitur*, l. 1313.
47. *De disciplinis*, p. 234. *Quod nihil scitur*, l. 2228.
48. *De disciplinis*, pp. 464 et 466. *Quod nihil scitur*, l. 1696.
49. *De disciplinis*, p. 162, 256... *Quod nihil scitur*, l. 1936 et passim.
50. *De disciplinis*, p. 221 : « experientiae temerariae sunt ac incertae, nisi a ratione regantur. » *Quod nihil scitur*, l. 2092 à 2107.
51. *De disciplinis*, p. 566.
52. *Essais*, I-XXVI, p. 157; *De disciplinis*, p. 383 : « Cogitabit vir sapiens mundum hunc esse, velut civitatem quamdam, cujus ipse sit civis, aut magnam quamdam domum cujus ipse sit de familia, non referre a quo bene aliquid dicatur, dicatur modo : hic parari opes illas, hic ad publicas relinqui commoditates : Parentur et communicentur, a quo autem, nihil interesse. »
53. *Essais*, III, XIII, p. 1068.
54. *De Disciplinis*, p. 21.
« Inviderunt nobis veteres beneficium suae institutionis, dum ea quae invenissent non aperte ac simpliciter nobis communicarunt : sed tot involucris contecta, ut facilius esset illa ipsa ex natura rerum eruere quam ex eorum libris. Scite Socrates Heracliti Ephesii librum Delio urinatore dixit indigere. »
55. Parmi ces ouvrages, il a été noté déjà que Montaigne communiait avec l'exigence humaine qui commande l'*Institution de la Femme Chrétienne*.
56. *Quod nihil scitur*, l. 32.
57. *Ibidem*, l. 345.
58. *Essais*, III-VIII, p. 938.
59. *Quod nihil scitur*, l. 166.
60. *Essais*, III-VII, pp. 926-927; *Quod nihil scitur*, l. 249. « tanta horum est stupiditas, scientiaeque hujus syllogisticae arguties utilitasque, ut rebus in totum oblitis, ad umbras se convertant. »
61. *Ibidem*.
62. *Quod nihil scitur*, l. 1915 sq. *De disciplinis*, p. 37.
63. *Essais*, III, VIII, p. 927.
64. *De Causis corruptarum artium*, p. 17.
65. *Ibidem*, p. 40 : « Quanta nascitur hinc corruptela et moribus et disciplinis, inflammatis animis, et ad pertinaciam obfirmatis ? Clamores primum ad ravim, hinc improbitas, sannae, minae convitia, dum luctantur, et uterque alterum tentat prosternere : consumptis verbis venitur ad pugnos, ad veram luctam ex ficta et simulata. Quin etiam quae contingunt in palaestra, illhic non desunt, colaphi, alapae, consputio, calces, morsus, etiam quae jam supra leges palaestrae, fustes, ferrum, faucii, multi, nonnumquam occisi. Estne haec exercitatio sapientiae ? Est haec professio venerandae disciplinae ? »
66. *Quod nihil scitur*, l. 1860.
67. *Ibidem*, l. 1897 :« Qui subinde nescit quo se vertat : sed prout illi videtur vel huic, vel illi adhaeret : saepius decipienti. Hic enim plurimum garrit, ut mos est illis qui falsa astruunt sicque pauperem juvenculum ad se trahit, qui victorem judicat eum, qui magis clamavit. »

68. *Essais*, II, XII, p. 540.

69. *Quod nihil scitur*, l. 577: « Video quid hoc, cum omnia quisque amplecti non posset : hic sibi partem hanc eligit, ille aliam discerpsit. Hinc nihil scitur : Cum enim omnia quae hoc in orbe sunt in unius compositionem conspirent : nec haec sine illis stare possunt, nec haec cum illis conservari : quodque privatum gerit munus, diversumque ab alio : omnia tamen ad unum conferunt : haec causant illa, haec ab illis fiunt. Indicibilis omnium concatenatio. Nil ergo mirum si ignorato uno, ignorantur et reliqua. Cujus causa sit, ut qui de astris agit, eorum motus et causas motuum considerans, quid astrum sit quid motus a Physico accipiat quasi probatum : deinde motus solum contempletur varietatem multidutinemque. De reliquis eodem modo. At hoc scire non est. »

70. *Ibidem*, l. 498 sq : « Quousque tandem in tot vanitates prolabuntur, sensim a veritate deficiendo : sed ad illum redeamus. Non excusari potest; superius dicebat primorum principiorum scientiam esse, sed indemonstrabilem. Alibi primorum principiorum cognitionem intellectum, non scientiam vocat : male tamen. Horum enim, sicut et aliorum, si haberetur, perfecta scientia esset. Nunc autem cum horum non habeatur, nec eorum etiam habetur quorum haec principia sunt. Unde sequitur nihil sciri. »

71. *Essais*, III, XI, p. 1026.

72. *Quod nihil scitur*, l. 429.

73. *Ibidem*, l. 1240 : « Quam si perfectam haberet, Deo similis esse imo Deus ipse. Nec enim perfecte cognoscere potest quis, quae non creavit. »

74. *Essais*, III, XI, p. 1027.

75. *Quod nihil scitur*, l. 263 :« Eorum enim scientia haec est, nil aliud sciunt quam Syllogismum ex nihilo struere, scilicet ex A, B, C : si autem ex aliquo instruendus esset, obmutescerent, ut qui nec minimam intelligant propositionem. »

76. *Ibidem*, l. 1181 :« Non absimilis etiam videtur eadem Philosophia (ut unde digressi eramus regrediamur) Hydrae Lerneae, quam Hercules expugnavit. Nostram autem non est qui vincat. Abscisso capite uno, emergunt centum ferociora semper. »

77. *Essais*, III, XIII, p. 1069.

78. *Quod nihil scitur*, l. 21.

79. *Ibidem*, l. 311. «Quid sequitur ? Nec te, nec me aliquid scire. Probat id Aesopus, qui inter Grammaticum et Rhetorem conservos venalis positus, ultimus interrogatus quid sciret, respondit, Nihil. Quomodo hoc ? Quia inquit, grammaticus et Rhetor nil mihi sciendum reliquerunt : (hi enim antea interrogati quid scirent, responderant, omnia) sic nunc liber hic multa scit per te, alius item plura, et omnes alii similiter : ergo nil nobis relinquitur sciendum. »

80. Ecrivain byzantin, 1260-1310.

81. *Essais*, I, XXVI, p. 173.

82. *Ibidem*, III, XIII, 1069.

83. *De disciplinis*, p. 29 : « Falsa est enim atque inepta illa quorundam similitudo, quam multi tamquam acutissimam, atque appositissimam excipiunt, nos ad priores collatos esse, ut nanos in humeris gigantum : non est ita neque nos sumus nani, nec illi homines gigantes, sed omnes ejusdem staturae, et quidem nos altius evecti illorum beneficio : maneat modo in nobis, quod in illis studium, attentio animi, vigilantia, et amor veri : quae si absint, jam non nani sumus, nec in gigantum humeris sedemus, sed homines justae magnitudinis humi prostrati. »

84. *Quod nihil scitur*, l. 2142 :«Sicque consultum est nostri saeculi hominibus, qui plurium vitas, acta, inventa, expertaque pauca mora perlegentes, aliquid de suo insuper addunt : hisque alii : tum et de dubiis judicium proferunt : itaque augetur ars : posterioresque hac ratione comparantur puero in collo Gigantis existenti : nec immerito; sed ut haec via ad humanas res gerendas aliquid emolumenti videtur habere : nil tamen magis scientias juvat. »

85. *Essais*, III, VIII, 930 : « Comme en la conference : la gravité la robbe et la fortune de celuy qui parle donne souvent credit à des propos vains et ineptes. »

86. *Ibidem*, p. 931.

87. *Ibidem*, III, XIII, 1079.

88. *De disciplinis*, p. 16 et 27.

89. Ramus Épilogue LIV *Scola dialecticae*.

90. « Entre les grandes et admirables parties de la sagesse de Socrate: une fut qu'il maintenait que tous les arts libéraux se devaient rapporter à la vie humaine, pour faire l'homme plus avisé à bien délibérer, et plus prompt à bien exécuter, et qu'il y avait ès écoles trop d'enseignements et de livres: trop de subtilités et d'argoteries sans utilité, sans usage; que pour être nautonier, maçon, laboureur, n'est point assez de savoir parler des règles de nautique, de maçonnerie, de labourage, mais qu'il fallait mettre la main à l'œuvre, et bien naviguer, bien maçonner, bien labourer. »

91. *Quod nihil scitur*, l. 1629.

LA LUTTE CONTRE L'ARISTOTÉLISME PADOUAN

1. *De disciplinis*, p. 57 : «Ut jam etiam vulgo inter eos non omnino, ut solent, inscite Aristoteles dicatur habere nasum cereum, quem quilibet quo velit, flectat pro libito. »

2. *Ibidem*, pp. 22 et 24 et *Quod nihil scitur*, l. 275.

3. *De disciplinis* p. 24-25. « Sed ille ut indefesso illo suo studio omnes quotquot ante se aliquid scripserant, evolverat, legerat, excusserat : ita neminem praeterivit, quem non carperet, ratus tantum in se derivaturum gloriae, quantum aliis omnibus ademisset tamquan sublimior esset caeteris, acutiusque ac longius prospiceret. Carpit quidem plerumque merito, in quo ingentem meretur laudem quod falsas aliorum opinationes tanquam periculosa loca indicarit. »

4. *Quod nihil scitur*, l. 54 (lectori).

5. *De disciplinis*, 312-313.

6. Busson, *Les sources et le développement du rationalisme dans la littérature française de la Renaissance*, ch. II, Paris, Vrin, 1957.

7. *Ibidem*, ch. III.

8. *Essais*, III, XIII, p. 1082.

9. *Ibidem*, I, XXVI, p. 151.

10. Busson, *Op. cit.*, p. 119.

11. Busson, *Op. cit.*, ch. V.

12. Busson, *Op. cit.*, ch. VII.

13. *Essais*, II, II, p. 342. Le médecin Silvius ou Vidus Vidius était ami de Turnèbe et de Gélida.

14. Alexandre d'Aphrodise à qui Septime Sévère confia une chaire de philosophie péripatéticienne, outre des commentaires d'Aristote, a laissé une œuvre personnelle, dont le *De Fato*. Le traité intéressait Gentian Hervet en ce qu'il prétendait, dans la croyance à l'astrologie, assurer cependant la liberté de l'esprit. cf. J. Jolivet, *Op. cit.*, p. 872 sq.

15. Busson, *Op. cit.*, ch. IX.

16. *Parties des animaux*, I-V, 645, et *Histoire des animaux*, I-6.

17. Busson, *De incantationibus*, Paris, Rieder, 1930, p. 165 sq.

18. Brehier, *Chrysippe*, Paris, Alcan, 1910, p. 198.

19. *Les stoïciens*, textes présentés par E. Brehier et Maxime Schuhl, Bibliothèque de la Pléiade, 1962, p. 122.

20. *Ibidem*, p. 126.

21. Le *De naturalium effectuum causis* fut publié en 1567, le *De incantationibus* en 1556, réédité en 1567.

22. *De Incantationibus*, p. 213 : « Mais comme il est évident qu'Aristote a nié la résurrection, il est donc très certain que pour lui l'âme humaine est mortelle, à moins que nous n'acceptions la rêverie d'Averroès, la plus grande des fictions : qu'il y ait une seule âme pour tous les hommes ce qui est inintelligible. »

pp. 272 et 273 pourtant l'affirmation ainsi réfutée comme inintelligible s'impose au contraire : « De cette conclusion on infère que d'après les principes d'Aristote, on ne peut soutenir l'immortalité et la multiplicité des âmes; sinon elles seraient de nouveau créées par Dieu. Mais le pouvoir de créer n'est

communicable à aucune créature; c'est pourquoi cela serait fait par Dieu, sans
le concours d'aucune cause seconde et ainsi, comme je l'ai dit, d'après Aristote,
Dieu éprouverait un changement, ce qui est impossible. »

23. *De Incantationibus*, p. 241.

24. *Ibidem*, p. 195 : « Car les rois et les grands changements sont prévus de
loin par les prophètes, grâce à la puissance des corps célestes.

25. *Ibidem*, p. 191.

26. *Ibidem*, p. 184.

27. *Ibidem*, p. 253.

28. *Ibidem*, p. 254.

29. *Ibidem*, p. 254 : « Ces hommes peuvent amener ou écarter les pluies,
les grêles, les tremblements de terre, et autres semblables prodiges, commander
aux vents et aux flots, guérir toutes sortes de maladies, découvrir les secrets,
prédire l'avenir, deviner le passé, sortir de l'ordre normal. Autrement, il serait
impossible d'introduire de nouvelles religions et de nouvelles mœurs si dissemblables des précédentes. Aussi les forces éparses dans les herbes, les
plantes, les êtres raisonnables et sans raison paraissent se rassembler en
eux par la grâce de Dieu et des Intelligences au point qu'on a raison de les
croire fils de Dieu. Mais non seulement il y en a un qui est le premier, mais
encore il y en a beaucoup d'autres qui reçoivent la même divinité de ce premier
fils de Dieu, ou qui la reçoivent d'une même influence qui a pour but d'établir
définitivement cette religion. Car la religion a son accroissement et son équilibre comme les autres choses qui naissent et meurent. »

30. *De incantationibus*, p. 239 : « Mais si tous conviennent que Dieu est
l'auteur des maux et défauts par manque d'être par exemple de l'homme en
général, du lion du loup etc., tous ne s'accordent pas au sujet des défauts
individuels, qu'un homme par exemple naisse aveugle ou boîteux. Les philosophes semblent dire que ces exceptions ne sont pas dans l'intention de la
nature, mais des fautes de la nature; et qu'elles n'ont pas de cause par elles-
mêmes. Mais Augustin, qui a beaucoup d'adhérents, semble dire le contraire
au chapitre IX du XVIe livre et au chapitre VIII du XXIe livre de *la Cité de
Dieu*.

31. *Cité de Dieu*, XII-VII : « Nemo igitur quaerat efficientem causam malae
volontatis; non enim est efficiens, sed deficiens, quia nec illa effectio sed
defectio. »

32. *Cité de Dieu*, XVI-VIII : Quaeritur utrum credendum sit : « aliis ora non
esse eosque per nares tantummodo halitu vivere, alios statura esse cubitales,
quos Pygmaeos a cubito Graeci vocant, alibi quinquennes concipere feminas
et octavum vitae annum non excedere. Item ferunt esse gentem ubi singula
crura in pedibus habent nec poplitem flectunt et sunt mirabilis celeritatis; quos
Sciopodas vocant, quod per aestum in terra jacentes resupini umbra se pedum
protegant. »

33. *Ibidem*, XXI-VIII, 505-506 : « Non ergo de notitia naturarum caliginem
sibi faciant infideles, quasi non possit in aliqua re divinitus fieri aliud quam in
ejus natura per humanam suam experientiam cognoverunt quamvis et ipsa,
quae in rerum natura omnibus nota sunt, non minus mira sint, essentque stu-
penda considerantibus cunctis, si solerent homines mirari mira nisi rara. »

34. *De Incantationibus*, p. 237 sq.

35. *Ibidem*, p. 194.

36. *Ibidem*, p. 243.

37. *Ibidem*, p. 181.

38. *Ibidem*, p. 141 : «Pour le comprendre, il faut savoir que ce moyen est
tout différent de celui qu'enseigne Avicenne. Selon Avicenne, en effet, c'est
uniquement par sa science et sa puissance que l'âme produit ces effets, sans
occasionner d'altération, ni sensible, ni insensible; uniquement par son
empire sur les choses matérielles qui, on le sait, obéissent à la volonté de cette
âme. Tandis que selon notre système, l'âme ne fait ces prodiges que par une
altération, et en communiquant des vapeurs douées d'une vertu ou d'une
nocivité déterminées. »

39. *Ibidem*, p. 123.

40. *Essais*, II, XII, p. 445.

41. *Quod nihil scitur*, l. 974 : «Quae quidem omnia sciuntur ex revelatione divina, non ex humano discursu. Nec enim id fieri potest. Unde divinus legislator Moses, divinam historiam suam divino afflatus spiritu divine a mundi creatione orditur, contra omnino ac fecit Plinius. Proinde excusationem aliquam habet Philosophorum opinio : sed nullam pertinacia in non credendo, et contumacia in fidem. »

42. *De disciplinis*, p. 423 : « Pertinet ad Dei bonitatem existimari conditum, ut intelligamus quemadmodum voluerit se communicare. Nam sub aeternitate necessitas quaedam occultatur, quae pretium bonitati detrahit. Quis enim bonum esse censeat, aut ei habeat gratiam, quem quae agat, aliter non posse agere arbitretur ? »

43. *Ibidem*, p. 22 sq.

44. *Quod nihil scitur*, l. 815 sq.

45. *Essais*, II, XII, p. 527.

46. *Quod nihil scitur*, l. 851.

47. *Essais*, p. 1065 sq.

48. voir supra. p. 66 à 73.

49. *Essais*, III, XI, p. 1026.

50. *Ibidem*, II, XII, p. 526.

51. *Cité de Dieu*, XXI, VIII, voir supra. note 33.

52. *Essais*, II, XII, p. 590.

53. *Quod nihil scitur*, l. 428: « Quid adhuc scire est? Rem per causas cognoscere aiunt. Nec adhuc omnino bene : obscura definitio. Sequitur enim statim quaestio de causis difficilior prima. An omnes causas oportet cognoscere ad cognoscendam rem ?... Fugis infinitum, et incidis in infinitum, immensum, incomprehensibile, indicibile, inintelligibile. An hic sciri potest ? Minime. »

54. *Ibidem*, l. 1240: «Quam si perfectam haberet, Deo similis esset: imo Deus ipse. Nec enim perfecte cognoscere potest quis, quae non creavit. Nec Deus creare potuisset : nec creata regere, quae non perfecte praecognovisset. »

55. *Ibidem*, l. 1205: « Tolerabile id esset, si omnium rerum, quas scire cupimus, simulacra a sensu haberemus. Nunc autem contra, praecipuarum rerum nulla habemus. Solum accidentium, quae ad rei essentiam, ut dicunt, nihil conferunt: a qua vera scientia est : vilissimaque sunt omnium entium. Ab his de aliis omnibus conjectari oportet. »

56. *Essais*, III, XI, 1027.

57. *De disciplinis*, p. 38 : « Ideo quo majus esset operae pretium, populum ad sua certamina admiserunt, tanquam spectatores fabulae in theatrum productae: tum quod fieri ad concessum par erat, philosophus deposita illa tam gravi et veneranda persona, histricam induit, ut commodius saltaret : factus est populus spectator, arbiter, judex, et quod non facit auloedus in scena, fecit philosophus in schola, ut tibias non sibi et musis aptaret, quod mouet vetus magister, sed omnino coronae, ac multitudini, a quo rediturus erat ad actores honor et quaestus. Nihil opus fuit vera et solida doctrina non intellecturis, sed fucus et pulvis ob oculos multitudinis objectus. Ergo indagandi veri una et simplex via est relicta, faciendi fuci apertae sexcentae, qua quisque ut commodum sibi esset grassaretur, praesertim cum nihil sit tam deforme, quin amatorem inveniat. »

58. *Quod nihil scitur*, l. 263: « Eorum enim scientia haec est, nil aliud sciunt quam syllogismum ex nihilo struere, scilicet ex A, B, C : si autem ex aliquo instruendus esset, obmutescerent, ut qui nec minimam intelligant propositionem. »
Ibidem, l. 272: « Sed illorum dictis commotus ad quamlibet rem contemplandam me accinxi, illorumque contradictionibus et difficultatibus perspectis, ne ego iisdem involverer, iis dimissis ad res confugi, inde judicium petiturus. »

59. *De incantationibus*, p. 281.

60. *Essais*, II, XII, p. 558.

61. *Ibidem*, p. 561.

62. *Ibidem*, p. 560.

63. *De disciplinis*, p. 472; *De prima philosophia*, livre 2 : « Habes Aristoteles Deum actum purum, nec nunquam cessantem, et aliquid naturaliter producentem : non tamen insultamus tibi, tanquam aliquid nos eruerimus, quod te latuerit : nec ista nos adeo plene assequeremur, nisi ab eadem ipsa Dei sapientia edocti : cui agimus gratias de ineffabili suo dono, non ingeniis nostris, aut diligentiae studiorum. »

64. *Ibidem*, p. 472 : « Redeamus ad finitas vires, quae indigent ad actiones suas tempore, quum infinita non indigeat. Nam si finita est potentia, aliquatenus licebit illi. »

65. Gomperz, *Les penseurs de la Grèce*. Tr. A. Reymond, Alcan, Paris, 1910, t. 2, p. 277 sq. : La théorie des contraires chez Aristote. Vivès sur le plan moral adopte le principe d'une mesure fondée sur le gouvernement des passions. De la théorie des contraires, de laquelle Aristote tirait le même principe de mesure en morale, il se souvient ainsi, et l'utilise ici comme une justification des principes augustiniens.

66. *Quod nihil scitur*, l. 667 : « Contrariorum enim eadem est scientia. Generatio autem et corruptio a quo fiunt ? A qualitatibus contrariis. »

67. *Ibidem*, l. 1926 : « Medium enim utrique extremo utcumque contrarium est. Ab iis solum commendatur, qui medio etiam gaudent, et ipsi mediocres. Hi rari admodum, sicut et pulchra omnia, incognitique. »

68. *Essais*, II, XII, p. 563.

LA PHILOSOPHIE ET LA SCIENCE CHRÉTIENNES

1. *Confessions*, V-X : « Et enim suborta est etiam mihi cogitatio, prudentiores illos ceteris fuisse philosophos, quos Academicos appellant, quod de omnibus dubitandum esse censuerant nec aliquid veri ab homine comprehendi posse decreverant.

2. Concile de Vienne, 1311-1312.

3. Marcel Bataillon, *Op. cit.*, 1er chapitre.

4. Alain Guy, *Vivès*, « Philosophes de tous les temps », 1972, Seghers. p. 209 sq.

5. Gregorio Maranon, *Vivès humaniste espagnol*. Etudes hispaniques, 1941, p. 33.

6. Alain Guy, *Op. cit.*, p. 8 sq.

7. Jacques Chevalier, *Histoire de la pensée*, p. 184. C'est Pierre Damien 1007-1072 qui, donnant ce titre à la dialectique, reste fidèle aux réserves qu'avait faites Augustin dans le *De Doctrina christiana*.

8. Beranger de Tours, cf *De sacra cena adversus Lanfrancum*, ed. Vischer, Berlin 1834, p. 100 : « Maxime plane cordis est, per omnia ad *dialecticam* confugere, quia confugere ad eam, ad rationem est confugere, quo qui non confugit, cum secundum rationem sit, factus ad imaginem Dei. »

9. *Quod nihil scitur*, l. 824 à 846 : « Non minus stulte etiam quidam verborum omnium significationes ab aliquo trahere conantur : ut lapis, quia laedat pedem... — Si lapis dictio pro natura rei imposita est ut dicis : an haec est lapidis natura ut laedat pedem ? Non puto... Praeterea si « panis » pro rei natura impositus est, quid Graece ἄρτος aut Britannice « Bara », aut Vasconice « Ouguia » : Quorum diversitas in sonitu, in literis, in accentu tanta est ut nullo communicare dicas ? »

10. *Quod nihil scitur* : l. 2223 : « Quae enim a praeceptoribus meis acceperam, firme tenebam, perfecteque me scire credebam, nil aliud scire putans, quam plura vidisse, audisse memoriaque tenuisse. Juxta hoc dictum, hunc vel illum judicabam, ut et alii : totum proinde me, ut et alios facere videbam, huic scientiae generi devovebam, in hoc totus laborabam. Ut vero ad res me converti, tunc rejecta in totum priore fide, potius quam scientia, eas examinare coepi, ac si umquam a quopiam dictum aliquid fuisset : Quamque antea scire mihi videbar, tam tunc ignorare... et in dies magis : eoque usque res ducta est, ut nil sciri videam, vel sciri posse sperem : quoque magis rem contemplor magis dubito. »

11. cf. Marcel Bataillon, *Op. cit.*, p. 777 sq.

12. *Confessions*, V-III : « Et mirantur haec homines et stupent qui nesciunt ea, et exultant atque extolluntur qui sciunt, et per impiam superbiam recedentes et deficientes a lumine tuo tanto ante solis defectum futurum praevident et in praesentia suum non vident — non enim religiose quaerunt, unde habeant ingenium, quo ista quaerunt — et invenientes, quia tu fecisti eos, non ipsi dant tibi se, ut serves quod fecisti, et quales se ipsi fecerant occidunt se tibi et trucidant exaltationes suas sicut volatilia et curiositates suas sicut pisces maris quibus preambulant secretas semitas abyssi, et luxurias suas sicut pecora campi, ut tu, deus, ignis edax consumas mortuas curas eorum recreans eos immortaliter. »

13. *Ibidem*, V, XIV, déjà cité.

14. *Ibidem*, VI-I : « veritatem me nondum adeptum, sed falsitati jam ereptum. »

15. *Ibidem*, VII, XIV : « sed posteaquam fovisti caput nescientis et clausisti oculos meos, ne viderent vanitatem, cessavi de me paululum, et consopita est insania mea; et evigilavi in te et vidi te infinitum aliter, et visus iste non a carne trahebatur. »

16. *Ibidem*, IX-X.

17. *Ibidem*, X-XVIII : « Perdiderat enim mulier dragman et quaesivit eam cum lucerna et, nisi memor ejus esset, non inveniret eam. Cum enim esset inventa, unde sciret, utrum ipsa esset, si memor ejus non esset ? »

18. *Ibidem*, IX-X.

19. *Essais*, I, XXVI, p. 146.

20. *Ibidem*, p. 161.

21. *De disciplinis*, p. 1 : « Animantes omnes naturae benignitate, ac magisterio satis esse ad tuendam vitam instructas videmus. Quippe integumenta corporum naturae munere accipiunt, et cibo vescuntur parato, et ubique obvio. Homo vero prodit in lucem hanc multarum rerum indigus, ut appareat crimine aliquo detracta illi esse naturae beneficia, nullis reliquorum animantium denegata. Non habet quo se a vi frigoris, ab aestu, ab imbre tueatur, nisi quaesita multo labore : nec ei alimenta terra fundit nisi rogata, imo coacta longa et molesta cura. Illa tamen in re, indulgenter homo est a principe, et authore suo habitus, quod cum ipse necessitates sibi sua culpa tam varias accersierit, Deus tamen instrumentum ei reliquit ad eas quoquo modo propulsandas, ingenii acumen vivax, et sua sponte actuosum. »

22. *Ibidem*, p. 7 : « Inventor artium et disciplinarum omnium est ingenium acumine et solertia praeditum ac instructum. »

23. *Ibidem*, p. 161 : «   Jam in his quae cognoscuntur, alia pertinent ad sensus, ut sensilia et sensata : alia ad acumen, quae est intelligentia rerum a sensibus remotarum, sive concretionem habeant aliquam, sive nullam : alia ad investigationem rationis per causas, per effecta, et ejusmodi, quae sunt ex inquisitione veri : ad quam illico censura sequitur et assensus ac dissensio apparentis veri aut falsi : quorum nonnullis continuo ab intelligentia consentimus, aliis opus est indagatione. »

24. *Quod nihil scitur*, l. 1208 : « Solum accidentium, quae ad rei essentiam, ut dicunt, nihil conferunt; a qua vera scientia est : vilissimaque sunt omnium entium. Ab his de aliis omnibus conjectari oportet. Quae ergo sensualia sunt, crassa, abjecta, (ea sunt accidentia compositaque) nobis utcumque nota sunt. Quae contra spiritalia, tenuia, sublimia, (ea sunt principia compositorum, coelestiaque) nullo modo. Haec tamen natura sua cognoscibilia magis sunt : quia perfectiora, magis entia, simpliciora, quae tria perfectam cognitionem producunt... Et sane difficilima est, perplexitatisque plena animae, ejus facultatum, actionumque contemplatio... Cum nihil dignius sit anima, nil excellentius hac unica cognitione. »

25. *De disciplinis*. *De censura veri et falsi*, livre 2, p. 563 : « Quidam dixerunt se nihil scire, ne hoc quidem metu argumenti illius. Atqui nec Socrates ignorabat se esse, et hanc Xantippem esse uxorem suam et hunc esse Platonem discipulum suum : caeterum ad perfectam quandam scientiam dictum illius pertinebat. Quidam minime necessariam exceptionem addiderunt Socrates nihil sciebat praeter id unum : ut Varro in Academicis quaestionibus Ciceronis. »

26. *Quod nihil scitur*, l. 212 : « Hoc enim unum semper maxime ab aliquo expetivi, quod modo facio, ut vere diceret an aliquid perfecte sciret : nusquam tamen inveni, praeterquam in sapienti illo, proboque viro Socrate, (licet et Pyrrhonii, Academici, et Sceptici vocati, cum Favorino id etiam assererent) qui hoc unum sciebat, quod nihil sciebat. Quo solo dicto mihi doctissimus judicatur : quanquam nec adhuc omnino mihi explerit mentem : cum et illud unum, sicut alia, ignoraret. Sed ut magis assereret se nil scire, illud unum se scire dixit. »

27. *Essais*, II, VI, p. 380.

28. *Ibidem*, p. 378 : « On ne peut abuser que des choses qui sont bonnes. Et croy de cette regle qu'elle ne regarde que la populaire defaillance. Ce sont brides à veaux, desquelles ny les Saincts, que nous oyons si hautement parler d'eux, ny les philosophes, ny les theologiens ne se brident. »

29. *Ibidem*, p. 377.

30. *Ibidem*, p. 379.

31. *Cité de Dieu*, XII-XII : « Alii vero, qui mundum istum non existamant sempiternum, sive non eum solum, sed innumerabiles opinentur, sive solum quidem esse, sed certis saeculorum intervallis innumerabiliter oriri et occidere, necesse est fateantur hominum genus prius sine hominibus gignentibus extitisse... sed sicut ipsum mundum ex materia sua renasci existimant, ita in illo ex elementis ejus genus humanum ac deinde a parentibus progeniem pullulare mortalium, sicut aliorum animalium. »

32. *Ibidem*, XII-XIV.

33. *Ibidem*, XIV, IX : « Cum ergo ejus in evangelio ista referuntur, quod super duritia cordis Judaeorum cum ira contristatus sit, quod dixerit : Gaudeo propter vos, ut credatis, quod Lazarum suscitaturus etiam lacrimas fuderit, quod concupiverit cum discipulis suis manducare pascha, quod propinquante passione tristis fuerit anima ejus : non falso utique referuntur. Verum ille hos motus certae dispensationis gratia ita cum voluit suscepit animo humano, ut cum voluit factus est homo. »

34. *Ibidem*, : « Si autem ἀπάθεια illa est, ubi nec metus ullus exterret, nec angit dolor, aversanda est in hac vita, si recte, hoc est secundum Deum, vivere volumus; in illa vero beata, quae sempiterna promittitur, plane speranda est. »

35. Le même livre encore avait fourni le passage auquel s'efforçait de répondre Pomponazzi en jouant sur le terme « portentum » emprunté au livre XXI. Au chapitre VII du livre XII, Augustin refusait la présence du mal dans la création. Le mal pour lui était bien déficience, non manque d'être dans certaines créatures, mais cette plénitude d'être au contraire que supposait une volonté libre. Il n'était point dans la nature matérielle de l'être, mais dans la nécessité même de toute volonté qui suppose la possibilité du refus.

« Nemo igitur quaerat efficientem causam malae voluntatis; non enim est efficiens, sed deficiens, quia nec illa effectio sed defectio. Deficere namque ab eo, quod summe est, ad id, quod minus est, hoc est incipere habere voluntatem malam. »

36. *Confessions*, X-VI-Y. Thonnard souligne que dans le passage, les cinq sens sont appliqués à la connaissance de Dieu :
« Amo quamdam lucem, et quamdam vocem et quemdam odorem et quemdam cibum et quemdam amplexum cum amo deum, lucem, vocem, odorem, cibum, amplexum interioris mei. »

37. J. Guy Bougerol, *Op. cit.*, p. 106, cite le *Commentaire* du livre III des *Sentences* de Pierre Lombard par Bonaventure (d. 3, p. 2, a. 2, p. 3) (I 92-93); Hexaem coll. II, n. 13-14. « Cognitio intellectiva superadveniens non tollit cognitionem sensitivam, licet una illarum sit dignior et perfectior et nobilior altera : ergo pari ratione videtur de fide et scientia, quod simul possunt haberi de eodem et circa idem. »

38. *De disciplinis*, p. 566 : « Primam fidem arbitramur esse sensuum hanc vulgus certissimam esse ducit, nec falli se ab illa posse : unde sunt illa. Et vocem his auribus hausi : Ego hisce oculis vidi. Et Dominus in Evangelio : Quae vidimus, inquit testamur. »

39. *Ibidem*, pp. 402-403 : « Ingredimur ad cognitionem rerum januis sensuum, nec alias habemus clausı hoc corpore : ut qui in cubiculo tantum habent speculare unum, qua lux admittitur, et qua foras prospiciunt, nihil cernunt, nisi quantum speculare illud sinit : ita nec nos videmus, nisi quantum licet per sensus, tametsi foras promicamus, et aliquid ulterius colligit mens, quam sensus ostenderunt. »

40. *Quod nihil scitur*, l. 1186 : « Cognitio omnis a sensu trahitur. Ultra hanc, omnia confusio, dubitatio, perplexitas, divinatio : nil certum. Sensus solum exteriora videt : nec cognoscit. Oculum nunc sensum voco. Mens a sensu accepta considerat. Si hic deceptus fuit, illa quoque : sin minus, quid assequitur ? Imagines rerum tantum respicit, quas oculus admisit : has hinc inde spectat, versat, inquirendo quid hoc ? a quo tale ? cur ? et hoc tantum. Nec enim videt aliquid certi. »

41. *Ibidem*, l. 1505 sq.

42. *Essais*, II, XII, p. 587.

43. *Ibidem*, p. 594.

44. *Ibidem*, II, VI, p. 374.

45. *Ibidem*, p. 376.

46. *Ibidem*, p. 377.

47. *Ibidem*, p. 378.

48. *Confessions*, I, VII : « Quantum enim adtinet ad oblivionis meae tenebras, par illi est quam vixi in matris utero. »

49. *Essais*, II, XII, p. 590.

50. *De disciplinis*, p. 493 : « Vita vero et vigor quidam initium est tamquam motus ad cognitionem. »

51. *Ibidem*, p. 507 : « At mutatio haec vel spectatur ex ipsa re et natura, vel ex nostris judiciis. Ex ipsa re solus Deus est immutabilis; quippe qui idem omni loco, omni tempore, Socrates alius est hodie, quam heri, multa in eo variantur. »

52. *Ibidem*, p. 256 : « Recipiunt haec mutationes vel crebras et quotidianas ex cibo et potione, ex habitu caeli et loci, ex affectionibus corporum. »

53. *Quod nihil scitur*, l. 1743 : « Doctior perfectiori potitur corpore, quomodocumque illo utatur, sive ad imaginandum, sive ad intelligendum. »

54. *Ibidem*, l. 2183 : « Nam in eo continua mutatio est, quemadmodum et in omnibus aliis rebus. Illa vero praecipua, aetatis scillicet : quum multum differat, juvenis a perfecto viro, hic a sene : et in quoque horum magna sit etiam differentia principii, medii, finisque. Qui nunc juvenis hoc judicat, verumque credit, modicum vir revocat, probatque: quod idem forsan cum senex est iterum tenet, et tuetur : alias aliter, sibi numquam constans. »

55. *Essais*, II, XII, p. 600.

56. *Ibidem*, III, II, p. 817.

57. *Ibidem*, III, XII, p. 1057.

58. Jules II - 1443-1513, objet du pamphlet dont Erasme fut l'auteur : *Julius Exclusus*. Il restaura la puissance politique des papes en Italie, fut l'âme de la Ligue de Cambrai contre les Vénitiens, de la Sainte Ligue contre la France. Léon X : Jean de Médicis, né à Florence, successeur de Jules II de 1513 à 1521, protecteur des lettres et des arts.

59. *De causis corruptarum artium*, p. 8 : « Sub Alexandro militabant plurimi; sub Augusto nemo non cudebat carmen : Neronis tempore multi per urbem cantores, histriones, phonasci, multi magi. Adrianus omnes faciebat observatores veterum scriptorum. Romae Leone Pontifice omnia perstrepebant cantibus, Julio armis, Phoenices nauticas artes multum exercuerunt ad suum quaestum : et hoc magis hisce inflammabantur rebus ad cognoscendi cupiditatem, quo spes ostenderetur amplior perveniendi quo intendissent : ut Chaldaei et Aegyptii, qui propter locorum opportunitates, quod planicies in illis locis essent, et caelum serenum, cogitatione se astrorum dediderunt. »

60. Bodin, les six livres de la *République* avec l'*Apologie de R. Herpin*, Paris, J. Du Puys, 1581-1583, p. 666. « Qui fait aussi qu'on doit diversifier l'estat de la Republique à la diversité des lieux...

« disons donc premièrement du naturel des peuples du Septentrion, et du Midy, puis des peuples d'Orient, et d'Occident, et la difference des hommes montagnards à ceux qui demeurent en la plaine, ou ès lieux marescageux, ou battus des vents impetueux : après nous dirons aussi combien la discipline peut changer le droit naturel des hommes : en rejetant l'opinion de Polybe et de Galien qui ont tenu que le païs et la nature des lieux emporte nécessité aux mœurs des hommes. »

61. *Quod nihil scitur*, l. 890 : « Hominum ipsorum quanta varietas etiam in specie ? alicubi omnes brevissimi sunt, pygmaei dicti : alibi praegrandes, Gigantes : alii omnino nudi incedunt : vilosi alii, totoque corpore capillati : quin alii omnino sermonis expertes ferarum modo in sylvis degunt, cavernis conduntur, aut etiam avium ritu in arboribus stabulantur, sed et nostros homines si quando contingat rapere, maxima cum voluptate devorant : alii de Deo et religione nil solliciti omnia communia habent, filios quoque et uxores : vagantur, nec sedem fixam habent. Contra alii Deo et religioni astricti pro his sanguinem intrepide fundunt. »

62. *Essais*, III, XIII, p. 1080.

63. *Quod nihil scitur*, l. 767 : « Denique sunt homines quidam, quos maxime dubites an rationales, an potius irrationales vocare debeas. »

64. *Essais*, II, I, p. 333.

65. *Ibidem*, III, II, pp. 804-805.

66. *Ibidem*, II, I, p. 333.

67. *Quod nihil scitur*, l. 957.

68. *Ibidem*, l. 536 : « Quid superest ? — Extremum remedium : tu tibi cogita. »

69. *Ibidem*, l. 2135.

70. *Essais*, III, XIII, p. 1071.

71. *Ibidem*, p. 1113.

72. *Ibidem*, p. 1115.

INDEX DES EMPRUNTS ET RAPPROCHEMENTS
OBSERVÉS ENTRE MONTAIGNE, AUGUSTIN ET LACTANCE

MONTAIGNE			AUGUSTIN
Edit.	pages	lignes	
Livre I			
Ch. I			
B	8	14	IX-IV+Vivès
B		16	XIX-I+Vivès
B		17	IX-V+Vivès
A		22	XIV-VI
A	9	16	XV-XXI
Ch. II			
C	II	6	IX-IV et XIV-VIII
Ch. III			
B	16	11	II-XIX
C	17	9	I-X
A		38	I Préface
C	20	3	I-XII +Vivès
Ch. IX			
B	37	9	XIX-VII
Ch. X			
C	40	28	XI-II et XXVI et *Confessions* X-XIX
Ch. XI			
A	41	1	IV-XXX
C		4	IV-XXX (*De Divinatione II*)
A		14	V-I
B		21	V-I+Vivès (Lucain, II)
Ch. XII			
A	45	1	XIV-IX
C	46	29	IX-IV+Vivès
C	47	I, sq	IX-IV+Vivès

MONTAIGNE			AUGUSTIN
Edit.	pages	lignes	
Ch. XIV			
A	50	I, sq	IX-IV+Vivès (Epictète)
A	51	18	IX-IV+Vivès (Sénèque)
A	55	15	IX-IV+Vivès (*Tusculanes*)
A	56	4	I-XI (La Boëtie)
C		11	XIII-XI
A		28	I-X
A		33	IX-IV+Vivès (*Tusculanes*)
C	57	5	IX-IV+Vivès (*De Finibus*)
A		14	IX-IV+Vivès (*Sénèque*)
A		16	IX-IV+ Vivès (*De Finibus*)
C		18	IX-IV+Vivès (*De Finibus*)
A	58	18	IX-IV+Vivès (*Sénèque*)
C		22	IX-IV+Vivès (*Tusculanes*)
A		24	I-X
A		28	I-X
A	59	4	IX-IV+Vivès (*Tusculanes*)
C	61	8	IX-IV+Vivès (Sénéque+*Tusculanes*)
B	63	16	I-X
B	67	1	IX-IV
Ch. XIX			
Titre (*Ecclesiaste*)			XIII-XI
A	78	5	XIII-XI+Vivès (Solon)

MONTAIGNE			AUGUSTIN
Edit.	Pages	Lignes	
A	79	36	XIII-VI
A	80	10	XIII-VI
B		33	XIII-VI
Ch. XX			
Titre			VIII-II+Vivès
A	81	1	VIII-II, III, IV, V,+Vivès (*Tusculanes*, *Phédon*)
A		3	VIII-VII
A		6	VIII-VIII
C		9	VIII-VIII
C	82	5	XIX-I et IV + Vivès (Platon, Plutarque, *Tusculanes*, *de Finibus*)
C		22	IX-IV+ Vivès (*De Finibus*)
C		25	VIII-VIII
C	90	12	XII-XXIII éd. Migne XII-XXII+ Vivès éd. Erasme.
A	92	2	I-XI
C		19	XIII-X
C		24	XIII-XI
A		29	XIII-X+Vivès (Quintilien-Sénèque)
A	93	1	XIII-X
C		7	XIII-X
C		8	XIII-XI
C		11	XIII-IX
B		14	XIII-XI
C	94	15	XIII-X
B	95	1	XIII-XI
A		15	XIII-X
C	96	3	XIII-X
C		19	XIII-X
Ch. XXI			
A	98	18	IX-IV
A		35	III-XXXI+Vivès (Pline)
C	99	20	XIV-XXIV
C	102	9	XIV-XXIII
C		39	XIV-XXIV +Vivès
C	103	8	XIV-XXIV
A	105	17	XII-XXVI

MONTAIGNE			AUGUSTIN
Edit.	Pages	Lignes	
Ch. XXIII			
A	108	1	*De Quantitate animae* et Quintilien
C	110	9	XXII-XXII
C		16	XXII-XXII et *Confessions* I-VII
C		22	*Confessions* II-IV
C		33	*Confessions* I-IX
A	111	18	IV-XXX
C	112	5	XXI-VIII
A	115	11	XXI-VIII
A		31	XXI-VII et VIII
A	116	33	XXI-VIII
A	117	21	XXI-VIII
A	120	32	XVIII-II
C	121	19	V-XXI
A	122	30	XIX-XVII et XXII-VI
A		34	XIV-XV (*Térence*)
I XXIV			
A	127	1	V-XXI
A		5 sq.	XI-II et XXVII +Vivès
A	128	1	XI-II, et XXVII +Vivès
I XXV			
A	139	23	XI-XXVII +Vivès
C	142	1	XI-XXVII +Vivès (Platon, *Alcibiade*)
I XXVI			
A	146	8	*De Doctrina* II-XXXIX
A		20	*De Doctrina* II-XXVIII
A		26	*De Trinitate* II-XIV
C	150	28	XXII-XXIV
A	151	9	*Confessions* X-XIV
C		33	*Confessions* X-XVIII et *De Trinitate* X-III

Première colonne

MONTAIGNE			AUGUSTIN
Edit.	**pages**	**lignes**	
A	161	15	*De Doctrina* II-XXXVII
C	168	1	VIII-VII+Vivès (*Tusculanes*)
A	175	2	XXI-VIII
XXVII			
A	178	10	XXI-VII
A	179	11	XXI-VIII+Vivès
A		13	XXI-VII+Vivès (cf. Prohibitum)
A		16	XXI-VIII
C	180	1	XXI-VIII
A		13	XXI-VI
C		19	XXI-VIII
A	181	11	XXII-VIII
A		13	XXII-VIII
A		15	XXII-VIII
A		18	XXII-VIII
A		27	XXI-V
XXVIII			
A	193	17	*Confessions* IV-V
A		18	*Confessions* IV-VI(Térence)
XXX			
A	200	4	XIX-V
XXXI			
A	205	28	XXI-VIII
A		40	*De doctrina* II-XXXVI, XXXVIII, et XL
A	206	31	III-X+Vivès
C	213	5	XVI-XXV et XXXVIII
A	214	20	XXI-VIII
I—XXXII			
A	215	1	II-I
A	216	4	V-IX
A		32	I-VIII
A		39	V-IX
XXXIV			
A	220	1	V-XXII
A	222	7	V-XXI
XXXVI			
A	225	1	XXI-VIII

Deuxième colonne

MONTAIGNE			AUGUSTIN
Edit.		**lignes**	**pages**
A		6	V-XI (*Ecclésiaste*)
A	225	13	V-XI
XXXVII			
C	230	9	V-XII+Vivès (*Tusculanes*)
C	231	21	V-XIV
A		22	I-XXIII et XIX-IV et V-XII (Enéide)
I-XXXIX			
A	237	1	XIX-XIX
A		4	V-XIII+Vivès (Horace *Odes, Epîtres*)
C	238	30	XII-XXVIII
A	240	20	XI-XXV
A		21	XIX-XXI +Vivès et XIX-XXV +Vivès (Sénèque)
A		35	I-X
A	242	7	XI-XXV+Vivès
A	243	1	XI-XXV+Vivès
C	245	2	I-IX
C	245	8 à 18	XI-XXV+Vivès
XLI			
A	255	1	V-XVII
C		15	V-XIV
XLII			
A	259	3	V-XXIV
A	262	18	V-XVII
XLIII			
B	270	5	éd. Migne XII-XXVI éd. Erasme XII-XXVI et XXII-VI
C		10	éd. Migne XII-XXVII éd. Erasme XII-XXVI+Vivès (Platon)
C		16	XXII -VI
XLIV			
A	271	1	XIV-IX

MONTAIGNE			AUGUSTIN
Edit.	pages	lignes	
XLVII			
A	286	13	XVIII-II et V-XXI
XLIX			
A	296	1	XXI-VIII
L			
C	302	3	De Trinitate XII-XIV
C		7	De Trinitate XII-XIV
C	304	15	XIX-XXIV et XXV+Vivès
LI			
A	305	1	De Doctrina II-XXXI
A	305	25	De Doctrina II XXXVII
LII			
A	308	1	I-XXIV+Vivès
LIII			
A	309	8	XIX-I
A		18	XIX-IV
A	310	8	XIX-IV
LIV			
A	311	15	XXI-VIII
LVI			
A	318	24	II-VI+table «Comment prier»
B		26	II-VI
A		30	I-XXIX
C		30	I-XXIX
A		31	I-IX
C		33	I-X
A	320	29	Confessions IX-IV et VII
B	321	4	De Doctrina III-XXXVII
C		9	De Doctrina III-XXXVII
B	322	36	X-XXIX
C	323	11	X-XXIX
LVII			
A	326	2	XXII-XV
A		12	I-XI

MONTAIGNE			AUGUSTIN
Edit.	pages	lignes	
Livre II			
I			
A	331	1	XIV-V et VI
A	332	31	XIV-VI
A	333	28	V-VIII+Vivès (Homère)
A	334	4	V-XII
C	335	19	Cité de Dieu passim et XII-VIII
A	336	30	XIV-IX+Vivès (Tusculanes)
A	337	24	XIV-VIII et IX +Vivès (Sénèque)
A		27	XIV-VI
A	338	1	XIV-VIII et IX +Vivès (Sénèque - Tusculanes)
A		2	XIV-IV (I Cor. II)
II			
A	339	3	XII-VII
A		14	XII-XIV
A	345	32	XII-XIV (Ecclésiaste)
A	346	9	IX-IV
III			
A	350	4	I-XXI+Vivès prohibitum
A	352	3	I-XXII+Vivès (Tusculanes Cicéron République Platon Phédon)
C		8	I-XXII+Vivès
A		17	V-XVIII
A	356	38	I-XXV
A	357	2	I-XXVI+Vivès
A	360	25	I-XXV (Rom.)
A		26	I-XXII+Vivès (Phédon)
B et C	362	4	I-XXI+Vivès prohibitum
IV			
A	365	17	V-XXI

MONTAIGNE			AUGUSTIN
Edit.	pages	lignes	
A	366	19	XXI-IX+Vivès (Juvenal)
A	367	14	XXI-IX+Vivès (Sénèque)
A		25	XXI-IX+ Vivès (Epicure)
A	368	1	XXI-IX+Vivès (Juvenal-Epicure)
B		7	XX-IX+Vivès (Sénèque)
A		36	XIX-VI+Vivès
C		37	XIX-VI+Vivès
A	369	1 à 8	XIX-VI+Vivès
B		9	XIX-VI+Vivès
C		13	XIX-VI+Vivès
C		21	XIX-VI+Vivès
VI			
A	370	1	XIII-VIII : fin justifiant les raisonnements des ch. suivants
A	371	36	XIII-X +Vivès (Sénèque)
C	372	6	XIII-XI et Confessions I-VI
A	373	38	Confessions I-VI
C	377	37	Confessions I-VI
C	378	1 à 8	Confessions omnia
C		14	Confessions X-IV et V
C	379	17	Confessions IV-XI
C	380	11	Confessions IV-XI
VII			
A	382	35	V-XIX
A	384	1	I-XXXI et IX-V +Vivès (Tusculanes)
VIII			
A	385	1	XXI-VIII
A	386	27	XIX-IV+Vivès (ὁρμαί)
B	393	29	XIX-V (Adelphes)
C	397	21	XIX-IV+Vivès (Justice)
A	399	40	XIX-IV+Vivès (De Consolatione)

MONTAIGNE			AUGUSTIN
Edit.	pages	lignes	
X			
A	409	7	Confessions X-XIX et De Trinitate X-III
A		9	Confessions X-XVII
A		15-22	De Trinitate X-VIII
A		27	De Trinitate XII-XIV
A	413	29	De Doctrina IV-XXVIII
A	414	5	De Doctrina II-XXXVI
XI			
A	422	1	XIX-I+Vivès
C	423	32	XIX-I+Vivès (Tusculanes)
A	424	19	XIX-IV+Vivès (Tusculanes)
C		27	XIX-IV+Vivès (Tusculanes)
C	425	11	XIX-IV+Vivès (De Officiis)
A		18	XIX-IV+Vivès (De Officiis-Tusculanes)
A	427	13	XIV-VIII et IX +Vivès
A	428	1 et 27	XIV-VIII
C		4	XIV-VIII
A	429	16	XIX-I+Vivès
A	431	4	XIX-VI+Vivès
A	435	2	XII-XXIII éd. Migne XII-XXII+Vivès éd. Erasme

MONTAIGNE			AUGUSTIN/LACTANCE
XII			
A	438	2	VIII-V et De Trinitate, I-IV
A	440	37	XXI-VII + Vivès (Prohibitum)
C	443	11	II-XIX
C	444	7	XII-XXIII éd. Migne

MONTAIGNE			AUGUSTIN/LACTANCE
Edit.	pages	lignes	
C			XII-XXII éd. Erasme +Vivès
C		13	I-XXI+Vivès (Prohibitum)
A	445	9	XIV-VII (Philipp. 1-23)
A		10	I-XXII
A	446	35	XXII-XXIX et De Trinitate XIV-I, mieux: Lactance Divines Institutions, I-I et VII-I
		40	De Trinitate XV-II, IV, etc.
B	447	9	De Trinitate XV-II,IV, etc.
A		23	Lactance III-I
A		25	V-XII+Vivès
A		28	Lactance I-I et III-I
C	449	1	XVII-IV
A		4	Lactance II-III et III-IV, V, VII
C		11	XXI-V+Vivès
A		23	VIII-X+Vivès et Lactance III-VII
A		24	Lactance III-IV, V, VII
A		26	De Trinitate, IX-I
C	452	14	XXI-III
A	454	36	Lactance III-IX
A	455	1	Lactance III-IX
A		9	Confessions X-XVII
A		23	Lactance III-IX
A	458	26	Lactance III-IX
B		38	Lactance III-IX
C	488	28	VII-X
C	499	11	De Ordine II-XVI
A	502	36	Confessions X-XIX, et Lactance III-V
C	514	8	Confessions, X-XXXIII
A	516	25	IV-XXX+ Vivès (Lactance) Lactance II-VII, et IX

MONTAIGNE			AUGUSTIN/LACTANCE
Edit.	pages	lignes	
A		30	IV-XXVI
C	517	4	IX-XXX+Vivès
A		7	IV-XX
C		15	XVIII-V
A		21	IV-XXVI
C	519	7	X-XXX
C	522	31	VI-X
C	523	5	VI-X
A		30	XXI-VIII
A	525	5	X-XXIX et XIII-XVI
B	528	35	XI-XXII
C	529	11	XI-XXII
C	530	8	VIII-XXIII et XXIV
C		18	VIII-XXIV
C	531	22	XII-XVIII
C		34	VI-VII
C	532	30	Lactance I-XVII (De Natura deorum)
B	534	18	IV-VIII
C		20	IV-VIII
C		21	IV passim
C		22	III-XII
C		28	VI-V
C	535	3	IV-XXVII
C		6	IV-XXXI
C	539	10	XXI-X
C	544	9	XI-XXIII+Vivès
C	553	32	X-XXVIII (Cor. I,I, 19)
C	555	5	XXI-XVII
C		6	XXII-XXVIII
C		7	XXII-XXVIII +Vivès (Lactance VII-III)
A	556	5	IX-XI+Vivès
A	564	34	V-VIII
B	572	2	XVI-IX+Vivès
C		20	XII-XII, ed. Migne XII-XI, ed. Erasme +Vivès
C		36	XII-X ed. Migne
C		37	XII-X ed. Erasme +Vivès (Timée, Lettre d'Alexandre)
C	573	2	XII-X+Vivès (Diodore, Aristote Pline)
C	577	30	XIX-II
A	578	2 à 19	Lactance III-VI

MONTAIGNE			SOURCES
Edit.	pages	lignes	
C	579	14 à 26	Lactance III-VII
C	584	30	XIV-XX
A	604	3	Lactance VII-II

MONTAIGNE			SOURCES
XVI			
A	621	4	VII-III+Vivès
A		29	VII-III
C		31	V-XII (Catilina)
C	623	7	I-XIX+Vivès (Cor-II-I-12)
XVIII			
A	664	19	I-XIII
C		20	I-XIII
XIX			
A	672	4	XIV-XV
XX			
A	673	1	*Confessions* IV-V
XXVIII			
A	695	2	V-XXVII+Vivès
C		16	V-XXVII+Vivès
XXIX			
A	708	35sq.	V-IX+Vivès et V-X+Vivès
XXX			
C	713	27	XXI-VIII
XXXII			
A	725	14	XXI-VIII
C		17	XXI-VIII
XXXVII			
C	761	2	IX-IV
A	763	17	XXI-VIII
Livre III			
I			
B	803	4	II-XXV+Vivès
IV			
A	832	33	IX-IV Vivès (Epictète)
C	832	34	IX-IV+Vivès (*Tusculanes*)

MONTAIGNE			SOURCES
Edit.	pages	lignes	
V			
B	841	37	VII-VIII+Vivès
C	849	21	XIV-XXVI+Vivès (Eneide)
B	852	15	éd. Erasme XII-XXII +Vivès (Pline VII «Homo homini lupus») éd. Migne XII-XXIII
B	858	36	VII-XXIV
B		38	VI-IX
C	860	26	XXII-XVII +Vivès (Plutarque)
B	867	30	I-XVIII
B	868	4	XVIII-XV+Vivès Lactance I-XXII
B		9	I-XVIII
B	871	23	X-XX+Vivès
IX			
B	952	29	XIX-XIX
B	956	20 à 30	XIX-XXIV
B	957	4	II-XVII,XVIII et V-XXI
C		17	IV-XXXI et VI-IV
B	959	30	V-XXI
B	960	13	V-XVII et XXII
B		18	V-XII
B	976	8	*Confessions*, XI ch. XV
B	994	1	II-XIX
C	995	12	Vivès, Préface au *Commentaire de la Cité de Dieu*
de B	1000	20	
à B	1001	5	*Confessions*: XI-XXIX, XXX et XXXI
X			
B	1006	9	I-X et XIX-XIX
B		14	IV-XXXI
XI			
C	1028	26	VI-X
C	1032	13	XIX-XVIII
C		34	XVIII-XVIII

MONTAIGNE			SOURCES	MONTAIGNE			SOURCES
Edit.	pages	lignes		Edit.	pages	lignes	
XII				B		9	XII-XIV
C	1043	18	V-XXI+Vivès et	B	1072	17	V-XXI et II-XIX
			II-XIX+Vivès	C	1073	9	*Confessions* XIII
C		19 sq.	XIX-VI+Vivès				ch. XXXIII
B	1053	29	I-XXI+Vivès	B	1079	16	XXII-XXX
			(Prohibitum)	B	1102	18	XIII-X
B	1053	1	*Confessions*) X	C	1107	27	VIII-IV
			ch. XIX	B		32	*Confessions*
B	1055	1	XIII-IX, X et XI				XIII-XXVI et
B	1059	14	XIV-VIII et IX				XXVII
				B et C	1113	13	*Confessions* XIII
XIII							XXXII
B	1065	26	XIX-XXI+Vivès	C		16	*Confessions* XIII
			et II-XVII+				XXXIV
			+Vivès (Budé)	C	1114	9	XIV-V
C	1070	6	XXI-VIII				

Les références qui ne sont pas précédées du titre de l'ouvrage doivent être rapportées à la *Cité de Dieu*, celles de Lactance aux *Divines Institutions*.

INDEX NOMINUM

INDEX NOMINUM

INDEX NOMINUM

(Cet index ne comprend pas les noms cités dans les notes)

BIBLIOGRAPHIE

Editions consultées :

AUGUSTIN (Saint), *Cité de Dieu*, G. Bardy, Tr. G. Combès, « Bibliothèque augustinienne», Desclée De Brouwer, Bruges, 1960.
Cité de Dieu, enrichie du *Commentaire* de Vivès, Tr. Gentian Hervet, 2ᵉ éd. Paris, Nicolas Chesneau, 1578.
Confessions, Tr. G. Labriolle, Paris, «Belles Lettres», 1959.
De Catechizandis Rudibus — De Doctrina Christiana, Ed. G. Combès, et J. Farges, «Bibliothèque augustinienne», Paris, Desclée De Brouwer, 1949.

MONTAIGNE (Michel de), *Les Essais*, Ed. conforme à l'exemplaire de Bordeaux, avec addition des éditions posthumes, et notes de Pierre Villey, par V.L. Saulnier, et Robert Aulotte, Paris, P.U.F., 1965.
Théologie Naturelle de Raymond Sebon, ed. Armaingaud, Paris, Conard, 1924-1941, Tomes IX et X.

PASCAL (Blaise), *Oeuvres complètes*, éd. Jacques Chevalier, «Bibliothèque de la Pléiade», Paris, Gallimard, 1954.

VIVES (Juan Luis), *De disciplinis*, Lyon, Jean Frellon, 1551.

Ouvrages utilisés :

Les ouvrages utilisés sont cités en référence, dans les notes. Cette bibliographie prétend se limiter à ceux qui ont véritablement présidé à la réflexion, et à la conception du livre présenté.

AULOTTE (Robert), *Etudes sur les Essais de Montaigne*, Paris, Europe Editions, 1973.

BATAILLON (Marcel), *Erasme et l'Espagne. Recherche sur l'histoire spirituelle du XVIᵉ siècle*, Paris, Droz, 1937.

BONNEFON (Paul), *Montaigne l'homme et l'œuvre*, Gounouilhon, Bordeaux, 1899.

GILSON (Etienne), *Introduction à l'étude de Saint Augustin*, «Etudes de philosophie médiévale», XI, Paris, Vrin, 1929.
La philosophie de Saint Bonaventure, «Etudes de philosophie médiévale», 4, Paris, Vrin, 1953.

GUY (Alain), *Philosophes espagnols d'hier et d'aujourd'hui*, Paris, Privat, 1956.
Spéculation philosophique à Salamanque, au cours du XVIᵉ siècle, Paris, Vrin, 1943.

MANDOUZE (André), *Saint Augustin, l'aventure de la raison et de la grâce*, Paris, «Etudes augustiniennes», Desclée De Brouwer, 1968.

POPKIN (Richard H.), *The history of scepticisme from Erasmus to Descartes*, Van Gorcum, Assen, 1960.

RENAN (Ernest), *Averroès et l'averroïsme*, Calmann Lévy, Paris, 1869.

SELLIER (Philippe), *Pascal et Saint Augustin*, A. Colin, Paris, 1970.

TRINQUET (Roger), *La jeunesse de Montaigne, ses origines familiales, son enfance et ses études*, Paris, Nizet, 1972.

VILLEY (Pierre), *Les sources et l'évolution des Essais*, Hachette, Paris, 1908.

Les références au *Quod nihil scitur* de Francisco Sanchez renvoient à l'édition en préparation aux Editions KLINCKSIECK (Edition critique, traduction et notes par Andrée COMPAROT).

TABLE DES MATIÈRES

ACHEVÉ D'IMPRIMER SUR LES PRESSES DE L'IMPRIMERIE LA MARGERIDE
63570 BRASSAC-LES-MINES — DÉPÔT LÉGAL : 1er TRIMESTRE 1983